De maat genomen

Cisca Dresselhuys

De maat genomen

Topmannen langs
de Feministische Meetlat

Amsterdam · Antwerpen

Omslag: Ron van Roon
Omslagfoto: Speakers Academy/Roy Beusker

ISBN 90 6305 228 6 / NUR 740
www.uitgeverijarchipel.nl
www.boekboek.nl

Inhoud

Mannen opnieuw de maat genomen

'Zijn die mannen wel eerlijk tegen jou? Verzinnen ze er niet een serie huishoudelijke karweitjes bij, zodat ze een hoog cijfer krijgen?'
vragen mensen mij vaak, als we het hebben over mijn interviewse-
rie Langs de Feministische Meetlat, waarvoor ik onlangs de 150-
ste Belangrijke Nederlandse man heb geïnterviewd.

Want het is opvallend hoe achterdochtig vooral vrouwen zijn, als
het gaat om de verdiensten op emancipatoir vlak van mannen. En
al helemaal van Bekende en Belangrijke mannen. Een klein overblijfsel van de ooit zo gevreesde en bekritiseerde mannenhaat van
feministen?

Hoe dan ook: nee, die mannen liegen niet. Tenminste: meestal
niet.

Waarom zouden ze? Het is nog steeds stoer om te zeggen dat je
thuis – helaas – niets doet, want dat betekent dat je een workaholic
bent, van 's ochtends vroeg tot 's avonds laat bezig met de belangen van Je Zaak, wat die Zaak ook zijn moge. En ja – alweer helaas –
dat betekent ook dat de opvoeding van de kinderen vooral het werk
van hun vrouw was en is, maar met de kleinkinderen, indien aanwezig, spelen ze regelmatig, want 'o, wat zijn kleine kinderen toch
eigenlijk leuk'.

Tja.

Nu in dit boek een dertigtal Meetlat-interviews verzameld is,
hebben we – voorzover mogelijk – de vrouw, vriendin, moeder of
(schoon)dochter of naaste collega van de geïnterviewde man om
commentaar gevraagd.* Was hij eerlijk? Had hij zijn huishoudelij-

* Slechts in een enkel geval kon of wilde niemand commentaar geven

ke of vaderlijke inspanningen aangedikt of juist geminimaliseerd? Zeurde hij over het – volgens hem te lage – cijfer? Of was hij gewoon tevreden?

Kortom: had zij hem herkend uit het interview?

Eindelijk de toets der kritiek, waarom lezeressen mij zo vaak vragen. Sasja Jansen heeft deze tijdrovende klus op zich genomen, waarvoor ik haar graag wil danken.

En – als verrassing voor mij – een interview met mijn eigen man. Uiteraard niet van mijn hand. Graag dank ik Geke van der Wal voor dit mooie interview.

Overigens wilden niet alle mannen, die wij vroegen, met hun verhaal in dit boek.

Niet dat het interview niet klopte, maar ja, het verhaal was toch wel eenzijdig en daardoor was het cijfer aan de lage kant.

Duidelijk nog steeds overgevoelig voor een onvoldoende, want het waren meestal de mannen met een laag cijfer op de meetlat, die herdruk van hun interview weigerden. Dat cijfer blijkt ook een aantal vrouwen erg bezig te houden. Hoe komt hun man, vriend, vader of baas aan die nul of plus twee. Is dat niet erg laag?

Eigenlijk is de meetlat geen meetlat, maar een thermometer; hij gaat namelijk ook onder nul, tot min tien zelfs. In ons streven naar de juiste beoordeling van sommige (zeer) vrouw-onvriendelijke uitspraken, meenden wij niet genoeg te hebben aan cijfers boven nul, het was soms zo erg dat we onder nul moesten afdalen.

En als je daar eenmaal mee begint, kun je nooit meer terug.

Vanuit die wetenschap is een plus drie dus helemaal niet zo slecht, er zijn immers ook mannen met een min drie.

Dan is er de vraag: zijn er statuten van de Meetlat? (Dit vroeg een medewerkster van toenmalig minister Ad Melkert mij ooit.)

Nee, er zijn geen statuten. Noch andere bij de notaris gedeponeerde officiële stukken. Slechts ikzelf, terzijde gestaan door afwisselende redactieleden, bepaalt het cijfer. Er is dus sprake van een volstrekt subjectieve beoordeling.

Een andere vraag die ik vaak krijg van lezeressen, maar ook van collega's en vriendinnen: zijn die mannen nou leuk?

Natuurlijk zou men het liefst horen: 'Nee, het zijn beesten en chagrijnen, allemaal, zonder uitzondering'. Huiverend van sensatiezucht zou men om mij heen gaan zitten om naar mijn gruwel-verhalen te luisteren.

Maar dan zou ik liegen.

Want de meeste Meetlat-mannen zijn aardig en interessant. En vaak heel leerzaam. In de loop der jaren heb ik heel veel van hen opgestoken, waardoor ik een 'sadder en wiser' mens ben gewor-den en – soms – een feministisch oordeel heb moeten bijstellen of laten varen.

Zo leerde psycholoog Nico Frijda mij kritischer te kijken naar het idee dat de wereld er vrediger zou uitzien met vrouwen aan-de-top. Natuurlijk: oorlogen worden vrijwel altijd gevoerd door mannen, maar ook de premiers van Israël en Engeland, Golda Meir en Mar-garet Thatcher, stuurden soldaten de oorlog in. Dat heeft er alles mee te maken, zei Frijda, dat macht zijn eigen wetten heeft, waar-bij het niet uitmaakt wie er op die posten zitten. Vrouw of man, ze gehoorzamen beide aan de wetten van de macht.

Hersendeskundige Dick Swaab haalde mij – tegenstribbelend – over tot het inzicht, dat in tegenstelling tot wat Simone de Beau-voir dacht, namelijk dat alles is aangeleerd en niets aangeboren, wel degelijk een en ander aangeboren is bij man en vrouw. Onder-zoek heeft bijvoorbeeld uitgewezen dat vrouwen een uitgebreider taalgebied in de hersenen hebben en een kleiner gebied, waar het ruimtelijk inzicht wordt geregeld. Generaliserend gesproken ui-teraard.

Helaas Simone: ik twijfelde jarenlang niet aan je inzichten, maar Dick Swaab leerde mij dat het soms echt anders is.

En dan nog iets heel belangrijks voor een doorgewinterde femi-niste: mijn inmiddels helaas overleden vriend psychiater Dries van Dantzig hield mij regelmatig voor: 'Emancipatie is een vermeer-dering van opties, niet het vervangen van het ene dogma door het andere, Cisca.' Telkens wanneer ik weer eens dreig door te draven, komen deze wijze woorden mij voor de geest. Ten slotte was het Herman Wijffels, ex-voorzitter van de SER, die mij leerde dat het niet goed is je 'kunstmatig kleiner te maken dan je bent'. Wijze en ondersteunende woorden voor de keren dat ik denk: waarom moet ik nou zo nodig weer mijn zegje doen in het openbaar, laat ik me toch eens koest houden.

Maar de belangrijkste ontdekking die ik heb overgehouden aan deze interviews is wel, dat veel weten tot veel begrijpen leidt. En dat leidt dan weer tot aardig vinden. Niet dat ik aan mijn interviews 150 vrienden-voor-het-leven heb overgehouden, maar wel een paar. En een groot aantal, met wie ik graag nog eens een broodje eet. (Hopelijk is dat wederzijds.)

Nu een aantal van deze interviews uit heden en verleden is gebundeld, kunt u zelf oordelen: zijn ze aardig of niet, eerlijk of niet, die Bekende Nederlandse Mannen. En u zult zien: ze vallen echt mee!

Cisca Dresselhuys
Hoofdredactrice Opzij
Augustus 2006

'Ik ben het mannelijke domme blondje'
Wouter Bos

Linkse werkgevers zijn slechte werkgevers. 'Uit angst niet sociaal te zijn, *zijn ze onduidelijk en slap.'* Kinderopvang moet een basisvoorziening worden, *'niet alleen in het belang van de ouders, maar vooral vanwege kinderen zelf.* Hij heeft meer seksisme over zich heen gehad dan menige vrouw. *'Als er over de borsten van een vrouw gezegd was, wat er over mijn achterwerk is gezegd, was het huis te klein geweest.'* Balkenende vindt hij een *slechte premier.* 'Hij kiest voor een oneerlijke verdeling van de lasten en *voor de confrontatie; hij slaat de uitgestoken hand van potentiële bondgenoten weg.'*
PvdA-fractieleider Wouter Bos (1963)

Maandag is Iris-dag. Op die dag zorgt hij voor zijn halfjaar oude dochter, doet het huishouden en probeert en passant nog een beetje te werken. Maar dat laatste valt erg tegen. Hij was al gewaarschuwd door lotgenoten: thuiswerken met een baby is geen succes. In zijn geval komt het neer op maximaal zo'n drie uur per dag. En dan heeft hij mazzel, want Iris is een ideaal kind. 'Ze slaapt meestal door tot half acht, soms zelfs half negen. Gisteren had ik wat minder geluk, toen moest ik er om half acht uit. Dan is het een vaste routine: uit bed halen, verschonen, voeden, spelen, fruithapje maken. Nee, niet uit een potje, puur natuur. Afhankelijk van de darmsituatie een perzik, een peer en een banaan in de blender. Een banaan stopt, dat is belangrijk om te weten. Daarna gaat ze weer naar bed. En kan ik iets voor mezelf doen.'

Je vrouw is weer aan het werk?

'Helaas nog niet. Barbara zoekt op het moment een nieuwe baan. Maar op maandag steekt ze geen vinger uit. Het is haar dag en gelijk heeft ze. Ze gaat met vriendinnen op stap of doet andere dingen. Ik doe dus ook het huishouden, de was, boodschappen, strijken en koken. Gisteren was het helaas strijkdag. We hebben ooit een foutje gemaakt bij het aannemen van onze hulp: die haat strijken. En m'n vrouw moet er ook niks van hebben, dus ben ik meestal de klos. Ik heb de stomme gewoonte om het allemaal veel te lang te laten liggen, dan krijg je zo'n berg kurkdroge, verkreukelde spullen.'

Wat doe je dan?

'Stomen met het stoomstrijkijzer.'

Er zijn fijne strijksprays in de handel.

'Die zullen ecologisch wel weer niet verantwoord zijn. Nee, ik houd het maar bij het stoomstrijkijzer.'

Gaat Iris niet naar de crèche?

'Drie dagen per week, maar dus niet op maandag, want dat is mijn zorgdag. Ze was drie maanden toen ze voor het eerst ging. Ik vind kinderopvang een uitkomst, voor werkende ouders maar nog meer voor de kinderen zelf. Onze crèche zit vijf huizen bij ons vandaan. Ideaal dus.

Kinderopvang zou een basisvoorziening moeten zijn, net zoals de school. Ik vind dat niet uit eigenbelang, maar omdat ik er heilig van overtuigd ben dat het het belangrijkste middel is om kinderen van begin af aan gelijke kansen te bieden. Daarmee ben je al te laat als je ze vanaf het vierde of zesde jaar verplicht naar school stuurt, dan kan er al een grote achterstand zijn. Voor kinderen uit kansarme, vaak allochtone gezinnen is zo'n vroege opvang heel belangrijk. Het biedt ze een veilige, rustige en stimulerende omgeving.

Het ergert mij vreselijk dat dit idee helemaal is verdwenen uit het politieke denken van dit kabinet. Dat ziet kinderopvang alleen maar als een dumpplaats om de arbeidsmarkt gesmeerder te laten verlopen, alles voor het geld, niks voor het ideaal. Verschrikkelijk.'

Zou kinderopvang een gratis basisvoorziening moeten zijn?

'Uiteindelijk wel, net als de basisschool. Het is tenslotte een zaak van algemeen belang en daar moeten we dus algemene middelen in steken. Dat wil zeggen: belastinggeld. Maar voor het zover is, is er met mij ook te praten over een inkomensafhankelijke bijdrage van de ouders. Laten we de werkgevers maar helemaal schrappen als medefinancier, dat geeft elke keer weer een vreselijk gedoe waardoor alles stagneert.'

Ben je niet geschrokken van die studies over de nadelen van kinderopvang: het zou slecht zijn voor het kleine kind.

'Welnee. Tegenover dat soort studies staan toch steeds weer andere die wijzen op de voordelen: kinderopvang zou kinderen socialer en zelfstandiger maken. En je ziet je kind zelf toch het meest? Ik ben er geen voorstander van een kind vijf – laat staan zeven – dagen in een crèche te doen. Maar drie? Prima.'

Speelde jullie kinderwens een rol toen je voor de laatste verkiezingen besloot hoe dan ook geen premier te worden en daarvoor Job Cohen te vragen?

'Voor een deel wel, inderdaad. Barbara en ik trouwden een maand voor de verkiezingen en we wilden snel kinderen. Maar minstens zo belangrijk was het gevoel dat ik politiek nog niet klaar was voor zo'n belangrijke baan. Nog veel te weinig ervaring. Bovendien was ik mede gekozen om de PvdA te hervormen en zoiets is bijna onmogelijk vanuit de stoel van de minister-president. Maar ik heb me steeds gerealiseerd dat als Job zou weigeren, ikzelf aan de bak zou moeten.'

In 2007 zijn er weer verkiezingen. Stel dat de PvdA dan de grootste partij wordt en in de regering komt, word je dan wel premier?

'In ieder geval heb ik dan drie jaar voor Iris kunnen zorgen. Dat is mooi meegenomen, want als premier kun je dat niet doen. En wie weet willen we nog een tweede kind…'

Ja, en dan?

'Wie weet. Dat zien we tegen die tijd wel.'

Je bent dan 44 en hebt genoeg politieke ervaring opgedaan. Dan kun je toch niet weer terugvallen op Job Cohen?

'Dat weet ik niet, dat zien we tegen die tijd wel. Houd er nu maar over op. Ik zeg tóch geen ja of nee.'

Hoe oordeel je over het premierschap van je generatiegenoot Balkenende?

'Hij doet het slecht. Misschien had hij er wel verstandig aan gedaan ook nog een tijdje terug te vallen op een ervaren man als Herman Wijffels. Maar goed, hij heeft een andere keuze gemaakt. Hij doet het slecht om verschillende redenen. De lasten worden erg oneerlijk verdeeld; het zijn allang niet meer de sterkste schouders die de zwaarste lasten te dragen krijgen. Ten tweede voert hij een beleid van confrontatie. Hij slaat de uitgestoken hand van z'n bondgenoten weg, zowel op sociaal-economisch als op multicultureel terrein. Hij verbreekt de goede contacten met vakbonden en werkgevers en zoekt de jonge, goed opgeleide allochtonen niet op.

Verder zijn er een paar beleidsgebieden helemaal uit zijn programma verdwenen: milieu, maar ook het hele cluster van arbeid en zorg. Op buitenlands terrein zoekt hij niet de aansluiting bij onze Europese partners maar volgt hij slaafs Amerika en Bush.'

Kijk eens aan, dat betekent dat de PvdA slapend groot wordt. Daar hoef jij niets aan te doen.

'Dat is het eeuwige dilemma. Als Balkenende grote fouten maakt, is dat goed voor de PvdA maar slecht voor het land. Als je verantwoord oppositie voert, en dat probeer ik dan toch maar, mag je nooit hopen op slechte dingen voor het land. Dan heb ik, paradoxaal genoeg, dus liever dat Balkenende het goed doet dan dat ie het slecht doet.'

Toch blijft de mening van veel mensen: die Bos, daar horen of zien we niks meer van na de verkiezingen. Is dat nou een leider?

'Wat is een goede leider? Iemand die elk moment voor de camera's en de microfoons staat? Iemand die z'n collega's nooit de kans geeft het woord te doen? Op dat gebied heb ik besloten zo veel mogelijk collega's aan bod te laten komen, voor zover zij dat kunnen. Onze fractie bestaat voor de helft uit nieuwelingen die het nog niet allemaal aankunnen of aandurven om in *Den Haag Vandaag* te verschijnen. Maar anderen kunnen dat heel goed. Dan is het toch alleen maar ergerlijk als de baas op het moment suprême naar voren komt om het woord te voeren?

Neem de kwestie-Irak. Daarover heb ik in het begin ons besluit meegedeeld om achter de uitzending van Nederlandse troepen te staan. Maar verder is het de portefeuille van Bert Koenders, die er alles vanaf weet. Pas als er een beleidswijziging zou komen, bijvoorbeeld dat we het terugtrekken van de troepen eisen, zou ik weer in beeld komen. Ik kom naar voren als het gaat om een duidelijke koerswijziging, als er verdeeldheid over iets bestaat binnen de partij, of er duidelijk stelling moet worden genomen tegen Balkenende. Ik wil vooral voorkomen dat de PvdA de lijst-Wouter Bos wordt. Overigens is dat nog niet zo gemakkelijk, want de media chanteren je soms. "O, kom jij niet zelf? Dan gaan we wel naar Femke Halsema van GroenLinks." '

Hoe groot is de vrijheid in jouw fractie? Met stemmen bijvoorbeeld?

'Er zijn twee gebieden waarop de mensen vrij mogen stemmen en dus niet zijn gebonden aan fractiediscipline. Dat zijn zaken van oorlog en vrede en leven en dood. Dus onderwerpen als Irak, euthanasie, abortus en prenatale screening. Ik heb zelf altijd veel moeite met die ethische kwesties. Dat had alles te maken met mijn overleden broer Remco, een spina-bifidapatiënt, een kind met een open rug. Vanaf het middel verlamd en ook geestelijk wat achter. Hij is maar veertien jaar geworden. Bij elke discussie over prenatale screening of abortus dacht ik altijd: zeg ik hiermee niet dat Remco's leven waardeloos was, dat hij er eigenlijk niet had moeten zijn?

Pas sinds kort kan ik hier wat afstandelijker over denken en praten. Ronald Plasterk zei laatst tegen me: "Als je voor anticonceptie bent, zeg je daarmee toch niet dat Iris er niet had moeten zijn?" Het ligt natuurlijk wel wat gecompliceerder, maar toch...'

We staan aan de vooravond van een 'Hete Herfst', zegt men. Op 2 oktober is er een grote demonstratie in Amsterdam, waar 25.000 mensen verwacht worden. Komen die er?

'Die 25.000 denk ik wel. Maar die hete herfst? Ik vraag het me bezorgd af. En met mij de vakbonden. Doekle Terpstra vertelde me laatst dat hij ervan was geschrokken hoe weinig mensen zich opwinden over de WAO, behalve de WAO'ers zelf. We leven niet meer in een tijd van grote onderlinge solidariteit. Dat komt door de welvaart. En door het beleid van deze regering, die de mond vol heeft van eigen verantwoordelijkheid en voor jezelf zorgen.

De meeste mensen denken dat zij niet getroffen zullen worden door werkloosheid of arbeidsongeschiktheid. Dat is iets voor losers, voor laag opgeleiden, voor allochtonen, voor anderen dus. Daarvoor gaan zij de straat niet op. Wel voor zaken die henzelf kunnen overkomen, zoals ziekte en ouderdom. Ik begrijp dat wel.

Pure solidariteit, die alleen op morele grondslagen berust, bestaat niet. Er moet altijd een deel eigenbelang in zitten, willen de mensen op de been komen. Maar juist daarom moet de overheid er voor iedereen zijn, dat noem ik gewoon fatsoen. Fatsoenlijk is in opstand komen tegen pyjamadagen in verpleeghuizen, het vastbinden van demente bejaarden omdat er te weinig personeel is en het niet meer vergoeden van aangepast vervoer voor gehandicapten. Een overheid die dat soort dingen toestaat – nog erger: ze regelt – is bezig met de verwoesting van de verzorgingsstaat, niet met de hervorming.'

Maar zou het er allemaal heel anders uitzien wanneer de PvdA en jij in de regering zaten? Of was dan hetzelfde beleid alleen op een iets andere toon gebracht?

'Ik zal de laatste zijn om te zeggen dat wij geen nare boodschappen van bezuinigingen hadden moeten brengen. Maar we zouden de lasten toch echt anders hebben verdeeld, meer op de sterkste schouders hebben laten rusten en niet bij de zwakkeren. Bovendien: er hoeft echt minder bezuinigd te worden dan Gerrit Zalm zegt. We zijn nu binnen Europa het braafste jongetje van de klas. Ons begrotingstekort mag niet meer dan drie procent bedragen. Volgens de laatste cijfers zitten we in Nederland op 2,6 procent. Dat betekent dat we nog een paar miljard meer kunnen uitgeven dan dit kabinet zegt. We moeten veel meer de grenzen opzoeken van wat kan en mag. Dat doen andere landen ook.'

Je zei ooit dat linkse werkgevers veel slechter zijn dan rechtse.

'Linkse werkgevers zijn de slechtste die er zijn. Dat komt doordat ze niet gewend zijn met personeel om te gaan. Ik zag dat vroeger thuis ook, toen mijn vader ambassadeur in Soedan werd. Ha, leuk, met de kok voetballen, dacht ik. Nee dus, want die man moest koken en in de keuken werken. De vriendschappelijkheid die er was, kwam in botsing met de hiërarchie die er ook was. Je had vroeger het verhaal over waarom Patijn wel een goede burgemeester was en Peper niet. Dat had alles te maken met het feit dat Patijn in een patriciërsgezin was opgegroeid, waar hij gewend was met personeel om te gaan, en Bram Peper niet. Peper was een omhoog gegroeide arbeidersjongen.

Linkse mensen vinden het heel moeilijk om hiërarchische duidelijkheid te geven omdat ze bang zijn niet sociaal en aardig te worden gevonden. Maar werknemers zijn vooral gebaat bij duidelijkheid. In de PvdA-fractie hebben we daar een notoir probleem mee: we kunnen niet omgaan met slecht functionerend personeel. We weigeren in functioneringsgesprekken de waarheid te zeggen en dat ook op papier te zetten. Dat heeft dus alles te maken met je angst om asociaal gevonden te worden. Rechtse mensen laten geen onduidelijkheid bestaan over de hiërarchie en kunnen vervolgens heel amicaal zijn. En verder is het de grootste socialistenziekte dat wij de mensheid interessanter vinden dan de mens. Zalm heeft ooit gezegd: "Liberalen zijn aardig voor de mensen die ze kennen, maar hebben niks met mensen die ze niet kennen. En socialisten zijn verschrikkelijk voor de mensen die ze kennen, maar hebben veel meer met mensen die ze niet kennen." Ja, je moet Gerrit Zalm heten om dat te verzinnen, maar het klopt wel.

Nog een voorbeeld: toen ik indertijd ging samenwonen met Barbara en een adreswijziging verstuurde naar mijn medekabinetsleden, kreeg ik van alle D66'ers een kaartje, bloemen of een felicitatie, en ook van een fors aantal VVD'ers. Van de PvdA-collega's kreeg ik nul reactie. Pas na een paar weken was Jan Pronk de enige die me feliciteerde. Fascinerend, hè? Ruud Koole (partijvoorzitter-CD) en ik hebben als een van onze doelstellingen wat meer warmte en betere omgangsvormen in de partij te brengen.'

En lukt dat?

'In de partij wel, zij het langzaam. Privé? Ik moet eerlijk toegeven dat die socialistenziekte mij ook bedreigt, dat ik op de bank de krant zit te lezen terwijl Iris naast me ligt. Ik moet ervoor vechten om regelmatig tegen m'n vrouw en vrienden te zeggen hoeveel ik om hen geef. Ik ga er te gemakkelijk van uit dat alles wel goed zit, ook zonder dat ik er iets over zeg. Ik heb thuis meegemaakt hoe het huwelijk van mijn ouders daaronder leed. Mijn vader die, bij wijze van spreken, meer begaan was met de mensen in de derde wereld dan met ons. Dat heeft z'n huwelijk geen goed gedaan. Ik zie dat gevaar ook bij mezelf, maar ik ben dus een gewaarschuwd mens.'

Jij bent een van de weinige mannelijke politici die weet wat het is om op het uiterlijk beoordeeld te worden.

'Zeg dat wel. Ik weet precies wat vrouwen moeten doormaken.

Femke Halsema heeft weleens gezegd: "Wat Wouter Bos aan seksisme te verduren krijgt, daar valt alles wat ik te horen krijg bij in het niet." En zo is het. Als over de borsten van een vrouwelijke collega gezegd zou worden wat over mijn achterwerk is gezegd, zou het huis te klein zijn.'

Inderdaad, ik zou er menig hoofdartikel over hebben geschreven.

'En bij mij heb je dat niet gedaan. Terwijl mijn zogenaamde mooie kontje er steeds weer bij gehaald werd, tot in de verkiezingscampagne aan toe. Gerda Verburg (CDA-Kamerlid-CD) zei letterlijk: "Met een mooi kontje kun je het land niet besturen." Moet je je eens voorstellen dat zoiets over een vrouw gezegd zou zijn.'

Vreselijk. Waar komt dat gepraat over jouw achterwerk toch vandaan? Wie is ermee begonnen?

'Ik weet het niet. Het zal wel uit de homoscene komen. Ik maak mee wat normaal eigenlijk alleen vrouwen meemaken, namelijk hoe je op je uiterlijk wordt beoordeeld. Als je er als man redelijk uitziet, jezelf fatsoenlijk verzorgt, moet je veel harder bewijzen dat je ook nog wat kan. Ik ben de mannelijke versie van het "domme blondje", kun je wel zeggen. Op de een of andere manier word je gestraft voor het feit dat je er niet al te beroerd uitziet en dat je soepel met mensen en de media omgaat. Dan zal het inhoudelijk wel niks voorstellen, vindt men. Een akelig calvinistisch vooroordeel.'

En dan word jij ook nog steeds achtervolgd door het verhaal dat je homoseksueel zou zijn, waarvoor je niet zou uitkomen.

'Dat jij daar nu ook al over begint!'

Misschien zou je daar eens gewoon antwoord op kunnen geven.

'Daar heb ik eigenlijk geen spatje zin in, want ik vind dat anno 2004 een onzinnige, totaal irrelevante vraag. Alsof je je ervoor zou moeten schamen als je homo bent. Wie gaat het überhaupt eigenlijk wat aan? Ik vond het ook idioot dat prins Friso daar een officiële verklaring over heeft uitgegeven. Als je op die vraag antwoord geeft, legitimeer je in feite het idee dat seksuele voorkeur iets is waarvoor je je zou moeten verantwoorden. Tegelijkertijd merk ik tot mijn ergernis dat ik door deze houding alleen maar bereik dat de vraag mij blijft achtervolgen. En dat word ik zo zat, dat ik mijn weerzin nu maar eens overwin: ik ben hartstikke hetero.'

Hoe en door wie is dit verhaal toch in de wereld gekomen?

'Toen ik pas Kamerlid was, lunchte ik een keer met Willem Vermeend. Hij was toen staatssecretaris van Financiën. Ik deed belastingen, dus we moesten een beetje kennismaken. We hadden het ook over elkaars privé-leven en hij vroeg: "Heb je een partner of een vriendin?" Ik zei: "Nee, ik ben alleen, daardoor denkt de halve wereld dat ik homo ben. Nou ja, dat vind ik eigenlijk wel makkelijk, dus laat maar lekker zo." Hij natuurlijk lachen. Ik wist toen niet dat Willem Vermeend de grootste roddelkont en fluisteraar van het Binnenhof is. Drie dagen later kreeg ik van een bevriende collega te horen: "Hé, Wouter, ik hoor dat jij homo bent." Ja, dat had ie gehoord van Willem Vermeend. Ik vermoed dus dat die lunch een rol gespeeld heeft bij het ontstaan van het gerucht.'

Oktober 2004

EINDSCORE: +6

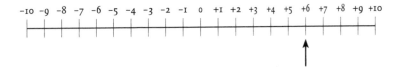

Commentaar

Corry van Eendenburg (1951),
secretaresse van Wouter Bos

De reacties:
Wouter vond het leuk om aan het interview mee te doen. Hij heeft ook niet meer gezegd dan hij zich had voorgenomen. Daarvoor is hij misschien iets te doorgewinterd. Bovendien staat hij altijd open voor de media. En weet hij meestal goed wat hij wel en niet kwijt wil.

Vooral over Wouters papadag ben ik vaak aangesproken. Dit waren zowel negatieve als zeer positieve reacties. Het heeft mij erg verbaasd dat er ook vrouwen bij waren die negatief reageerden. Men vergeet dat Wouter geen baan heeft van 9 tot 5, maar dat hij vele avonden en weekenden aan het werk is.

Het fameuze cijfer (+6):
Ik denk dat hij redelijk tevreden was. In vergelijking met het cijfer van andere geïnterviewde politici kwam hij er goed vanaf. Zelf vond ik het wat te laag. Ik weet hoe ik met zijn agenda moet worstelen. Het is soms lastig om de afspraken die hij met zijn echtgenote heeft gemaakt wat betreft zijn inbreng in het huishouden en de kinderen, te realiseren, maar we doen dat wel! Als ik hem was zou ik toch een hulp nemen die wél wil strijken, haha!!

Eigen mening:
Wouter was zeer herkenbaar voor mij in het interview. Vooral zijn openheid en directheid kwamen goed naar voren. Zijn toezeggingen heeft hij toch maar waargemaakt: tweede dochter is er en ja, Wouter wil Premier worden. Een man een man, een woord een woord, zou ik zeggen!

'Weglopen is het laatste wat ik wil'
Job Cohen

Het koninklijk huwelijk moet, als het bruidspaar dat wil, in Amsterdam kunnen plaatsvinden: 'Dan maken wij er een groots feest van.' Het moeilijkste moment uit zijn (beroeps)leven was de hongerstaking van witte illegalen: 'Je voelt je verantwoordelijk terwijl je dat niet bent; het was hun eigen beslissing.' Zijn vrouw is aan een rolstoel gebonden door MS. *'Het is een kloteziekte, natuurlijk vooral voor haar, maar ook voor onze relatie, die altijd zo gelijkwaardig was.'*
Burgemeester van Amsterdam mr. Job Cohen (1947)

Hij lijkt wel een kat, met al die verschillende levens. Eerst in de universitaire wereld, als hoogleraar en rector magnificus, daarna in de politiek, als fractievoorzitter in de Eerste Kamer en tweemaal staatssecretaris, nog even in de mediawereld als bestuurder en interim-directeur van de VPRO en nu weer in het openbaar bestuur, als burgemeester. En dat voor een jongen die ooit als dom werd beoordeeld.

'Vroeger was ik die domme Job. Dat kwam vooral door mijn broer Floris, een jaar ouder dan ik. Een heel slimme jongen, die later hoogleraar geschiedenis is geworden. Vlak na de oorlog geboren, het eerste kind van een joods echtpaar dat dolblij was de oorlog te hebben overleefd. Een ware troost na een serie vreselijke jaren, waarin twee ouders in een concentratiekamp waren vermoord en ook andere geliefden waren overleden. Een uitermate gewenst kind, een geschenk uit de hemel.

En toen kwam daar, vijftien maanden later, dat nieuwe broertje.

Een kind dat makkelijker in het leven stond, minder tobberig was, soepeler in de omgang, ook op school. Op een gegeven ogenblik was Floris kandidaat voor het schoolbestuur en werd weggestemd, ik was later ook kandidaat en werd voorzitter. Dat soort dingen. Dat compenseerde hij door mij eronder te houden, vooral op intellectueel gebied. Dat was zijn manier van overleven, denk ik achteraf. Ik had veel zesjes, waarmee ik heel tevreden was, terwijl Floris een acht nog niet goed genoeg vond. Ach ja. Ik heb pas gemerkt dat ik niet al te stom was toen ik ging studeren en onder zijn vleugels weg was.'

Corrigeerden uw ouders zijn gedrag niet?

'Die waren op een gegeven ogenblik ook verontrust over mijn schoolprestaties, zodat ik naar een psycholoog moest. Ik was een springerig ventje in de eerste klassen van de middelbare school.'

Daar hoef je toch niet voor naar een therapeut?

'Nee, achteraf gezien was dat ook onzin. Het kwam vooral door dat contrast met Floris met zijn prachtige cijfers, terwijl ik maar wat aanrommelde. 's Middags na school lag ik lekker op de bank. Als mijn vader dan zei: "Moet je geen huiswerk maken?" bleef ik nog eens extra lang liggen. Die therapeut vond het ook niet echt zorgelijk, maar mijn ouders hadden allebei gestudeerd: vader was eerst adjunct-directeur van het Rijksinstituut voor Oorlogsdocumentatie en later hoogleraar en moeder historica. Dus je begrijpt dat studeren bij ons thuis hoog aangeschreven stond.'

Dan moeten ze nog aardig opgekeken hebben van uw carrière.

'Vast wel. Beiden hebben ze in ieder geval mijn universitaire loopbaan meegemaakt en de tijd dat ik staatssecretaris van Onderwijs was. Mijn moeder is in 1996 overleden, mijn vader leeft nog. Hij is een onvoorwaardelijk aanhanger van mij. Hij volgt me, leeft mee, kijkt, luistert en begrijpt alles wat ik doe. Dat is wat je als kind zoekt in je ouders: je wilt het idee hebben dat je ze goed kent, dat je ze begrijpt, maar vooral dat je bij ze terechtkunt als dat nodig is. Dat gevoel heb ik bij mijn vader en had ik ook bij m'n moeder. Dat is het belangrijkste, terwijl ik een heleboel niet van ze weet...'

Zoals?

'Hoe ze emotioneel hebben gereageerd op de oorlog, hun onderduiktijd, het verlies van hun ouders en mijn moeders eerste man. Ze vertelden genoeg over de oorlog: hoe ze elkaar daarvoor al kenden, hoe de eerste man van mijn moeder, een joodse officier, in de meidagen van 1940 zelfmoord pleegde – ze waren pas een half-jaar getrouwd, mijn moeder was zesentwintig – hoe de ouders van mijn vader naar Bergen-Belsen werden afgevoerd, hoe mijn moeder op verschillende onderduikadressen zat, mijn vader maar op één, hoe ze elkaar na de oorlog tot hun grote vreugde levend terug-vonden. Daardoor heb ik toch het, misschien gekke, gevoel dat ik precies weet hoe mijn opa en oma eruitzagen.

Maar hoe mijn ouders emotioneel op dit alles hebben gerea-geerd, weet ik niet precies. Ik heb dat nooit zo als een gemis ge-voeld, mijn broer wel. In dat opzicht lijk ik op mijn vader: wij pra-ten niet makkelijk over onze gevoelens. Toen ik een jaar of veertig was, heb ik mijn vader een keertje gevraagd: wat vond jij nu echt belangrijk in je leven? Dat vond hij duidelijk geen prettige vraag, hij gaf tenminste geen antwoord. Ik heb het nog een tweede keer ge-probeerd, toen zei hij: laat maar. Het was een verkeerde vraag voor hem. Ik begrijp dat wel, eigenlijk steeds beter, ik respecteer zijn zwijgen. Ik heb het geprobeerd, omdat ik wel graag wat meer had willen weten, maar dat zit er niet in. Het zij zo.'

Uw vrouw Lidie, altijd een heel zelfstandige vrouw, lerares en schoolde-caan, is de laatste jaren zwaar gehandicapt door MS. *Zij zit in een rolstoel, ziet slecht, spreekt moeilijk, is helemaal afhankelijk van haar omgeving. Praat u met uw kinderen weleens over uw gevoelens daarover?*

'Nee. Tenminste: niet veel.'

Daar heb je het weer: ook u praat niet over belangrijke gevoelens.

'Klopt. Maar ik denk: ze zijn nog zo jong, hoewel eenentwintig en achttien... Het zijn geen kinderen meer. Als ze het soort vragen zouden stellen die lijken op de vraag die ik aan mijn vader stelde, weet ik niet wat en hoe ik moet antwoorden. Daarin lijk ik precies op mijn vader.'

Mensen die u goed kennen, zeggen: Job heeft een teflonlaag om zich heen, er glijdt veel van hem af. Dat klinkt nogal negatief, alsof niets u raakt.

'Legt u dat zo uit? Dan klinkt het inderdaad niet prettig, alsof ik een ijzeren Hein ben die het allemaal geen bal kan schelen. Zo is het niet, geen sprake van. Die constatering kwam van Jacques Wal-lage op een ogenblik dat er iets gebeurde waarmee, volgens hem, anderen veel gelazer zouden krijgen en ik niet. Hij vroeg zich af hoe dat kwam. Als je bekijkt wat ik als staatssecretaris van Justitie heb gezegd en gedaan met betrekking tot asielzoekers en je vergelijkt het met wat mijn voorgangers Kosto en Schmitz zeiden en deden, zie je nauwelijks verschil. Maar het is waar dat ik er minder zwaar op aangevallen ben en in mijn huis is nooit een bom ontploft zoals bij Kosto. Waarom dat zo is? Ik weet het niet. Misschien omdat ik een wikker en weger ben en mensen dat ook zien. Het is bij mij nooit alles of niets.'

Of komt het misschien door uw veelbesproken aangeboren charme?

'Nou ja, zeg... Wat moet ik daar nou op zeggen? Maar ik hoor dat wel vaker. 't Zal wel.'

Kom, kom, niet zo bescheiden. Op je drieënvijftigste mag je jezelf wel een beetje kennen.

'Het kan me nooit zo veel schelen hoe ikzelf ben en wat mensen precies van me vinden. Maar het is natuurlijk wel prettig dat ik een paar eigenschappen heb die me helpen de dingen te doen die ik nuttig en fijn vind. Wat die goeie eigenschappen dan zijn? Eh, nou ja, ik ben de stomste niet, dat helpt, ik kan goed luisteren en ik ben vervolgens, als een goede leraar, net zoals mijn vader, in staat dingen uit te leggen. Verder kan ik wegen vinden die mensen met verschillende opvattingen het gevoel geven: dit is wel een goede manier om verder te komen.'

Of hebt u gewoon een pokerface?

'Dat weet ik niet. Ik loop niet zo te koop met mijn meningen en ben geen man van heel uitgesproken standpunten, maar dat betekent natuurlijk niet dat ik er nooit een heb. Als ik eenmaal een besluit heb genomen, draag ik dat uit, leg de voors en tegens uit, daar sta ik dan voor. Neem bijvoorbeeld de zaak van de witte illegalen, die een tijd in de Agneskerk in Den Haag zaten. Het moeilijkste wat ik ooit heb meegemaakt. Een aantal van hen ging in hongerstaking, de ultieme nachtmerrie van elke bewindsman. Godzijdank zijn er geen doden bij gevallen, maar je voelt je er verantwoordelijk voor, hoewel je dat niet bent. Het was hun eigen beslissing om op deze manier actie te voeren. Het duurde een dag of twintig en al die tijd voelde ik een constante zware druk, want jij bent toch diegene die met een eenvoudig gebaar een eind aan zo'n actie kunt maken.'

Hebt u nooit overwogen toe te geven en hun een verblijfsvergunning te geven?

'Nee, op geen enkel moment. Wat ik van het begin af aan heb aangeboden, was: al hun dossiers nog eens goed te bekijken. Dat heb ik ook gedaan en op grond daarvan heeft een enkeling toen alsnog een verblijfsvergunning gekregen. Maar hun eis was dat de regeling in haar geheel zou worden aangepast en daarvan heb ik steeds gezegd: daar begin ik onder druk van een hongerstaking niet aan. Aad Kosto heeft het later op tv nog eens heel duidelijk gezegd: je hebt de neiging dit soort zaken heel erg op jezelf te betrekken, maar dat is onzin, deze mensen hebben zelf de beslissing genomen in hongerstaking te gaan, dat is niet jouw besluit. Zo'n duidelijke stellingname helpt je dan erg.

Meestal houd ik niet zo van mensen die over alles meteen een oordeel hebben, alles zo goed weten en nooit een duimbreed van hun standpunten afwijken, maar soms is het prachtig dat er zulke mensen uit één stuk bestaan. Types als Max van der Stoel en mijn ex-collega Klaas de Vries, een man aan wiens oordeel ik veel waarde hecht. In het kabinet ben ik nog weleens lelijk met hem in botsing gekomen over het al dan niet uitbreiden en privatiseren van het aantal casino's in Nederland. Ja, daar ging ik ook nog over. Ik had het idee dat we wel moesten uitbreiden om een eind te maken aan de illegale casino's. Mijn redenering was: liever een paar meer legaal dan een heel stel onder water. Maar Klaas de Vries stond pal; hij zei: je werkt, hoe dan ook, meer gokverslaving in de hand. Daar was hij buitengewoon hardnekkig in en daarin heeft hij mij wel overtuigd. Ik heb mijn voorstel toen aangepast.'

Die hongerstaking was natuurlijk vreselijk, maar die lekkende tenten, waarin asielzoekers zouden worden opgevangen, toch ook.

'Daar is een heel merkwaardige vertekening opgetreden. Die tenten hebben er precies een week gestaan. Toen het zo vreselijk begon te regenen, hebben we binnen een dag besloten ze weg te halen. En van die twintig tenten die er stonden, was er zegge en schrijve eentje lek. Daar werd erg op ingezoomd door de pers.'

Maar die gaten waren er toch niet ingeprikt door de pers?

'Dat is niet uit te sluiten.'

Bij uw komst als staatssecretaris van Justitie waren er in ons land veertig-

duizend asielzoekers, bij uw vertrek tachtigduizend. Het was toch de bedoeling dat het aantal zou slinken in plaats van groeien?

'Ja, kijk eens, de gevolgen van een bepaald beleid lopen nog een hele tijd door. Gewijzigd beleid heeft niet onmiddellijk het gewenste effect.'

Halverwege uw zittingsperiode bent u vertrokken om burgemeester van Amsterdam te worden. Dat is u her en der kwalijk genomen.

'Inderdaad, eigenlijk ben ik te snel en te vroeg weggegaan, ik had deze kabinetsperiode graag afgemaakt. Niet om mijn karwei af te maken, zoals ze dat noemen. Elke politicus die dat zegt, praat onzin, want het karwei gaat altijd door. Amsterdam had beter twee jaar later vacant kunnen komen, zonder enige twijfel, maar dat was nu eenmaal niet zo. Ik had de wetgeving met betrekking tot de reorganisatie van de rechterlijke macht nog willen afmaken, maar op het gebied van het vreemdelingenbeleid heb ik in ieder geval een nieuwe wet achtergelaten en een beter functionerend I N D (de instantie die asielaanvragen beoordeelt – C D).'

Hans Dijkstal zei onlangs dat er meer geld voor de zorg en het onderwijs moet komen en dat daarvoor wel een miljard kan worden weggehaald bij de WAO en de asielzoekers.

'Dat is goedkope verkiezingspraat. Het zijn twee oude VVD-nummers die weer even worden opgepoetst. Dat doet het altijd goed bij zijn electoraat, dat het mijne niet is. Hij is natuurlijk bang dat zijn partij erop wordt aangesproken dat tijdens acht jaar regeringsverantwoordelijkheid ook de VVD het aantal asielzoekers niet heeft kunnen verminderen en dat de kiezers straks tegen hem zullen zeggen: daar heb je geen bal van terechtgebracht, Hans. Er wordt hier een link gelegd tussen een paar onderwerpen, die wat mij betreft nergens op slaat.'

U was in een vorig leven ook nog staatssecretaris van Onderwijs. In die tijd zei u: studeren is ook nederlagen lijden.

'Ja, dat was een mooie uitspraak van me, ben ik nog heel tevreden over. Het gaat erom dat ook studenten ervaren dat je in je vakgebied soms een doodlopend pad inslaat. Dat is, wat mij betreft, geen tijdverspilling, maar juist ongelooflijk belangrijk. Niet alleen voor je opleiding, maar voor je hele leven. Je moet leren nederlagen te incasseren. Alleen maar overwinningen maken dat een mens in paniek raakt wanneer er eens iets fout loopt. Je moet leren falen, falen hoort erbij.'

Waar is dat in uw leven gebeurd?

'Daar was ik al bang voor. Ik gaf u natuurlijk een intikker. Het eerste jaar dat ik aan de universiteit van Leiden werkte, dacht ik steeds: komt het wel goed, kan ik het wel? Datzelfde gevoel kreeg ik weer toen ik rector magnificus werd in Maastricht: red ik het wel, kan ik dit wel? Ik zat daar al tien jaar aan de juridische faculteit, die kende ik als mijn broekzak, dus dacht ik dat ik de hele universiteit kende, maar dat was niet zo, er was verschrikkelijk veel wat ik niet wist. Het heeft me een jaar gekost om die kennis bij te spijkeren, pas toen vond ik die baan leuk. Nu ik in Amsterdam dat gevoel weer heb: kan ik dit wel, met al die duizenden mensen die ik nog niet ken en al die nieuwe beleidsterreinen, zeg ik tegen mezelf: rustig Job, dit gevoel ken je, dit heb je eerder meegemaakt. Ik ben nu niet meer zo bang om te falen.'

Geen grootscheeps falen tot nu toe, lijkt me.

'Misschien niet, maar voor mijn gevoel waren het toch wel belangrijke gebeurtenissen. Het echte falen zit meer in mijn persoonlijke leven, maar dat houd ik voor mezelf.'

Jammer, wie weet wat wij daarvan hadden kunnen leren. Iets anders dan: in 1999 werd u als staatssecretaris van Justitie in de Tweede Kamer letterlijk in de boeien geslagen door twee actievoersters.

'Twee meiden met lef, die het niet eens waren met mijn notitie over de terugkeer van asielzoekers. Ik vond het niet verschrikkelijk, hoewel ze wel hardhandig te werk gingen en ook nog eens het sleuteltje van de boeien weggooiden. Ik heb geen aangifte gedaan. Die boeien heb ik nog steeds, inmiddels weer compleet met het sleuteltje, ze hangen op mijn werkkamer. Dat mensen zich zo opwinden over iets wat ze belangrijk vinden, vind ik wel mooi. Wat ik ervan zou vinden als mijn dochter erbij geweest zou zijn? Stiekem zou ik wel trots op haar zijn geweest, maar ze had het me natuurlijk niet van tevoren moeten vertellen.'

Eens kijken wat er in Amsterdam allemaal op u ligt te wachten: de veiligheid, het personeelstekort bij de politie, het referendum voor de stadsdeelraad voor de binnenstad, de multiculturele samenleving, het eventuele huwelijk van Willem-Alexander en Máxima, ga er maar aan staan.

'Ja, ik heb er zin in. De komende tijd komt er elke week een stukje in het huis-aan-huisblad *De Echo* over mijn doen en laten van de afgelopen en de komende week. Ik schrijf dat niet zelf, ik word zondagavond telefonisch geïnterviewd. Zo weten ze in Amsterdam een beetje waarmee ik bezig ben. Om te beginnen: het koninklijk huwelijk. Als het bruidspaar graag wil dat dat in Amsterdam plaatsvindt, moet dat kunnen. Dan maken we er een groots feest van. Amsterdam is tenslotte de hoofdstad van het land, dus daar moet een koninklijk bruidspaar kunnen trouwen. Rellen? Rookbommen? Lijkt me niet, na de manier waarop de verloving is aangekondigd en nu we Máxima gezien hebben. En we hebben de tijd nog, de regie is tot nu toe goed geweest, dat zal wel zo blijven.

Het verhogen van de veiligheid heeft een hoge prioriteit. En dus het verminderen van de criminaliteit. Hoe meer preventie, hoe beter. Dus onderwijs, werk, aardige leefomgeving. En als dat niet werkt, bijvoorbeeld met de harde kern van jonge criminelen die vaak van allochtone afkomst zijn, dan door een stevige gezamenlijke aanpak van politie, justitie en bestuur. Hoopgevend is zo'n actie van Marokkaanse vaders, een stuk of twintig, die er in hun buurt op letten dat er geen foute dingen gebeuren. En het Arena-initiatief van de bedrijven en winkeliers uit de Bijlmer, die ervoor gezorgd hebben dat de suppoosten in het stadion eigen Bijlmerbewoners werden en geen buitenstaanders. En ze gaan nog verder: ze willen in hun winkels en bedrijven ook werkloze Bijlmerbewoners aan het werk helpen met bijbehorende scholing. Daar heb je tenminste iets aan.

Op het ogenblik breng ik veel bezoeken aan de wijken, pas nog aan De Baarsjes. Dan zeg ik tegen de mensen van de stadsdeelraad: laat me het slechte en het mooie van deze buurt zien. In dit geval was dat een bezoek aan een overvallen snackbarhouder en zijn vrouw. Die Egyptische man was in elkaar geslagen door een stel Marokkaanse jongens, z'n vrouw wilde de snackbar sluiten en uit de wijk vertrekken. Ik heb met hen gepraat, hun duidelijk gemaakt hoeveel waarde wij aan hen hechten en hoe belangrijk hun zaak voor die buurt is. Maar ja, je begrijpt zulke mensen wel. Het hoopgevende was het inmiddels op gang gekomen overleg tussen de stadsdeelraad en het bestuur van de niet bepaald vooruitstrevende Aya Sofia-moskee.

De politie kampt met veel vacatures, we komen zo'n vijf- à zeshonderd mensen tekort. Als je die wilt werven in een dure stad als Amsterdam zou je ze graag een beter salaris bieden dan volgens de cao mag. Het wonen is hier veel duurder dan elders en ook de groenteboer rekent meer voor zijn appels. Ook hier stuit ik weer op de standvastige Klaas de Vries, die een beter salaris in Amsterdam verbiedt. Nu hebben we gelukkig nog een goed gevulde beurs, dus we kunnen er zelf wat bij leggen in de secundaire arbeidssfeer, zoals hulp bij kinderopvang, huisvesting en studie en een dienstfiets. Maar dat houdt natuurlijk een keer op. Als ik zelf politieman was, zou ik trouwens in Amsterdam willen werken, daar gebeurt het toch allemaal. Alle problemen die bij een grote stad horen, vind je in Amsterdam. Dat is toch spannend? Toch veel leuker dan om als een soort Bromsnor op het platteland te werken?'

De multiculturele samenleving? De stadsdeelraad voor de binnenstad?

'Veel met elkaar praten en naar elkaar luisteren, maar niet afwijken van onze normen bijvoorbeeld op het gebied van de emancipatie van vrouwen en homo's, dat is voor mij heel duidelijk. Ik heb vóór een stadsdeelraad voor de Amsterdamse binnenstad gestemd, hoewel ik ook wel zie dat er bezwaren aan kleven, omdat die binnenstad vanwege al die honderdduizenden toeristen en tienduizenden forensen wel een heel aparte problematiek kent die uitstijgt boven het Amsterdamse. Maar ook hier moet het bestuur dichter bij de bewoners komen en dat gaf voor mij de doorslag.'

Uw keuze voor Amsterdam had ook te maken met uw vrouw.

'Jazeker. Lidie en ik leven de laatste jaren een groot deel van de week apart: ik in Den Haag en Amsterdam, zij in Maastricht. In augustus, wanneer onze jongste eindexamen heeft gedaan en de ambtswoning hier opgeknapt en aangepast is, gaan we weer samenwonen. Op het ogenblik zit ik hier doordeweeks in een klein appartement dat we al hadden als pied-à-terre, maar dit huisje met z'n trapjes en drempels is voor Lidie in haar rolstoel totaal ongeschikt. Woensdagavond en in de weekeinden ga ik naar Maastricht. Natuurlijk voor het contact, maar ook om onze dochter Lotje van achttien, die een deel van de verzorging van haar moeder op zich heeft genomen, te ontlasten. Woensdags en in het weekeinde doe ik veel: Lidie verzorgen, wassen, boodschappen doen, koken, noem maar op.

Lidie heeft al twintig jaar M s, eigenlijk vanaf de geboorte van onze oudste zoon Jaap, maar de eerste vijftien jaar bezorgde de ziekte haar nog niet veel ongemak. Ze wilde toen geen lid zijn van zoiets als de M s-vereniging, ze kon nog veel, was geen patiënt. De laatste jaren is ze sterk achteruitgegaan, Lidie ziet slecht, spreekt moeilijk en is op een rolstoel aangewezen. En voortdurend op hulp van anderen. Doordeweeks komt de thuiszorg om haar te helpen bij het opstaan, wassen en aankleden. Overdag is er een groepje vrienden en kennissen dat helpt. En Lotje natuurlijk.

Met hulp van iedereen heeft Lidie haar werk als schooldecaan nog lang kunnen doen, maar dat is nu helaas niet meer mogelijk. In een interview in *Margriet* heeft ze hier onlangs openhartig over gepraat. Hoe erg ze het vindt om voor alles van anderen afhankelijk te zijn en geen werk meer te hebben, hoe onze relatie uit balans dreigt te raken door haar hulpbehoevendheid. Dat is de laatste jaren de verkeerde kant op gegaan: haar mogelijkheden werden steeds minder, terwijl die van mij steeds groter werden. Juist voor haar, als overtuigd voorvechtster van de emancipatie, is dat heel moeilijk. Zij hing altijd erg aan haar zelfstandigheid en gelijkwaardigheid, twee pijlers van onze relatie.

Ook bij het krijgen van de kinderen speelde haar wens voor een eigen leven een belangrijke rol; ik wilde ze eigenlijk liever dan zij, dus daar hebben we sterk over onderhandeld. Ik ben toen onmiddellijk vier dagen gaan werken. Dat heb ik zes jaar gedaan, totdat de jongste naar de basisschool ging. Op die vrije dag zorgde ik echt voor de kinderen. Toen ik in 1994 gevraagd werd als minister van Onderwijs, waren de kinderen ook echt de reden dat ik dat niet gedaan heb: dan kom je na vier jaar terug en ken je ze nauwelijks meer. Nu heb ik de puberteit van onze Jaap in volle hevigheid meegemaakt, daar was niks leuks aan, maar het is goed om zoiets te hebben ervaren.

Als we straks weer samenwonen, kunnen Lidie en ik misschien weer wat meer dingen samen doen, naar het theater, een concert, een werkbezoek, een ontvangst, dat soort dingen. Hoewel: soms gaan dingen op het laatste ogenblik toch niet door. Toen ik geïnstalleerd werd als burgemeester, redde ze het niet, net op het moment suprême. Dan sta je daar alleen, nou, dan sta je daar wel verdomd alleen. Het ellendige is dat er eigenlijk niks tegen die ziekte te doen is. De afgelopen twintig jaar is het geen spat vooruitgegaan wat medicijnen betreft. Er zijn een paar middelen die de ziekte in verschillende stadia een beetje kunnen tegenhouden, de verschijnselen iets minder heftig maken, maar er is niets wat echt helpt. Het is een kloteziekte.'

We hadden het straks over met elkaar praten. Praat u met haar over uw gevoelens, haar gevoelens en haar ziekte?

'Tot op zekere hoogte. Omdat we eigenlijk niet weten hoe het verder zal gaan met haar ziekte, hebben we het daar nauwelijks over. In plaats daarvan maken we maar liever plannen over ons leven in Amsterdam. Misschien praten we over die ziekte makkelijker en meer met anderen dan met elkaar. Maar één ding is zeker: ik wil absoluut nooit weglopen, dat is het laatste wat ik wil.'

Mei 2001

EINDSCORE: +4

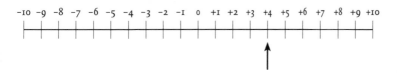

Commentaar

Lidie Cohen (1948)

De reacties:
Job heeft geen spijt dat hij had meegedaan, wel had hij bezwaren tegen het taalgebruik en de zijns inziens vaststaande (voor)oordelen van Cisca Dresselhuys.

Reacties op het interview kan ik mij niet herinneren. Volgens mij heb ik die ook nauwelijks gehad. Er is weinig of geen aandacht aan het interview besteed, maar het is ook wel erg lang geleden en in een andere fase van ons leven. Ik kon in die periode ook al niet veel aandacht aan de pers besteden, want had toen al moeite met lezen (Lidie Cohen heeft MS – SJ).

Het fameuze cijfer (+4):
We hebben nauwelijks over het cijfer gesproken. Volgens mij blijft het cijfer in het meetlat interview altijd onduidelijk; je vergelijkt het met schoolcijfers. Dat moet je niet doen, omdat de meetlat loopt van –10 tot +10.

Eigen mening:
Nu ik het interview weer hoor (het is mij voorgelezen), vind ik het treffender dan ik me herinner. Ik realiseer me dat mijn enigszins twijfelachtige oordeel van destijds grotendeels bepaald werd door Jobs bezwaren ('wel erg ongeëmancipeerd, hè?'). Het interview geeft een goed beeld van Job, maar ik vond en vind het jammer dat er weinig aandacht is besteed aan de manier waarop mannen (ook mannen met goede en vaak drukke banen) een rol spelen bij de opvoeding van hun kinderen en dus bij de emancipatie van hun vrouw. Volgens mij zijn kinderen het grootste obstakel voor werkende vrouwen. En tevens het grootste geluk.

'Steeds minder bang'
Adriaan van Dis

Met zijn vader is hij, in literair opzicht, klaar. 'Drie boeken – een neutraal, een woedend en een verzoenend – dat is genoeg.' Hoewel hij vrienden heel belangrijk vindt, trekt hij zich vaak terug in eenzaamheid. 'Ik vind het heerlijk vijf dagen in m'n dooie eentje te zijn.' Ergens heeft hij, waarschijnlijk, een halfbroer en -zus. 'Ik zal er Spoorloos niet op zetten; mijn fantasie erover is vast mooier dan de werkelijkheid.' Vrouwen interviewen vond hij fijn. 'Ze zijn bereid eens een deurtje in de ziel open te doen en naar binnen te schouwen.'
Schrijver Adriaan van Dis (1946)

Hij is zeer optimistisch gestemd. Hij zegt het aan het begin van ons eerste gesprek en hij besluit er ons tweede gesprek – een paar dagen later – mee. Het gaat hem goed. Hij woont al ruim een halfjaar in Parijs, een langgekoesterde wens. Zijn psychoanalyse is na tien jaar afgesloten, waardoor hij vrij is om te gaan waar hij wil. Zijn boekenweekessay over Parijs (essay vindt hij overigens wel een erg groot woord) ziet er goed uit, en hij is flink wat kilo's afgevallen door al het wandelen in zijn nieuwe woonplaats. Kortom: alle reden voor blijmoedigheid.

Ben je voorgoed verhuisd naar Parijs?

'Nee, m'n oude dag zal ik vast en zeker in Nederland doorbrengen. Het liefst met vrienden, in een groot huis aan zee. Samen, maar wel zelfstandig. Daar maken we nu al plannen voor. Maar voordat het zover is, woon ik een groot deel van het jaar in Parijs. Ik heb net weer bijgetekend voor nog een jaar, tot de zomer van 2005.

Inmiddels moet ik m'n Amsterdamse appartement zien kwijt te raken, want het wordt me te duur. Die eenendertig vierkante meters in Parijs kosten me 1250 euro per maand. Niet niks, voor een piepklein flatje onder de hanenbalken, maar daarvoor zit ik dan wel in het zesde arrondissement, een keurige buurt. Als je alleen bent, vind ik, moet je niet in een gribus zitten. Ik wil wel graag een pied-à-terre in Nederland houden, maar dat hoeft niet meer te zijn dan een bed en een kast op de zolder van een vriend. Als ik wat meer financiële armslag krijg doordat ik m'n Amsterdamse huis opgeef, wil ik in Parijs een wat groter appartement huren, met een logeerkamer ditmaal. Want ik ben wel iemand die van eenzaamheid houdt – vijf dagen achter elkaar in m'n dooie eentje vind ik heerlijk – maar af en toe een vriend op bezoek is natuurlijk wel fijn.'

Ben je helemaal selfsupporting in Parijs?

'Jazeker, net als in Nederland overigens. Ik kan goed koken en ben een perfecte schoonmaker. Ik kom ook onder de bank en de stoelen. Ik ben een enorme Jiffer, het lekkerste wat er is. Tegenwoordig heet het trouwens Cif. Ik ben een man die graag ergens een lapje overheen haalt. Ik ben ook dol op bezoekjes aan Blokker, ben er net weer geweest, want ik moest er allerlei dingen halen, zo'n ding om de mop in uit te drukken bijvoorbeeld. En Glassex. *As far as my sexlife is concerned I totally rely on Glassex.* Ik ben ook gek op allerlei nieuwe wonderdoekjes, hoewel die je meestal teleurstellen. Ze gaan snel rieken, om niet te zeggen stinken. Dan is de gewone wc-rol veel beter.'

In je boekenweekessay Onder het zink *schrijf je: 'Ik leef hier afgesneden van de mensen van wie ik houd. Misschien houd ik daarom nog het meest van Parijs, omdat ik er nooit bij zal horen, ik zoek het isolement.'*

'Ja, waarom doe ik dat? Waarschijnlijk is het iets tijdelijks, maar ik wil gewoon een hele tijd alleen zijn. Misschien wil ik eens wat afstand van Amsterdam, ook vanwege mijn ingewikkelde relatie daar. Mijn grote liefde, sinds achttien jaar, is namelijk een getrouwde vrouw en het ziet er niet naar uit dat die situatie verandert, hoe graag ik dat ook zou willen. Maar afgezien daarvan: het zit ook in mijn persoonlijkheid altijd te willen zijn waar ik niet ben. En ik heb ontdekt en ook aan mezelf toegegeven dat het onder mensen verkeren me veel moeite kost. Men denkt dat het me makkelijk afgaat, omdat ik in gezelschap aardig ben en met iedereen praat, maar dat doe ik omdat ik weet dat het hoort. Het is gewoon werken, hard werken. Met vrienden ligt dat natuurlijk anders, maar zelfs met hen houd ik altijd iets achter. Beter gezegd: ik houd iets voor mezelf. Misschien vinden ze het naar om dit te lezen, maar het is wel zo. Is dat eigenlijk erg? Is volstrekte openhartigheid een voorwaarde voor liefde en vriendschap? Eerlijk en respectvol zijn houdt toch niet in dat je elk gevoel, elke angst, elke droom, elke smerige of wrede gedachte meteen op tafel legt?'

Voel jij je veilig bij mensen?

'Over het algemeen niet. Ik was een heel bang kind en ben nog altijd een bange volwassene. Maar het is minder geworden. Dankzij mijn analyse. Mensen die zeggen dat een analyse niks helpt en zelfs gevaarlijk is voor je creativiteit, kletsen een eind in de ruimte. Ik heb pas durven en kunnen schrijven dankzij die analyse. Als kind was ik altijd bang: voor straf, voor standjes, voor slaag, voor de driftbuien van mijn totaal onberekenbare vader. Ik had ongelooflijke nachtmerries en zat altijd onder de uitslag, galbulten die zogenaamd veroorzaakt werden door aardbeien, chocola of de pitjes van tomaten. Onzin, het kwam allemaal door m'n vader. Ik was als de dood voor die man, je wist bij hem nooit of het slaag of strelen zou worden. Daar ligt nog steeds mijn angst: de altijd straffende hand. Ik ben dus ook geen polemist, ik word fysiek onpasselijk van mensen die kijven of ruziemaken. Van conflicten word ik ziek. Na mijn plagiaatkwestie, tien jaar geleden, durfde ik maanden de straat niet op. Gerrit Komrij, die ook eens zoiets heeft gehad, zei gewoon: "Laat die man blij zijn dat zijn treurige bruinkoolproza een schitterende plek in mijn oeuvre heeft gekregen." Ik kon niets anders dan verwond terug kruipen naar een psychiater. Terug naar je vraag: er is een handjevol mensen, niet meer dan de vingers van een hand, bij wie ik me veilig voel. Mijn geliefde, drie vrienden en de psychiater bij wie ik tien jaar in behandeling was. In hem heb ik een zakelijk vertrouwen, onze afspraak was dat ik tegen betaling alles vertelde en dat hij zijn mond daarover zou houden. Het is dus maar een klein clubje. Intimiteit is voor mij nu eenmaal erg moeilijk.'

Vertel eens wat meer over je analyse.

'Tien jaar geleden ging ik dus terug naar de psychiater, een nieuwe. Daarvoor was ik al herhaalde keren in therapie geweest, te beginnen op mijn vijfde, toen m'n ouders me naar zo'n man stuurden. Ik was namelijk zo'n zenuwachtig, lastig kind, vonden ze. Wie niet naar de psychiater ging, maar natuurlijk wel had gemoeten, was mijn vader. Bij zo iemand als professor Bastiaans, die met oorlogsslachtoffers werkte. Ik had dus al een lange therapiegeschiedenis achter de rug, maar ik voelde dat het nog nooit echt goed gedaan was. Voor het eerst ben ik toen echt in analyse gegaan: eerst viermaal per week, de laatste jaren driemaal. Om half acht 's ochtends op m'n fietsje naar het Valeriusplein, waar de man kantoor hield in een schamel huurkamertje met een lelijke bruine watervlek op het plafond, waarin ik jarenlang het hoofd van mijn vader zag. Die hing dus boven m'n hoofd, totdat ie uiteindelijk veranderde. Voor buitenstaanders klinkt het als gezwets, maar ik heb er veel aan gehad. We zaten in de traditionele freudiaanse opstelling: ik liggend op een bank, de therapeut achter mij op een stoel, voor mij onzichtbaar. Aanvankelijk was ik zeer huiverig voor dat liggen en de onzichtbaarheid van de therapeut, maar op den duur vond ik het een bevrijding, omdat je zo je vrije associaties makkelijker durft te uiten. We zeiden "u" tegen elkaar en ik was een patiënt en geen cliënt. Zo wilde ik dat. Ik ben vreselijk tegen al die verzachtende woorden. Mij mankeerde iets, ik wilde iets opgelost zien, dus dan ben je een patiënt. Honderd keer vertel je je verhaal, misschien tachtig keer verkeerd. Je blijkt je getroost te hebben met leugens, op den duur kom je daarachter. Het is een kostbare zaak, maar nogmaals: het heeft mij enorm geholpen.'

Wanneer is zo'n analyse klaar? En durf je dan op eigen benen verder te gaan?

'Ik was heel erg bereid ermee op te houden, hoewel ook wel angstig. Bang dat ik zijn schaduw zou missen, die beschermende schaduw en ook de zielenbiecht, de regelmaat. Bang dat ik in angstige galop zou terugkomen. Maar dat is heel anders uitgepakt, ik heb tot nu toe niets meer van me laten horen. Eigenlijk onfatsoenlijk, maar het hoort bij het verlaten, het loslaten. Ik ken voorbeelden uit mijn vriendenkring van mensen die een leven lang doorgaan met therapie. Langzamerhand ervoer ik die vrijwel dagelijkse analyse als een last. Ik wilde reizen maken, lang en ver weg gaan.

Dat kon dus al die jaren niet. Eind 2002 was het zover, ik werd losgelaten. Zo voelde het. Midden december ben ik opgehouden en op 2 januari ben ik afgereisd naar Tahiti. Mijn psychiater heeft alle boeken gekregen die ik heb geschreven, want ik ben er trots op dat ik in die periode van analyse veel heb geschreven. In elk boek staat dezelfde opdracht: Van Bank naar Boek 1, 2 of 3. Nu komt het eerste boekje zonder de bank uit. Eindelijk heb ik nu een brief, een soort patiëntenverslag, geschreven: hoe het me vergaan is sedert mijn vertrek. Ik heb nog altijd een terugkommogelijkheid, een APK-keuring, een algemeen psychiatrische keuring. Maar ik red het heel aardig alleen: ik heb mijn neurosen aardig onder controle en ik weet dat ik bepaalde dingen kan sturen, kan ontrafelen, zelf kan analyseren. Ik voel me beter als ik behoorlijk en goed gestructureerd werk. Als ik niks doe en drie weken op de canapé lig te rotten, gaat het fout, dus dat moet ik niet doen. Zo simpel is het. Als ik om me heen kijk en mensen van zestig zie die nog steeds tobben met allerlei angsten, ben ik verdomd blij dat ik het heb aangepakt. Het heeft toch iets veranderd aan mijn algemene somberte, mijn enorme twijfels en lage zelfbeeld. Ik hoorde me gisteren bijvoorbeeld tegen iemand zeggen dat ik een goede reisschrijver ben. Zoiets had ik vroeger niet uit m'n mond gekregen.'

Jouw imago was dus altijd heel anders dan de werkelijkheid. Met jou kwam er echt iemand binnen: zelfverzekerd, enorm belezen, een tikje arrogant zelfs.

'Naarmate ik verlegener ben, ga ik bekakter praten en lijk ik dus arrogant. Laat me je verzekeren: ik ben totaal niet arrogant. Integendeel: mijn zelfbeeld was dat van een mier. Dat had m'n vader me wel hardhandig bijgebracht. Ik heb gaandeweg moeten leren dat ik door mijn lengte en uiterlijke verschijning indruk maak, met mij komt echt iemand binnen. Geen mier, maar een olifant. En dat is lastig wennen voor een mier. Dat accent heb ik mezelf aangeleerd in mijn puberteit in Hilversum, die vreselijke plaats van rangen en standen waar ik als arme zoon van een Indo-vader op een school met rijke kinderen zat. Ik had het toen over een croquat als ik een kroket bedoelde en over het Leidsepluin in plaats van het Leidseplein. Dat bekakte accent heb ik zo op m'n stembanden geëtst, dat raak ik nooit meer kwijt.'

Je hebt drie boeken over je vader geschreven. Is je vader nu een afgesloten hoofdstuk, literair gezien?

'Ja, ik ben klaar met hem. In *Nathan Sid* gaat het om onschuldige verhaaltjes over een jongen met een Indische achtergrond, *Indische duinen* is een boos boek, waarin alle woede over mijn vader naar buiten komt. In *Familieziek* sluit ik de trits af. Dat is een verzoenend boek. Daarin laat ik mijn vader zien als een zieke man met allerlei rare complexen en afwijkingen die vanuit zijn achtergrond – als krijgsgevangene tewerkgesteld aan de Sumatra-spoorlijn – wel te begrijpen zijn. Ik heb hem in dat boek in een inrichting laten opnemen. In werkelijkheid is dat nooit gebeurd. Hij is op eenenveertigjarige leeftijd heel sneu gestorven aan een gewone, burgerlijke griep, terwijl hij een jaar daarvoor een zware openhartoperatie had overleefd. Of ik iets aardigs over hem kan vertellen? Hij was royaal, nooit krenterig, iedereen kon altijd mee-eten. Hij was hoffelijk, vond het leuk om cadeautjes te kopen, net zoals ik. En mijn moeder zei ooit dat hij een heel goede minnaar was. Mooi zo, heeft zij in ieder geval iets fijns aan hem beleefd. Mijn moeder is nu 93. Over haar wil ik ooit nog eens een boek schrijven, maar dat komt later. Schreef Freud niet pas over seks toen z'n moeder overleden was? Zo zal ik ooit over mijn moeder schrijven, vooral over de vreemde combinatie die in haar zit: de nuchtere Brabantse boerendochter en de wat zweverige vrouw die zich bezighoudt met antroposofie en yin en yang, en die heilig gelooft in reïncarnatie.'

Je hebt een groot deel van je jeugd alleen met vrouwen doorgebracht: je moeder en drie halfzusjes.

'Inderdaad. Een muur van vlees, noem ik ze weleens. Ik voelde me volstrekt buitengesloten door deze muur, die ontstaan was in het jappenkamp dat ze met z'n vieren overleefd hebben. Mijn angst voor vrouwen, die ik heel lang gehad heb, is terug te voeren op deze machtige vierschaar. Geen wonder dus dat ik voor mezelf een paar leuke broertjes had gefantaseerd: een soort Kwik, Kwek en Kwak. Ik weet nog precies waar we met z'n allen woonden: in een huis met een rotstuin aan de Schuttersweg in Hilversum. Het was heel gezellig en we waren enorm rijk. Zeker tot m'n achttiende of negentiende ben ik 's avonds met dat droombeeld in slaap gesukkeld. Nu blijk ik misschien een echte halfbroer te hebben: Roediono, uit het eerste huwelijk van mijn vader in Indië. En ook nog een halfzusje, Roeliana geheten. Roediono en Roeliana, een soort Circus-Knil. Ik ben weleens een beetje halfbakken naar ze op zoek gegaan, maar ik heb dat verder laten zitten.'

Zal ik je aanmelden bij Spoorloos?

'Nee zeg, ik ga een beetje bij *Spoorloos* zitten. Ik kijk er wel eens naar en zit onmiddellijk te janken bij al die doodgewaande en herrezen vaders en moeders. Maar ik zou Roeliana en Roediono best willen ontmoeten, dus als ze dit lezen: meld u. Nou ja, ik zeg dat nou wel, maar eigenlijk kan ik het beter bij fantaseren laten. Ik zie een grappige, wat magere oude man voor me, die ergens in een sarong z'n straatje veegt in Indonesië. Ik hoop tenminste dat hij daar lekker rustig woont met z'n zus. Laten we het maar zo houden. Nu kan ik het redelijk met ze vinden; straks blijken het heel nare mensen te zijn.'

Je hebt nooit kinderen willen hebben.

'Nee, ik was als de dood dat ik net zo'n driftige vader zou zijn als mijn vader, een man die flink van zich af zou slaan. Ik weet heel precies dat ik op m'n vijfde, ik liep in het weitje tegenover ons huis in Bergen, dacht: ik wil nooit zo'n gezin als dat van ons, ik blijf alleen. En dat is dus uitgekomen. Hoewel... vier jaar geleden hoorde ik totaal onverwacht van een oude vriendin dat zij ruim twintig jaar daarvoor zwanger was van mij. Ze heeft dat kindje laten aborteren, zonder mij iets te vertellen, noch over de zwangerschap, noch over die abortus. Ik had dus vader van een zoon of dochter van 24 kunnen zijn. Hoe dat voelde? Vreemd, een beetje weemoedig. Nu zou ik het misschien wel aankunnen, een kind, maar ik vind dat zij toen de juiste beslissing heeft genomen. Ik heb daar totaal geen naar gevoel over. Als er nu opeens een jonge man of vrouw in mijn kamer zou staan met de mededeling "ik ben je zoon of dochter" zou ik waarschijnlijk in huilen uitbarsten. Toch iemand aan wie ik al mijn geliefde bezittingen en royalty's zou kunnen nalaten.'

Iets heel anders: in je nieuwste boekje heb je het ook over de allochtonen en de hoofddoek. Wat vind je van het Franse verbod op de hoofddoek?

'Je reinste hypocrisie. Frankrijk is een door en door katholiek land, de neutraliteit van Frankrijk is een katholieke neutraliteit. Door dit verbod stuur je jonge vrouwen met hoofddoek van het openbaar naar het bijzonder onderwijs, waar ze die doek wel mogen dragen. Ik vind ook dat onderwijs neutraal moet zijn, maar de leerling hoeft niet neutraal te zijn. In Parijs zie je nu opeens allemaal ostentatieve geloofsuitingen: T-shirts met enorme kruizen, halvemanen en davidssterren erop, die onder groot gegiechel worden uitgewisseld. Dat is een grappig, spottend aspect van de zaak. Je ziet ook meer vrouwen dan ooit een hoofddoek dragen. Misschien omdat hun nare, benauwde mannen dat eisen, misschien als gebaar van verzet, omdat men zich niet door een wet wil laten ringeloren. In ieder geval is de zaak op scherp gezet. Het Franse besluit is een angstreactie: verdomd, de islam is geen minderheidsgodsdienst meer en groeit veel sneller dan het katholicisme. Hoe gaan we dat beheersen? Op zichzelf een begrijpelijke angst, maar een foute reactie. Het echte probleem is dat wij mensen hierheen hebben gehaald om een karwei op te knappen, maar nu blijken het niet zomaar tijdelijke werknemers te zijn, maar mensen. En daar schrikken we ons dood van.'

Ten slotte: hoe kijk je terug op je interviews met vrouwen voor de televisie?

'Ik bewaar er de beste herinneringen aan. Met Germaine Greer heb ik zitten zweten. Maar na afloop omhelsde ze me en zei: "Ik heb het je erg moeilijk gemaakt, hè?" Annie Cohen-Solal, met wie ik direct een goed contact had, maakte het me makkelijk, we hoefden nauwelijks over Sartre en z'n existentialisme te praten. Waarop ik me natuurlijk wel had voorbereid; ze had tenslotte een biografie over die man geschreven. Als ik m'n hoofd scheef hield, liep al die kennis over zijn filosofie er meteen weer uit. Dat had ik wel vaker: dat ik heel slim bleef kijken, maar nauwelijks wist waarover het ging. Pas bij de ondertiteling zag ik waarover we het eigenlijk hadden gehad. Ook aan Renate Dorrestein, die het me knap lastig maakte, heb ik goede herinneringen, net als aan Helga Ruebsamen en Anna Enquist. Zelfs aan Fay Weldon, wat toch een erg moeilijke opgave was, omdat we in een rare discussie over sokken belandden. Wat ik zo prettig vind aan vrouwen is dat ze het persoonlijke niet schuwen. Ze zijn bereid ook eens even een deurtje in

de ziel open te doen en naar binnen te schouwen. Zo krijg je tenminste gesprekken die iets opleveren.'
Maart 2004

EINDSCORE: +6

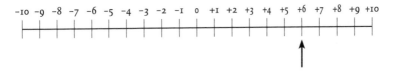

Commentaar

Brammetje (een Airedale Terriër, vrouwtje, van drie),
de virtuele hond van Adriaan van Dis

De reacties:
Mijn baasje was te openhartig, zegt-ie, en dan schaamt hij zich. Toen het interview verscheen, was hij blij in Parijs te wonen, daar lezen ze *Opzij* niet zo en werd hij er ook niet op aangesproken. Hij had beslist meer gezegd dan hij zich had voorgenomen. Maar dat is ook een compliment aan de interviewster. Als geïnterviewde verplaatst hij zich in de meest kwaadwillige lezer, iemand die hem met zijn eigen citaten om de oren slaat. Misschien zit die kwaadaardigheid wel in hemzelf. Hij kan heel hard zijn in zijn oordeel over anderen én over zichzelf – al is het niet op alle punten. Veel van zijn flinkheid is pure verbeelding. Daarom ben ik ook zijn fantasiehond, omdat hij een echte niet aan kan, nog niet.

Of ik vaak ben aangesproken op het interview? Ach, als hij ergens in het land een lezing houdt, komen er vaak dames in de pauze op hem af die hem complimenteren om dat 'eerlijke interview in *Opzij*'. Daar wordt-ie dan weer zenuwachtig van. Het zijn vaak ook vreeslijke slijmjurken die dat zeggen.

Het fameuze cijfer (+6):
Te laag. Hij wou minstens een acht. Hij wil graag de beste zijn. Wil nog altijd met een mooi rapport thuiskomen. Al lukte hem dat op

41

school maar zelden. Hij snapte de manier van tellen gewoonweg niet, de man is heel slecht in rekenen. Een blik voer in twee gelijke porties delen lukt hem al niet.

Eigen mening:
Ik herkende hem wel en niet in het interview. Ik miste zijn verlangen naar een oermoeder. Hij zou het liefst een vrouw willen hebben die appeltaart bakt en die met haar kont in de wind de moestuin wiedt. Snorrende haarden, een naaldwerkje onder handen, een boek op schoot, daar verlangt mijn baas naar. Nu bied ik hem dat, liggend voor een Frans haardje waar de wind door loeit.

Of mijn baasje eerlijk was of zich mooier voordeed? Als hond vind ik dat een onzinvraag. Als je altijd eerlijk bent, ben je een onmens.

'Ik heb vreselijk geleden onder het feminisme'
Hans Dorrestijn

Het feminisme heeft zijn leven een flinke knauw gegeven. 'Ik was gedegradeerd tot pantoffelheld, durfde niets meer.' Als middelbare man valt hij nog steeds op jonge vrouwen, 'zo zit ik nu eenmaal in elkaar'. Voor Limburgers wil hij eigenlijk nooit meer optreden, want 'die hebben niets met mijn sombere humor, ze roepen nog alaaf als ze zelfmoord plegen'. Dat hij zijn kinderen niet meer ziet, is de zwaarste slag in zijn leven. 'Mijn kinderen zijn de enige wezens op aarde bij wie ik geen vraagtekens had.'
Cabaretier Hans Dorrestijn (1940)

Gelukkig waren de kritieken op zijn nieuwe programma *Onvervuld Verlangen* positief. Vooral voor *de Volkskrant* zat hij hem te knijpen, want als die slecht over hem schrijft, kan hij het wel vergeten. Dan was hij misschien wel gestopt met optreden.

'Als ik, vlak na mijn ziekte, door de pers was neergesabeld, had ik het niet overleefd. Ik had al mijn kaarten op dit nieuwe programma gezet. Als er in *de Volkskrant* staat dat je goed bent, dan ben je goed voor het Nederlandse volk, althans voor dat deel waarvoor ik werk. De NRC stel ik ook op hoge prijs, maar *de Volkskrant* is het belangrijkst. Het best voor mij is een vernietigend stuk in *De Telegraaf* en een juichende recensie in *de Volkskrant*. Dat vindt het linkse volk mooi. Optreden kost mij op het ogenblik veel moeite, want mijn gezondheid is nog slecht. Wat wil je, ik heb de afgelopen twee jaar drie zware buikoperaties gehad, het is een wonder dat ik nog leef.

Eind 1997 ging het mis: hevige buikpijn bleek geen griep, zoals de huisarts dacht, maar een verwaarloosde blindedarmontsteking die overging in een buikvliesontsteking. In het streekziekenhuis van Bennekom hadden ze me eigenlijk al opgegeven, maar dankzij doortastend optreden van mijn manager ben ik met gillende sirenes naar het Academisch Ziekenhuis in Utrecht gebracht, waar ze me gered hebben. Toen ik na al die operaties eindelijk bijkwam, ontwaarde ik een vreemd, Marten Toonderachtig gezelschap om mijn bed: een grote hond, een giraf en een olifant, maar dat bleken de chirurg, de anesthesist en alle andere mensen die aan mijn lijf gewerkt hadden te zijn; de verdoving was nog niet helemaal uitgewerkt. Echte mensenredders waren dat, die mijn visie op de medische stand ingrijpend veranderd hebben.

Door die operaties, onlangs afgesloten met het weghalen van een stoma, staat mijn buikwand heel strak, zoals bij een vrouw die op het punt staat te bevallen, stel ik me voor. Naarmate ik vermoeider word, gaat die buik meer trekken. Ik moet 's middags een paar uur slapen, dan haal ik half elf of elf uur wel. Het gekke is, als ik eenmaal op het toneel sta, heb ik nergens meer last van, dan krijg je zo'n enorme shot adrenaline dat je alles kunt. Ik doe zelfs een Russische dans en voel niks, maar daarna stort ik in, dan zoek ik kruipend mijn bed op. Dat is het voordeel van mijn beroep: er staat zo'n geweldige druk op je, dat kun je nog als je halfdood bent.'

Gaat je gezondheid nog vooruit?

'Ik ben bang dat het nooit meer echt beter wordt, maar ik kan schrijven en optreden en dat is het belangrijkste. Vergeleken met een jaar geleden is er wel veel verbeterd, maar sinds augustus staat het eigenlijk stil. Ik kan doen wat ik wil, er zit geen vooruitgang in. En hoewel ik vaak niets anders dan dood wil, heb ik toch een geweldige levenskracht, heel tegenstrijdig.'

Maar die stoma kon wel weer weg.

'Goddank ja, want dat is natuurlijk een vreselijk iets. Al helemaal voor een vrijgezel als ik, die nog eens iets zou willen op erotisch vlak. Afgezien daarvan: ik ben een mens, met veel schaamtegevoel, ik schaam me werkelijk voor alles, dus zo'n stoma was een helse zaak voor mij. Trouwens, het hele verblijf in het ziekenhuis. Bij alles moet je geholpen worden. En je zult het zien: dan krijg je natuurlijk zo'n prachtige, jonge verpleegster om je te verzorgen.

Ik heb al die dingen overleefd door mijn denken uit te schakelen, ik was er niet bij wanneer de stomazakjes geleegd moesten worden. Dag en nacht ging dat door. En toen de darmen weer op gang kwamen en ik het bed bevuilde... door de diepste vernedering ben ik gegaan. Nee, nee, nee, daar kon ik geen grappen over maken, dat kon ik niet relativeren, alleen mijn hersens stilzetten, zo min mogelijk denken, er als een baksteen bij liggen, dat hielp. Hele nachten heb ik zonder gedachten gelegen, ik kon vaak niet slapen, lag maar gewoon te wachten tot ik weer ging leven. De schaamte was zo groot. Dat moet er allemaal nog een keer uitkomen, dat heb ik ergens in een reservoir opgeslagen, daar kan ik nog twintig jaar over schrijven. Niet dat ik allemaal smerige liedjes zal schrijven, heus niet, maar die pressie op mijn ziel moet er toch een keer uit.'

Kun je die enorme schaamte verklaren?

'Nee, niet echt. Ik schaamde me vroeger al voor m'n kop en nog hoor, als ik in de spiegel kijk. Ik was altijd een overgevoelig knaapje en met een wrede, tirannieke stiefvader, zoals ik heb gehad, werd dat er niet beter op. Je kent die winterochtenden van vroeger wel, nergens warmte in huis, de kachel in de kamer moest nog aangestoken worden en die man liep zich daar te schurken en te krabben in zijn lange onderbroek die hij omgekeerd had aangetrokken waardoor je z'n remsporen zag. Vreselijk, voor zo'n kind als ik. Als je op de wc zat en hij moest nodig, trok hij je letterlijk van de pot. Ik weet niet of mijn schaamte daardoor ontstaan is, misschien heb ik het wel allemaal zelf uitgevonden. Die schaamte heeft vrijwel altijd te maken met het lichaam. Ik vind het vreselijk ergens naar de wc te gaan als direct daarna andere mensen erop gaan. Of een rammelende maag te hebben of een wind te moeten laten.

Dat zal ik nooit doen in gezelschap, ik sterf nog liever van de buikkramp. In de trein van Amsterdam naar Ede heb ik een keer een niersteenaanval gehad, helse pijnen zijn dat, maar niemand heeft er iets van gemerkt. Ik ben gewoon naar huis gegaan. De dokter zei later: man, dat is de ergste pijn die er is, hoe heb je dat kunnen doorstaan? Met veel schaamte doorsta je alles, je kunt niet anders. Nou ja, voor mijn werk kan ik al dit soort gevoelens goed gebruiken, ik integreer ze.'

Ja, alles goed en wel, maar buiten het toneel moet je toch ook leven. Durf je al alleen door een restaurant te lopen?

'Ja, dat gaat nu wel. Maar alleen eten durf ik nog steeds niet, want dat ziet er meteen zo vreselijk eenzaam uit, dat getik van het bestek op je bord klinkt oorverdovend hard als je alleen bent. Het is het gevoel dat je het middelpunt van de wereld bent, dat iedereen op je let. Natuurlijk is dat niet zo, daar zijn de mensen veel te egocentrisch voor. Maar voor mijn gevoel worden al mijn handelingen gadegeslagen; als het niet door het publiek in een zaal is, dan door de mensen in je omgeving of door God. Voor elke handeling leg ik een innerlijke verantwoording af. Zelfs als ik alleen in mijn bed lig en ik laat onder het dekbed een wind, schaam ik me. Laat staan als ik met iemand in bed zou liggen. Dan loop ik naar de wc om daar die wind te laten. Dat heb ik mijn hele huwelijk, vijftien jaar lang gedaan, anders zou ik me een vies dier gevoeld hebben.'

Je leeft nu alleen.

'Ik ben twee keer getrouwd geweest, eenmaal heel kort, het tweede huwelijk heeft vijftien jaar geduurd. Daaruit stammen twee kinderen, een zoon van zestien en een dochter van vijftien. Dat huwelijk is in 1986 stukgelopen. Ik belandde toen in een psychiatrische inrichting en toen ik daaruit kwam, mocht ik van mijn vrouw niet meer terug in huis. Ze had een caravan voor me verzorgd op een camping op de Veluwe, daar heb ik maanden gezeten. Toen die op een gegeven moment ging lekken en onbruikbaar werd, ben ik in een tent getrokken. In oktober, in een tentje op camping Eldorado met twee poezen, Neel en Noor. Die was ze komen brengen, hoewel het haar poezen waren. Anders zouden ze worden afgemaakt. Uit armoe heb ik toen nog weken twee poezen aan een lijntje gehad bij die tent. Een is ontsnapt, die heb ik nooit teruggezien, de ander heb ik nog jaren meegesleept, hoewel ik nauwelijks in staat was om voor iets te zorgen: niet eens voor mezelf, laat staan voor een poes. Nou ja, uiteindelijk heb ik een huis gevonden.

Ik had niet willen scheiden, ik wilde dat huwelijk redden, vooral omdat we kleine kinderen hadden. Vroeger wilde ik nooit kinderen hebben, ik was als de dood daar niks van terecht te brengen. Iedereen kent immers de verhalen van mensen die hun vreselijke jeugd overdoen met hun eigen kinderen. Godzijdank heb ik dat nooit gedaan. Integendeel: ik ben gek op mijn kinderen, het zijn de enige wezens op aarde bij wie ik nooit vraagtekens had, met wie ik moei-

46

teloos kon omgaan. Het zijn ook de enige mensen voor wie ik mijn werk opzijzet. Als ze bij me logeerden, ging de piano op slot en de schrijfmachine in de kast. Mijn dochter was de enige die huilde toen ze me na de operatie zag. Daarom is het de zwaarste slag van mijn leven dat ik ze nu niet meer zie.

Daar zit een absurd verhaal achter, dat erop neerkomt dat een jeugdvriend van mij een relatie heeft met mijn ex. Dat heeft tot gevolg dat mijn kinderen worden opgezadeld met negatieve verhalen over mij die niet kloppen, maar die geleid hebben tot een verwijdering tussen ons, waardoor ik ze nu al bijna een jaar niet meer zie. Zoals ik zei: het ergste wat me ooit is overkomen. Mijn vrienden zeggen: ze komen wel terug, daarvoor was jullie relatie te goed. Ik hoop het, ik hoop het zo ontzettend.

In mijn nieuwe boek – werktitel *Annemiek*, de naam van mijn ex-vrouw – beschrijf ik mijn hele leven. Het wordt een lekker dik boek, een soort ouderwetse streekroman, die begint met mijn jeugd, maar alles staat in dienst van het slot: mijn leven zoals het nu is. Hoe is dat te verklaren uit alles wat mij is overkomen? Ik heb altijd dunne boeken geschreven, maar die worden niet opgemerkt, behalve door een paar echte liefhebbers. Van Voskuil heb ik geleerd: het moet dik en uitgebreid zijn. Dus heb ik het roer definitief omgegooid: alles wordt tot in de details beschreven.

Nu ik alleen leef, moet ik voor mezelf zorgen. Dat lukt aardig: gezond koken, boodschappen doen, wat dat betreft leef ik echt het leven van een huisvrouw, naar de supermarkt is een uitje. Alleen schoonmaken valt me zwaar met mijn gammele lijf. Ik had altijd een werkster, maar die kletste me de oren van de kop, daar kon ik niet meer tegen. Voordat jij kwam, heb ik de kamer gestofzuigd, want ik wil niet dat het er armoedig uitziet. Een werkster via *Opzij*? Dat blad wordt toch niet door de gemiddelde Bennekomse boerenvrouw gelezen? Het zou wel een mooie grap zijn trouwens: mijn huis schoongemaakt door een feministe, maar dan wel een met een slot op haar mond.'

Je voorkeur voor mooie jonge vrouwen heb je nooit onder stoelen of banken gestoken.

'Die heb ik nog steeds. Helaas, moet ik misschien zeggen, want je denkt toch niet dat een knappe, jonge meid zit te springen om

47

een ouwe baard met een buikwond? Ik weet heus wel dat ik een verlangen heb dat niet verwezenlijkt wordt, maar ik heb nu eenmaal die smaak, dat kan ik niet ontkennen. Mensen zeggen vaak tegen me: man, er lopen zoveel leuke vrije vrouwen van jouw leeftijd rond, die kun je makkelijk krijgen. Maar op hen kan ik niet verliefd worden, het zal wel een neurose zijn. Je kunt net zo goed tegen een ongelukkige homoseksueel zeggen: word toch hetero, dan wordt je leven makkelijker. Zowel bij hem als bij mij gaat het om een voldongen feit. Nu is het niet zo dat ik hier aan tafel de hele tijd naar een jong, blond ding zit te snakken, dan kwam ik niet tot werken. Trouwens, door die operatie is van dat puberachtige driftleven van mij maar weinig meer over. Maar toch: ik capituleer niet, ik blijf stom genoeg hopen op een mooie meid.

Nou heb ik het geluk dat ik beroemd ben en bewonderd kan worden, dus dan heb je wel een voorsprong op anderen. Er kan nog wel eens iemand tussendoor lopen, bijvoorbeeld zo'n meisje van de School voor Journalistiek, dat je komt interviewen en die denkt: *so what*, hij is wat ouder, maar wel beroemd. Je moet nooit wanhopen, want ik heb de schrijver Ab Visser, oud en door de reuma zo krom als een hoepel, nog wel eens met een geweldig mooie vrouw zien lopen die een lichaamslengte boven hem uitstak, dus het blijft mogelijk. Maar, zoals ik schreef: ik ben te oud voor de liefde, te jong voor het graf en mijn hormonen zijn jong, maar grijs zijn mijn haren.

Met mijn eigen vrouw had ik wel door gekund tot zij oud was, 45, 55, 65, 75. Toen wij uit elkaar gingen was ik 46 en zij 33. Ik ben haar altijd aantrekkelijk blijven vinden. Ik had zeker door gewild met haar, maar zij niet met mij. Natuurlijk krijg ik hier ook oudere vrouwen over de vloer, prima gezelschap. Die worden wel eens nijdig wanneer mijn voorkeur voor jonge vrouwen ter sprake komt. Dat snap ik wel, het kan beledigend zijn, maar niemand moet zich dat persoonlijk aantrekken, alsof ik hen afwijs. Ik zit nu eenmaal met dat rare verlangen, net zoals iemand die graag dolfijnen met z'n blote handen zou willen vangen. Leuk, maar niet realistisch. Je zou denken: man, ga toch naar een bordeel met jouw wensen. Maar zo gemakkelijk is het ook weer niet. Ik heb drie, vier keer een bordeel bezocht, maar ik ben een veel te grote romanticus. Het gaat mij niet om de daad. Ik zie in zo'n jonge vrouw misschien wel veel meer dan erin zit; ik zie in haar een betere mensensoort, een verfijnd, edel wezen, onschuldig met een prachtig lichaam maar ook een diep gevoelsleven en een reusachtige intelligentie.

Trouwens: mijn ideale vrouw is geen jonge meid, zoals Claudia Schiffer, maar de oude actrice Margaret Rutherford. Wat een verrukking, ik heb er nog steeds verdriet van dat zij dood is. Haar zou ik hebben willen knuffelen, dat had me geen enkele moeite gekost. Als ze het me gevraagd had, had ik ook nog wel met haar willen vrijen. Wat een geweldig wijf, die kracht, die allure, die humor. Altijd als er een film van Agatha Christie op tv is, zelfs in het Duits nagesynchroniseerd, kijk ik.

Waarom ik zo gek op haar ben? Misschien omdat ze in alles het tegendeel is van mijn moeder: sterk, loodrecht, met ruggengraat en zonder bril. Mijn moeder is ruggengraatloos, het lijkt wel of dat lichaamsdeel operatief bij haar verwijderd is. Nu zit ze weer bij mijn ex en die nieuwe man, terwijl ze weet dat ik de kinderen niet meer zie. En nooit zal ze een goed woordje voor mij doen.

Ik heb lang geprobeerd excuses voor haar te vinden: jong weduwe met twee kleine kinderen, nadat haar man door de Duiters was doodgeschoten in kamp Amersfoort. Ze werd huishoudster bij de man die later onze stiefvader zou worden. Een tiran van de ergste soort. En nooit verdedigde ze ons tegenover hem. Maar nu zoek ik geen verzachtende omstandigheden meer. Ach ja, jonge vrouwen, oude vrouwen, een betere mensensoort of niet, aan het eind van dit interview kunnen we niet anders dan weer tot de conclusie komen dat er een volstrekte idioot aan het woord is geweest en dat vind ik altijd zo erg, want eigenlijk zou ik me beter willen profileren. Als ik een *Opzij*-lezeres was, zou ik zeggen: tjezus, die kerel spreekt zich aan alle kanten tegen, hij lult maar wat.'

Maar jij bent geen Opzij-lezeres. Integendeel, dat is juist een mensensoort die je haat. Feministen zijn toch enge types?

'Ook hier ga ik mezelf weer erg tegenspreken, vrees ik. Ik heb geleden onder het feminisme. Dat staat voorop. Want wat deden veel vrouwen – doen ze trouwens nog – die zich absoluut niet geroepen voelden om een baan te nemen? Die lazen in *Opzij* een artikel als "Vrijen met een man, kan dat?" Dat was voor hen voldoende argument om hun man een jaar lang de rug toe te keren. Als een Duitse bunker lag die achterkant in bed naar je toe. Als jij dan na twee, drie jaar de strijd opgaf en eens vreemdging, bedreef je een schandelijke daad. Op een gegeven ogenblik heb ik dat inderdaad gedaan, toen ik nooit meer met mijn vrouw mocht vrijen. Ik heb me daar kapot over geschaamd, ik bedoel: het bleef bedrog.

Ik was gedegradeerd tot een pantoffelheld, ik durfde helemaal niets meer, ik liep nog net niet met een schortje voor, maar het enige wapen dat ik mocht hanteren was de Lola-afwasborstel. En mijn vrouw werd in die houding gesteund door het feminisme. Ik denk dat zij in die tijd heel wat zusters had: niet meer met hun man naar bed, die vuile onderdrukker, maar wel maandelijks de hand ophouden voor zijn loonzakje, want ze wilden wel een mooi huis met een oprit zonder daar zelf voor te gaan werken. Van dat soort feministes kan ik het bloed wel drinken. Ik ben niet voor het opnieuw invoeren van lijfstraffen, maar er moet iets op verzonnen worden om de macht van de vrouw in te dammen. Na deze ferme uitspraak ga ik koffiezetten.'

Doe dat, dan kan ik even ernstig nadenken over een antwoord. Het lijkt me dat we hier van doen hebben met nepfeministen, want een van de pijlers van het feminisme is juist dat vrouwen wel financieel onafhankelijk worden en hun man niet zien als een wandelende girorekening. Bovendien: als je vrouw gek op je was geweest, hadden geen duizend Opzij-artikelen invloed op die liefde kunnen hebben.

'Je hebt gelijk: bepaalde ontwikkelingen waren nodig voor vrouwen. Ik heb van jongs af aan geweten dat vrouwen veel intelligenter zijn, op de lagere school was dat al duidelijk. Dingen waarvoor ik me kapot moest werken, gingen de meisjes moeiteloos af. Toen ik later leraar Nederlands was, merkte ik ook dat meiden veel slimmer zijn. Ik vind echt niet dat vrouwen minder waard zijn, dus in die zin heb ik niks tegen het feminisme. Maar ik ben tegen de bijverschijnselen ervan: dat vrouwen zich meer waard gaan voelen dan mannen, dat ze mannen hun bed uit schoppen, maar wel hun salaris willen incasseren. Ik denk dat je bij elke sociale omwenteling lelijke bijverschijnselen hebt. Daartegen hadden jullie moeten waarschuwen. Jullie hadden maatregelen moeten nemen om te voorkomen dat mannen al te makkelijk het slachtoffer zouden worden van de vernieuwing.'

Wat hadden wij dan moeten schrijven?

'Jullie hadden in ieder geval de tegenstem moeten laten horen: dat vrouwen die het liefst thuis bleven zitten in hun grote, mooie huis, met een tweede autootje voor de deur, waarvoor die gehate man heel hard moest werken, die man niet kwalijk mochten nemen dat hij zo vaak niet thuis was. Hoe moest hij anders dat huis en die auto bij elkaar verdienen? En dat het ook niet feministisch was om hem seks te weigeren, terwijl ze wel zijn geld wilden. Dat soort vrouwen heeft het feminisme misbruikt en het een heel slechte naam gegeven.'

En dat is allemaal de schuld van Opzij?

'Deels. Er hadden gelijk in het begin al tegenstemmen moeten komen. Er hadden artikelen geschreven moeten worden dat vrouwen slechte feministes waren als ze thuis bleven zitten, niet voor zichzelf opkwamen, hun eigen zaken niet regelden en hun eigen inkomen niet verdienden, terwijl ze hun mannen allerlei verwijten maakten.'

Natuurlijk hebben wij dat soort dingen geschreven, maar ik kan iemand die zit te wachten op een excuus om haar man te haten, daar niet van afhouden.

'Er zaten in die tijd klaarblijkelijk veel vrouwen op iets te wachten. De meesten hebben gelukkig de consequenties getrokken, zijn zelf aan de slag gegaan en hebben hun man niet nog vijftien jaar geplunderd. Dat dat bij mij gebeurd is, is een door het feminisme niet beoogd effect, maar het was er wel. En ik heb daar zwaar onder geleden. Nog een akelig gevolg voor mij was dat ik absoluut geen meisje meer durfde te benaderen. Ik wachtte maar gewoon af of ze naar mij toe kwam. Nu was ik altijd al een buitengewoon voorzichtig man, ik had helemaal nooit het idee dat ik zelfs maar in aanmerking kwam om met iemand het bed te delen, maar daarna werd die angst nog veel groter. Ik was doodsbang om in de categorie versierders te vallen. Nou ja, ik huldig niet de opvatting dat het allemaal de schuld van het feminisme is, het waren bijverschijnselen en waar gehakt wordt, vallen spaanders, maar ik was toevallig zo'n spaander.'

Al met al ben je nu een eenzaam mens zonder vrouw en kinderen.

'Ik ben een moeilijk mens om mee samen te leven en dat terwijl

51

ik juist zo'n behoefte heb aan mensen om me heen. Tegenwoordig los ik dat als volgt op: eenmaal in de twee maanden huur ik een suite met piano in het Barbizonhotel in Amsterdam. Peperduur is dat, zo'n achthonderd gulden per nacht zonder ontbijt. Maar ik kan niet zonder een piano, dan voel ik me ellendig. Ik moet kunnen spelen, zingen en schrijven. Daar nodig ik dan mijn vrienden uit en we hebben een heerlijke tijd. Als ik daarna weer in mijn eentje in Bennekom zit, voelt dat wel ellendig, want zodra ik alleen ben, ben ik depressief. Zo gauw er iemand binnenkomt, verdwijnt dat gevoel, maar als hij de deur achter zich dichttrekt, komt de ellende terug. Als ik er zo over praat, lijkt het alsof ik het over iets uit het verleden heb, maar zodra jij weg bent, komt de depressie terug.

Als het zou kunnen, zou ik mijn leven graag ruilen voor een ander, meer gelijkmatig bestaan, zonder al die neuroses, eenzaamheid en depressies. Zelfs als ik daarvoor mijn talenten zou moeten inleveren. Want niemand weet of voelt hoe wanhopig mijn leven eruitziet als ik alleen ben.

Eenzaamheid betekent voor mij dat ik niet besta zonder anderen. Ik ben er niet als er geen mensen zijn; zonder de blik van een ander besta ik niet. Het enige wat ik dan kan doen, is achter mijn schrijfmachine gaan zitten en het bestaan al schrijvend oproepen.'

In je nieuwe programma heb je het over prins Claus, een zielsverwant van je.

'Als ik me met iemand verwant voel, is het met hem. Ik zou hem heel graag ontmoeten. Laatst zat Hans van Mierlo in de zaal en eigenlijk wilde ik hem vragen of hij niet een ontmoeting met Claus kon regelen. Ik zou erachter willen komen hoe hij het hem gelapt heeft om ondanks alle voordelen die hij op mij heeft, toch een ziel te krijgen die zo veel op de mijne lijkt. Ik zeg in mijn programma: ik heb grote bewondering voor prins Claus; dat iemand zoals ik aan het leven lijdt, daar zal iedereen de logica van inzien, maar dat prins Claus depressies heeft, is een hele prestatie, daar zit wilskracht achter, doorzettingsvermogen. Van jongs af aan heeft hij alles mee: leuk uiterlijk, adellijke titel, rijke ouders. Toen ik geboren werd had ik alleen een baardje en een bril. Op koninginnedag staat hij met gekromde rug op het bordes en vraagt zich tijdens de toejuichingen af: wat is de zin van dit bestaan? Dat noem ik karakter, daar heb ik respect voor. Ik ben maar voor één ding bang en dat is dat hij ook theaterprogramma's gaat maken, want hij is mijn meerdere. Het is prachtig om te zien dat een prins dezelfde droevige ziel kan hebben als ik.'

Heeft jouw publiek ook zo'n droevige ziel?

'Weet ik niet. Het is overigens opvallend dat ik meer vrouwen dan mannen in de zaal heb en dat vrouwen mijn humor beter begrijpen. Die lachen vaker, ook wanneer ik vreselijke grappen over vrouwen maak. Die trekken ze zich niet persoonlijk aan. Nog iets opvallends: in Friesland en Noord-Holland lachen ze veel meer om mij dan in Limburg. Eigenlijk wil ik niet meer in Limburg geboekt worden. Daar gaat het altijd fout. Die katholieken in het zuiden weten niet wat lijden is. Die hebben een levenswijze van: niets aan de hand. Geef mij maar calvinisten, die weten van lijden, schaamte en schuldgevoel. Zo'n Friese boerenknecht die zwijgend in de klei staat te spitten, die denkt na over de wereldproblemen. Een Limburger mag niet lijden, dus hij lijdt ook niet. Hij roept alaaf, ook al staat hij aan de rand van het graf; zelfs als hij zelfmoord pleegt roept hij nog alaaf. Nee, tussen mij en de Limburgers wordt het nooit iets.'

April 1999

EINDSCORE: +1

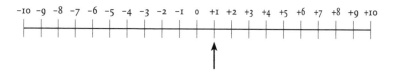

Commentaar

Daniela Titocci (1972),
persoonlijk assistente

De reacties:
Dit interview is afgenomen vóór onze werkrelatie begon. Inmiddels weet ik dat Hans regelmatig (achteraf) spijt heeft van uitspraken die onderlinge verhoudingen kunnen aantasten. Een dergelijk

interview speelt dan nog heel lang door zijn hoofd. Maar gezien de periode waarin het interview is gepubliceerd, Hans maakte toen een moeilijke tijd door, denk ik dat dit hem allerminst zorgen baarde. Het blijft natuurlijk een momentopname.

Voornamelijk door dames van de vrouwenliefde is hij vaak aangesproken. Ze waren onder andere erg benieuwd of de zoektocht naar een werkster via *Opzij* was geslaagd en hij zo een manier had gevonden om het kaf van het koren te scheiden. Het betrof hier immers geen 'nepfeministe'.

Het fameuze cijfer (+1):
Hans heeft enorm opgeschept over de voor hem tot voor kort nog onbekende plaats op de meetlat. In zijn enthousiasme, maar vooral in zijn selectieve geheugen, is de publicatie van het meetlatinterview wel blijven hangen, maar aan de score heb ik hem moeten herinneren. Hij is verbaasd überhaupt in dit boek te zijn opgenomen, dus is elk cijfer boven verwachting. Hans heeft een voorkeur voor gevoelige vrouwen, die (binnen zijn moderne opvattingen) maatschappelijk gezien, best onafhankelijk mogen zijn. Daarentegen gaat hij op de vlucht voor vrouwen met een harde uitstraling en vechterskapsel. Van nature heeft hij een grote bewondering voor de andere sekse; plaatst haar op een bovenmenselijk voetstuk. Hij denkt bijvoorbeeld nog steeds dat een vrouw, met elke toiletgang, de plaatselijke supermarkt van honing voorziet. Vanuit die visie mag wat mij betreft het cijfer wel wat worden opgeschroefd.

Eigen mening:
Ik ken Hans langer dan mijn halve bestaan. Dat laat dus weinig geheimen over. *Een kleine anekdote:* tijdens een van onze eerste autoritten bevestigde een haperende handbeweging vanuit de bijrijderstoel, mijn vermoeden. Ik zag dat het om een aangenaam gebaar ging. Hij wilde me geld toestoppen, maar wist niet goed hoe dat te doen aan iemand die beide handen aan het stuur heeft. Hans, die overigens graag chef-baas wordt genoemd, is bepaald niet gierig. Hij heeft altijd wel een reden om mij iets extra's toe te stoppen. Afhankelijk van onze eindbestemming, besteed ik zo nu

en dan wat meer aandacht aan mijn uiterlijk en laat ik mijn meest vrouwelijke deel, mijn decolleté, tot haar recht komen. Voor Hans aanleiding om de bankbiljetten zeer discreet tussen de glooiingen te laten zakken. Dit is kenmerkend voor zijn vrijgevige karakter. Chef-baas had dus een oplossing gevonden, maar wel een die de geloofwaardigheid van mijn functie erg in twijfel trok. Vanaf die tijd draag ik bloesjes met borstzak!!

'Soms moet ik liegen'
Wim Duisenberg

De zeilboot is vervangen door golfstokken, z'n geliefde woonplaats is nu Amsterdam in plaats van Friesland, maar hij kent nog elke vogel die in zijn tuin neerstrijkt, hij is in het openbaar (nog) zwijgzamer geworden dan hij al was. 'Bij mijn functie van president van De Nederlandsche Bank hoort geen uitbundig mediaoptreden.' Hij is blij en trots over z'n nieuwe baan: baas van de eerste Europese bank in Frankfurt: 'Het is toch mooi dat mijn handtekening straks op de euro komt.' De belastingdruk in Nederland vindt hij te hoog, maar het ergert hem toch dat werkende Nederlanders in België gaan wonen: 'Ze rijden overdag wel hier over de wegen en gaan hier ook naar de wc.' Hij is gauw ontroerd: 'Laatst zag ik een natuurfilm waarin een jong olifantje doodging, dan houd ik het niet droog.'
President van De Nederlandsche Bank dr. Wim Duisenberg (1935-2005)

Op een leeftijd dat andere mensen al in de vut zitten of zich in ieder geval voorbereiden op hun pensioen begint Wim Duisenberg nog eens aan een nieuwe carrière en nog wel in het buitenland. In juli volgend jaar wordt hij president van het Europees Monetair Instituut (EMI) in Frankfurt, waaruit in 1998 de Europese Centrale Bank moet ontstaan. Niemand twijfelt eraan dat hij dan ook de eerste president van deze Europese bank zal worden.

'Ik ben dan nog net 62 jaar en voor een periode van acht jaar benoemd, maar ik geef niemand de garantie dat ik die volle periode zal aanblijven. Ik beloof wel dat ik niet na drie maanden en ook niet na een of twee jaar zal stoppen, maar verder gaat mijn garantie niet. Je moet reëel blijven en je leeftijd niet vergeten. Op het ogenblik zijn mijn vrouw en ik een huis aan het zoeken in Frankfurt, maar we houden ons huis in Amsterdam, dat blijft onze thuisbasis voor de weekeinden en natuurlijk voor na mijn pensioen. We wonen daar zo heerlijk, daar wil ik nooit meer weg.'

Dat was vroeger anders. Toen zei u: 'Ik zal zeker teruggaan naar Friesland want als ik ergens niet blijvend wil wonen, is het de Randstad.'

'Dat is zo. Maar sedert mijn ouders overleden zijn, heb ik geen echte band meer met Friesland. De boot die ik er had, heb ik al jaren geleden verkocht, dus ook daarvoor hoef ik niet meer terug. Het is vreemd dat een plaats, Amsterdam in dit geval, die je vroeger met schrik en afkeer vervulde, nu je lievelingsplek is geworden. Toen ik negen jaar geleden hertrouwde, heb ik mijn boot weggedaan. Die boot, een oud beurtschip uit het begin van deze eeuw, moest helemaal gerenoveerd worden en zoiets doe je alleen als je er veel gebruik van maakt. Maar Gretta, mijn vrouw, heeft niets met varen en boten en dan druk ik me nog heel zacht uit. We hebben in Amsterdam gelukkig wel een huis in het groen, aan de zijkant van een park, en dat vind ik heerlijk, want ik blijf toch een buitenmens. Tot mijn grote genoegen zie ik daar nog vaak vogels. Toen we het huis kochten was het een ruïne, het moest helemaal opgelapt en verbouwd worden. Gretta en ik gingen er elke avond naartoe om de vorderingen van die dag te bekijken, of er weer een nieuw stopcontact was of zoiets. Ik weet nog dat we op een avond weer zo'n speurtocht hielden, Gretta boven, ik beneden. Opeens zie ik in de tuin een kleine bonte specht, vlak voor het raam. Ik raak helemaal opgewonden en roep naar m'n vrouw: kom gauw kijken, kom naar beneden. Ze komt aanrennen, zegt: wat is er aan de hand, ik zeg: kijk daar zit-ie, zij zegt: ja leuk, een vogel, moet ik daar voor naar beneden komen. Maar inmiddels is ze ook vogelliefhebber geworden.'

Uw hobby zeilen hebt u vervangen door golf. Niet direct een sport voor een gewone jongen uit Heerenveen.

'Dat is nou echt onzin. Golf is langzamerhand een heel populaire sport geworden, ook voor de gewone man. Ik speel het nu zo'n achttien jaar, ik ben er niet echt erg goed in, maar ik vind het heerlijk. Rustig in de buitenlucht. Of je het kunt, zit meer tussen je oren dan in je handen of voeten, dus heel geschikt voor mij. Soms speel ik het met mijn vrouw, maar vaak ook alleen. "Duisenberg zie je tegenwoordig meer op de golfbaan dan op de bank" stond laatst eens in een krant. Onzin. Als ik eenmaal in de drie weken op de baan in Noordwijk sta, mag ik blij zijn. Toen ik een kind was, moest ik van de dokter aan sport gaan doen, omdat ik licht astmatisch was. En wat wil je dan als jongen in Heerenveen, waar Abe Lenstra toen nog zijn triomfen vierde? Voetbal natuurlijk. Maar dat mocht niet vanwege die astma. Dus het werd tennis. Dat was toen een vreselijk elitaire sport: tennis, dat deed een gewone jongen niet, dat deden hoogstens de notaris en de dokter. Dat is inmiddels ook flink veranderd, iedereen tennist toch? Met golf gaat het net zo. Toen ik jaren geleden begon, waren er vijfendertig golfbanen, nu zijn er meer dan honderd, openbare en privébanen. Ik weet niet wat een clubkaart van Ajax kost, maar ik weet wel dat een beetje surfplank zo'n tweeduizend gulden kost. Dat kosten golfstokken ook. Tweedehands heb je ze trouwens voor vijfhonderd gulden. Het lidmaatschap van een club kost dan nog eens duizend gulden per jaar. Laatst vroeg Wim Meijer, die als staatssecretaris toestemming heeft gegeven voor de aanleg van de eerste openbare golfbaan in Spaarnwoude, of dat ding eigenlijk een beetje liep. Een beetje liep, man, ze hebben de grootste problemen omdat ze veel te weinig ruimte en veel te veel potentiële klanten hebben.'

Draagt u dan zo'n rare geruite broek?

'Nee, hoor.'

Hè, gelukkig. Even terug naar uw nieuwe baan in Duitsland: wordt dat harder werken?

'Nee, ik krijg het juist rustiger, want de nationale banken blijven toch het meeste werk doen. Het wordt vooral vergaderen en reizen. Echt keihard werken hoef je niet bij een bank, althans ik niet. Als er iemand is die elke avond om zes uur achter de aardappels kan zitten, ben ik dat wel. Ik las in uw blad dat minister Zalm vrijwel elke avond om zes uur thuis is. Die uitspraak van Gerrit moet je met een flinke korrel zout nemen, ik weet wel beter. In ieder geval was dat zeker niet zo toen ik minister van Financiën was. We werkten ons echt te pletter, geen avond was je thuis. Dat had alles te maken met de tijd van toen: de activistische jaren zeventig. Wij moesten voortdurend de boer op van Den Uyl om in het hele land spreekbeurten te houden, om ons beleid uit te leggen. Den Uyl was een workaholic die het liefst elke avond en als het kon ook nog 's nachts vergaderde. Daar hadden wij ons maar bij neer te leggen. Die enorme werkdruk heeft zeker bijgedragen tot het mislukken van mijn eerste huwelijk. Zalm is in een veel rustiger tijd minister, ook gezien de economische situatie van ons land. Er is maar één ding waar hij het drukker mee heeft dan ik in de jaren zeventig: hij moet regelmatig in de Kamer opdraven. Dat heb ik, afgezien van de jaarlijkse begrotingszittingen, zegge en schrijven één keer gedaan in de vier jaar van mijn ministerschap.'

Gaat u eigenlijk meer verdienen als president van de Europese Bank?

'Ik ga vooral anders verdienen, marken natuurlijk. En ik val met dat inkomen onder een andere belasting, de Europese, die geldt voor alle mensen die in Europese dienst werken. Die premie is aanzienlijk lager dan de Nederlandse dus in die zin ga ik erop vooruit. Maar over mijn inkomen in Nederland blijf ik natuurlijk gewoon het Nederlandse belastingtarief betalen.'

Over de belastingen gesproken, wanneer gaan die omlaag in Nederland?

'Dat moet u mij niet vragen, daar gaat de politiek over. Maar ik denk wel dat we in Europa, met alle grenzen open, naar een eenheidstarief zullen moeten, anders krijg je belastingconcurrentie. Wij zitten in Nederland met ons zestigprocentstarief het hoogst van alle landen. Duitsland heeft bijvoorbeeld vijftig procent als toptarief. Dat Nederlanders naar België verhuizen, heeft daar alles mee te maken. En in sommige gevallen kan ik me dat ook heel goed indenken. Stel: iemand heeft z'n hele leven een zaak gehad. Op z'n oude dag verkoopt hij die en houdt daar een miljoen aan over. Dat is niet exorbitant veel, dat is vrij normaal. Dat bedrag is zijn pensioen, daar moet hij tot z'n dood van leven. Hij zet dat op de bank, krijgt er acht procent rente over, dus hij ontvangt per jaar zo'n 80.000 gulden. In Nederland moet hij daar vijftig procent belasting over betalen, dus hij houdt 40.000 gulden over om van te leven. In België betaalt hij daar dertien procent belasting over, dus daar houdt hij 69.600 gulden over. Nogal een groot verschil. Dat zo'n man verhuist, kan ik me voorstellen. Iets anders is dat een werkende Nederlander met een goed inkomen in België gaat wonen. Ik heb een bankier gekend die mij vertelde dat te overwegen. Dat ergert me dan in hoge mate en dat heb ik ook gezegd. Hij profiteert wel in Nederland van alle voorzieningen: hij rijdt hier over de wegen, hoopt dat de politie zijn geparkeerde auto tegen diefstal beschermt, hij gaat overdag op z'n werk toch ook naar de wc mogen we aannemen, dus hij profiteert van de riolering, ga zo maar door. Die man zei uiteindelijk: je hebt gelijk, ik blijf hier.'

U bent altijd heel zwijgzaam over uw inkomen. Waarom eigenlijk?

'Daar heeft niemand wat mee te maken.'

Ik heb eens zitten rekenen: u verdient ongeveer driemaal meer dan een minister van Financiën en driemaal minder dan een directeur van een gewone bank. Ik kom op zo'n zes ton uit...

'Gaat u door...'

Ik was eigenlijk klaar, ik hoopte dat u zou reageren...

'Ik vind echt dat niemand daar iets mee te maken heeft, dat is mijn privacy, maar u zit wel ongeveer goed.'

Over geld gesproken, hoe hebt u dat belegd? Niet in aandelen, hebt u weleens gezegd. Staat het op een spaarrekening, hebt u obligaties, zit het in een oude kous, hebt u het belegd in kunst, juwelen, in goud misschien?

'Nee, nee, nee, nee, niks van dat alles. Het is veel eenvoudiger. Dat u dat nou niet kunt bedenken. Ik geef u niet veel kans als u hier bij de bank zou solliciteren. Zal ik het u maar vertellen?'

Doet u dat, ik kan niks anders meer verzinnen.

'Wij hebben een heel duur huis. Daar hebben we schuld op en die lossen we af. Daar gaat ons geld dus heen.'

Wat zou u vrouwen die zo'n 25.000 gulden spaargeld hebben aanraden om met dat geld te doen? Beleggen of gewoon op een spaarrekening zetten?

'Ik ben geen beleggingsspecialist, ik maak altijd fouten onder de honderd miljoen. Grapje. Ik denk dat ik uw lezeressen zou adviseren dat bedrag op een depositorekening bij een bank een tijd vast te zetten. Naarmate je het langer vastzet, krijg je een hogere rente. Dat is het veiligst met zo'n bescheiden bedrag. Daar moet je geen risico's mee lopen en dat doe je als je het in aandelen of obligaties belegt.'

Zouden vrouwen zonder eigen inkomen eigenlijk geen vast bedrag voor zichzelf moeten krijgen van hun man?

'Mijn vrouw en ik hebben een gezamenlijke bankrekening voor

de huishoudelijke uitgaven en de vaste lasten. Daarnaast hebben we ieder onze eigen rekening en een eigen creditcard. Wij vinden dat heel belangrijk voor onze zelfstandigheid, het geeft ons een heel prettig gevoel. Wij beschouwen mijn inkomen als ons inkomen. En zo zou het eigenlijk in alle relaties horen te zijn.'

Minister Zalm weigert elke pincode, dat vindt hij maar niks. Hij wil gewoon contant geld in de zak.

'Dat moet hij weten, ik heb er wel tien of elf.'

Onthoudt u al die verschillende nummers?

'Nee hoor, ik ken er twee uit mijn hoofd. Het ene is van mijn persoonlijke organizer, het tweede is van het geheime vakje van die organizer, voor het geval iemand mij een klap in m'n nek geeft en ervandoor gaat met dat ding. In deze elektronische agenda staan alle andere pincodes. Dus ik sta bij een kassa, kijk in m'n organizer en tik de benodigde pincode in. Ik hoop dat ik in ieder geval die twee nummers blijf onthouden.'

Binnenkort krijgen we nieuw geld: de euro voor alle Europese lidstaten. De Nederlandse Munt gaat zich bezighouden met de munten, De Nederlandsche Bank met de bankbiljetten. Op beide is nog plaats voor een nationaal symbool. Wat wordt dat?

'De muntmeesters schijnen besloten te hebben de koningin op de nationale kant van de munt te zetten. Wat de bankbiljetten betreft: de ene kant wordt voor alle landen hetzelfde en aan de andere kant krijgen we een klein stukje ter grootte van een rijksdaalder, eenvijfde van de oppervlakte, voor een nationaal symbool. Ik denk dat de Engelsen wel graag hun koningin op dat stukje zullen zetten. Ik moet u eerlijk zeggen, dat ik dat allemaal onzin vind. Mijn voorkeur zou zijn om zowel de biljetten als de munten gewoon hetzelfde, helemaal Europees te maken. Wat wij uiteindelijk met de biljetten gaan doen, is nog niet bekend. Het hoeft allemaal pas in 2002 klaar te zijn.'

Een tulp, een klomp, een kaas, een molen of toch Beatrix?

'Een hennepplantje, misschien. Nee, onzin. Het is nog niet bekend. Mijn handtekening komt er in ieder geval op, als ik president van de Europese Bank word. Dat vind ik wel mooi.'

Als uw ouders dat nog eens hadden mogen meemaken, hun Willem op de Europese bankbiljetten.

'Zegt u dat wel. Dat zouden ze vast mooi gevonden hebben. Mijn vader is al in 1967 overleden, hij was toen 62. Hij kwakkelde al een hele tijd met te hoge bloeddruk, maar hij was de laatste jaren van z'n leven ook erg depressief. In die tijd werkte ik bij het Internationaal Monetair Fonds in Washington waar hij een paar maanden voor z'n dood nog bij ons is geweest, voor het eerst van z'n leven naar Amerika. Hij was toen nog redelijk goed. Hij is heel plotseling overleden aan een hartstilstand. Ik zat toen in Nieuw-Zeeland en heb er 44 uur over gedaan om in Nederland te komen. Ik was net op tijd voor de begrafenis. Heel erg om te laat te zijn voor een echt afscheid. En toch is het weer gebeurd. Jaren later, in 1984, zat ik op de avond van de vierde mei met m'n moeder te bellen. Vanuit Scheveningen, zij woonde nog in Heerenveen. Ik vertelde haar dat ze naar de televisie moest kijken, naar de dodenherdenking op de Waalsdorpervlakte, omdat mijn zoon daar een van de klokkenluiders was. Opeens hoorde ik niets meer. Ik roepen en schreeuwen: mam, mam, maar ik kreeg geen antwoord. Als een gek haar buren gebeld, die onmiddellijk zijn gaan kijken. Na een halfuurtje belden ze terug met de mededeling dat mijn moeder was overleden. Ook een hartstilstand. Ze was 73. Ik ben er meteen naartoe gegaan, maar ik kon niet blijven, omdat ik de volgende dag, 5 mei, moest spreken op de nationale herdenking van de bevrijding. Alles zou ik hebben afgezegd, maar dit durfde ik niet. Daar stond ik dus de volgende ochtend voor een groot publiek en allemaal televisiecamera's. Gelukkig had ik mijn tekst op papier, anders had ik me helemaal geen raad geweten. Hoe ik het heb klaargespeeld, weet ik niet, maar ik heb gezegd wat ik moest zeggen. Daarna ben ik onmiddellijk teruggegaan naar Heerenveen.

Ik denk nog vaak aan m'n ouders, niet speciaal op hun verjaardag of sterfdag, ze gaan gewoon vaak door me heen. Ik weet nog hoe onthutst m'n vader was toen ik vertelde dat ik geld ging lenen voor ons eerste eigen huis. "Jongen, zou je dat wel doen, lenen brengt alleen maar problemen." En ik maar zeggen dat de banken erom vochten mij dat bedrag te mogen lenen. Dat geld m'n vak is geworden, zou hij vast niet zo makkelijk gevonden hebben. Mijn moeder heeft veel meer van mijn carrière meegemaakt. Ze sprak er niet vaak over. Behalve toen ik als minister van Financiën eens iets gezegd had over de AOW; dat ik graag zag dat mijn moeder een goed pensioen zou houden en dat we, om dat mogelijk te blijven maken, moesten bezuinigen op de overheidsuitgaven. Toen zei ze: "Wil je mij er voortaan alsjeblieft buiten houden, jongen." '

Was u een vaders- of een moederskind?

'Ik was een geliefd kind, bij beiden. Niet zo'n snelle, een beetje een bedachtzaam kind dat altijd zat te lezen. Als mijn moeder me vroeg de afwas te doen en ze kwam na verloop van tijd kijken, was er nog niks gebeurd. "*Slûge soe ek, mar hy stoar earder,*" zei ze dan altijd (de slome zou ook nog, maar toen was hij al dood). Toen ik jong was heette ik Willie, preciezer gezegd: Kleine Willie. Ik had een neef, die ongeveer tot mijn navel kwam, maar toch was hij Grote Willie en ik Kleine. Tot de derde klas van de lagere school werd ik zo genoemd. Toen zei de juffrouw: je bent nu lang genoeg Willie geweest, nu word je Willem. En zo geschiedde.'

U was altijd erg verlegen. Nog steeds?

'Ik was enorm verlegen, maar ik ben daar wel overheen gegroeid. Ik vond het altijd vreselijk op recepties met al die onbekende mensen. Dan zette ik een masker op. Inmiddels krijg ik nu met het verschijnsel te maken dat iedereen mij kent, waar ik ook kom. Dan raak je weer op een andere manier in verlegenheid, omdat mensen tegen je zeggen: zie je 't niet, herken je me niet meer? Mijn god, denk ik dan, dat is weer iemand die ik dertig jaar geleden ooit heb ontmoet en die ik met de beste wil van de wereld niet meer herken. Tegenwoordig ben ik daar maar eerlijk in en zeg: help me even, want ik weet niet meer precies hoe of wat.'

Verlegen bent u dan niet meer, maar nog wel erg zwijgzaam. Dat lijkt eerder erger dan minder te worden.

'Dat heeft te maken met mijn functie bij de bank. Sedertdien heb ik zeer bewust de achtergrond gezocht. Bij deze functie hoort geen mediaspektakel. Toen ik in de politiek zat, was dat heel anders. Bij dat vak hoort dat je bewust de publiciteit zoekt, voor je eigen functie, maar ook voor je partij. Ik geef nu eigenlijk nooit meer interviews en zeker niet over m'n privéleven. Bij deze bank berust de zorg voor het geld, fiduciair geld, dat wil zeggen: verbeeldingsgeld. Want een briefje van honderd is aan materiaal maar twintig cent waard en toch kunnen wij er ter waarde van honderd gulden goederen mee kopen. Dat is zo omdat men er vertrouwen in heeft. Ik zeg altijd: *confidence is the heart of banking*. Al ons werk is gebaseerd op vertrouwen. En dat vertrouwen moeten wij zien te winnen, want het is verleden tijd dat mensen je zomaar op je naam of je aardige gezicht vertrouwen. Mensen zijn kritisch geworden. Door je daden en je optreden moet je hen voor je winnen. Daarom moet er ook een zekere mystiek om de bank hangen. Misschien wekt dat naar buiten toe de indruk dat wij hier in een ivoren toren zitten, dat zij zo. Toch heb ik hier meer openheid ingevoerd dan onder mijn voorgangers was. In hun tijd mocht er niet letterlijk geciteerd worden uit gesprekken die hij met de pers had. Er mocht nooit staan: "De president van De Nederlandsche Bank is van mening dat..." Ik houd nu zo'n twee- of driemaal per jaar een persconferentie en verder zijn er de nodige achtergrondgesprekken met journalisten. Maar u moet niet vergeten: alles wat wij hier zeggen over de rentestand of de gulden kan enorme consequenties hebben voor de economie. Dus je wordt vanzelf wel voorzichtig en zwijgzaam.'

In april van dit jaar zei u tegen Trouw dat u nog jaren als president van de bank in Amsterdam zou zitten. Twee weken later kwam de mededeling dat u naar de Europese Bank in Frankfurt gaat. Bewuste leugen?

'Inderdaad. Ik wist eind april al dat ik weg zou gaan, maar mijn opvolging was nog niet geregeld. En dan krijg je allemaal speculaties en onrust en dat is slecht voor het vertrouwen in de bank. Dus mag je liegen, vind ik. Vindt Zalm trouwens ook. Net zoals je mag liegen over zoiets als de revaluatie of devaluatie van de gulden als dat nog niet bekend mag worden.'

Vrouwen op hoge posten in de bankwereld: dat zijn nog witte raven.

'Daar hebt u volkomen gelijk in. Wij hebben sedert een paar jaar een vrouwelijke onderdirecteur, maar zij is nog steeds de enige. Bij de vergaderingen van het Europese Monetaire Instituut in Frankfurt, de overkoepeling van de vijftien centrale banken van Europese lidstaten, kom ik op het ogenblik twee vrouwelijke collega's tegen: de presidenten van de centrale banken van Denemarken en Finland. Tot enige tijd geleden had Oostenrijk ook een vrouw, maar die is nu weer vervangen door een man. Het gaat maar langzaam, maar dat heeft alles te maken met het feit dat er nog zo weinig vrouwelijke economen en accountants zijn, de belangrijkste beroepen waaruit bankdirecteuren worden gerekruteerd. Toen ik economie studeerde zat er geen enkele vrouw in mijn studiejaar. "Heren, economie is een echt mannenvak," zei de hoogleraar dan ook. Wat natuurlijk onzin is.'

Is de bankwereld een leuke wereld, hebt u er bijvoorbeeld vrienden gemaakt?

'Ik heb meer vrienden gemaakt in de bankwereld, en dan vooral in de internationale, dan in de politiek. Daar heb ik eigenlijk alleen mijn goede vriend Wim Meijer aan overgehouden. In de Nederlandse bankwereld heb ik vooral goede kennissen, maar geen vrienden gemaakt. Echte persoonlijke relaties heb ik gekregen met de collega's van andere centrale banken. Die mensen zie ik tweemaal per maand een weekend en dat al jarenlang. Bankpresidenten zitten toch gauw tien, vijftien jaar of nog langer op zo'n post. Die mensen leer je dus echt goed kennen. Verder was ik lid van de zogenaamde Herenclub, een gezelschap van mannen als Marcel van Dam, Hans van Mierlo, Harry Mulisch, Cees Nooteboom, Gerrit Komrij en nog een stel anderen. Maar daar kom ik al zo'n jaar of vijf nooit meer, sinds ze als ontmoetingsplaats het bekende Amsterdamse restaurant van Joop Braakhekke hebben uitgekozen. Daar zit je vooral om gezien te worden en daar houd ik helemaal niet van. Ik wil juist ergens zitten, waar ik niet gezien word. Onlangs las ik in *Vrij Nederland* dat ik inmiddels geen lid meer ben. Dat was nieuw voor me.'

Na uw scheiding ging uw eerste vrouw haar meisjesnaam gebruiken, uw drie kinderen uit dat huwelijk heten Duisenberg, uw tweede vrouw bleef, vanwege haar drie kinderen, voornamelijk de naam van haar ex-man dragen. Wat een Babylonische spraakverwarring. Is het geen goed idee om de kinderen de achternaam van de moeder te geven?

'Een prima idee, ben ik helemaal voor. Maar dan wel na gezamenlijk overleg. Eerlijk gezegd hang ik er emotioneel toch wel aan dat de kinderen mijn naam dragen. En ook als ik opnieuw zou beginnen, helemaal vers aan een eerste huwelijk, zou ik toch heel graag mijn naam aan mijn kinderen doorgeven. Eigenlijk zouden we net als in Portugal en Spanje de achternamen van beide ouders aan de kinderen moeten geven. Want natuurlijk zijn veel vrouwen net zo aan hun naam gehecht als ik aan de mijne.'

Hoe staat het met uw huishoudelijke bezigheden?

'Laat ik zeggen dat ik een paar vaste klussen heb. Ik doe de grote was de deur uit. Verder zorg ik ervoor dat de kapotte lampen in het hele huis vervangen worden. Het lijkt wel of die dingen een steeds korter leven hebben. Wat de afwas betreft: de afwasmachine wordt uitgeruimd door degene die de pech heeft dit apparaat vol aan te treffen. In de keuken is mijn vrouw de baas, maar ik "mag" helpen als sous-chef en doe dat graag.'

U lijkt een nuchtere, heel rationele man. Toch bent u gauw ontroerd.

'Ik heb wel eens gezegd: "Ontroerd ben ik alleen bij het Friese volkslied." Dat was maar een kreet want eigenlijk word ik daar nu juist niet door ontroerd. Wel door m'n kleinkinderen, mooie films, een toneelstuk, een stuk muziek. Maar wat het hevigst toeslaat, zijn dierenfilms. Geen tekenfilms, maar natuurfilms of documentaires. Laatst zag ik op Discovery Channel een film over een stervend jong olifantje. Vreselijk. Daar kan ik slecht tegen, dan houd ik het niet droog.'

November 1996

EINDSCORE: 0

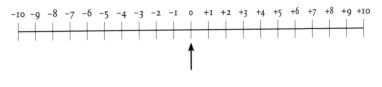

Commentaar

Gretta Duisenberg (1942)

De reacties:
Mijn man had totaal geen spijt van het interview, ook heeft hij niet meer gezegd dan hij zich had voorgenomen. Daar was hij altijd heel goed in.

We zijn nooit op het interview aangesproken. Wel hebben we

met vrienden gelachen dat hij slechts een o had gescoord, het-
geen ik na lezing van het interview wel begreep.

Het fameuze cijfer (o):
Dat vond hij geen enkel probleem en ik vond het, zoals ik al zei,
begrijpelijk. Echter in werkelijkheid verdient hij een veel hoger cijfer. Wim deed alles, zelfs de dingen waar hij een vreselijke hekel
aan had. Zoals in Frankrijk naar de 'Super U' gaan in het hoogsei-
zoen, dus vol met Hollandse vakantiegangers, hele gezinnen die
het meer als een 'uitje' zagen, met veel jengelende kinderen, waar
hij dan ook altijd aangestaard werd en alles veel te lang duurde.
Stomerij, brood halen, op zaterdag, indien nodig, alleen naar de
Albert Heijn, kortom hij deed juist heel veel en was een zeer atten-
te man, heel *'giving'*.

Eigen mening:
Ik herkende onmiddellijk zijn gevoel voor humor. Moest erom lachen, maar het maakt mij op dit moment uiteraard, ook zeer verdrietig. Wel vond ik dat hij veel te bescheiden was met betrekking
tot wat hij allemaal deed.

Hij deed zich zeker niet mooier voor, maar zoals hij in ieder opzicht altijd was: als een bescheiden mens.

'Over vreemdgaan moet je altijd liegen'
Theo van Gogh

Hij laat de drank een halfjaar staan: 'Een ramp, maar ik doe het voor mijn zoon.' Mocht reïncarnatie bestaan dan wil hij terugkomen als vrouw: 'Het lijkt me geweldig een kind te dragen.' Goede manieren en liegen zijn de kruipolie van de maatschappij, want 'je moet nooit je ontrouw opbiechten, daarmee kwets je de ander alleen maar'. De groeiende invloed van de islam baart hem grote zorgen: 'Zij sterven voor Allah, wij heus niet meer voor God, daarom zullen we verliezen.'
Schrijver, cineast en televisiemaker Theo van Gogh (1957-2004)

Had hem een jaar geleden verteld dat hij naar een psychiater zou gaan en hij had je hartelijk uitgelachen. Erger nog: hij zou het idee met dedain en walging van de hand hebben gewezen. Hij naar een psychiater? Kom zeg, hij was toch niet gek?

Maar nu zit hij er. Al een paar maanden. Niet vanwege iets speciaals, gewoon op aanraden van een goede vriend, die er veel aan heeft gehad. En het bevalt goed.

'Ik zit bij een mevrouw. Ja, het moest wel een vrouw zijn, want dan schaam ik me minder. Het is toch al erg narcistisch om uren over jezelf te zitten praten, dat kan ik alleen maar bij een vrouw. Ik had nooit gedacht dat het me zou opluchten, een uur lang gelegitimeerd over jezelf ouwehoeren, zonder dat het volstrekt bespottelijk is. Ik heb er jaren tegenaan gehikt uit een soort calvinisme: schandalig, zoveel tijd en aandacht voor jezelf vragen, maar ik merk dat ik er aardigheid in heb.'

Je doet alsof het een leuk gezelschapsspelletje is.

'Soms voelt het wel zo, want dan moet ik testjes invullen en stukjes schrijven weet je wel. Soms verzin ik eens wat, gooi er een paar grappen en rare invallen tegenaan, maar ik heb een scherpe tante tegenover me, die laat me niet wegkomen met zo'n kwinkslag. Er zijn momenten dat ik mezelf betrap op eerlijkheid. Ik denk dat de helft van mijn verhalen daar gelogen is, maar de andere helft is de waarheid, dat vind ik al een behoorlijke oogst. Die vrouw breekt door mijn gekakel heen, zegt: "Probeer nou eens uit te leggen wat er zo pijnlijk was," en dan wordt het moeilijk voor me. Juist als ik over pijnlijke dingen moet praten, schep ik een grote afstand, praat in veel bijzinnen en met kilo's ironie.'

Waar hebben jullie het over?

'Ga jij nou op de stoel van de psychiater zitten? Ik wil de lezeressen van *Opzij* niet lastigvallen met mijn gedoe. Wil je het echt weten? Het gaat over mijn vader, m'n moeder, de gulzigheid waarmee ik altijd bereid ben nieuwe vrouwen te ontmoeten en tegelijk de afkeer waardoor ik me zo gauw mogelijk uit de voeten maak als het echt serieus dreigt te worden. Kortom: mijn bindingsangst, mevrouw Dresselhuys. God, ik hoor het mezelf zeggen, die vreselijke term, kun je dat een beetje gesoigneerd opschrijven, alsjeblieft?'

Doe je het om jezelf beter te begrijpen of wil je wat aan jezelf veranderen?

'Nee, mezelf verspijkeren is uitgesloten, ik ben vierenveertig, na je vijftiende verander je niet meer, volgens mij. Het gaat mij om het zelfinzicht; kennis is macht. Dat je jezelf wat beter begrijpt. Dat maakt het leven met jezelf aanvaardbaarder. Ik vind mezelf niet zo leuk, ik kan mezelf soms maar moeilijk verdragen. Vrede is een groot woord, maar je krijgt er toch een soort rust door als je weet hoe het komt dat je zo in elkaar zit. Maar ik denk dat ik er binnenkort mee ophoud, het is wel mooi geweest. Door die gesprekken word ik gedwongen heel veel over mezelf na te denken, ik neem het allemaal erg serieus. Dan heb ik 's avonds wel een paar glazen nodig om me te ontspannen. En dat kan nu niet meer omdat ik besloten heb de drank een halfjaar te laten staan: van 1 november tot 1 mei.'

O?

'Dat moet van mezelf. Een regelrechte ramp, maar ik doe het voor mijn zoon. Lieuwe moet zijn vader nog een paar jaartjes houden, toch minstens tot-ie twintig is. Nog een jaar of tien dus. En het is de vraag of ik dat zou halen als ik doorzuip in mijn huidige tempo.

Ik was pas bij de dokter – je begrijpt: veel te zwaar, ik weeg 118 kilo, een verminderde longcapaciteit door het roken, maar gelukkig wel een goed hart en een schone lever. Afvallen is de belangrijkste opdracht. En dat gebeurt automatisch door niet meer te drinken, dan val ik zo'n twintig tot dertig kilo af. Ik heb het een paar keer eerder gedaan en toen is het me ook gelukt. Ik zwem elke ochtend een uur, dat geeft me een gezond gevoel, maar het is natuurlijk niet genoeg. Vreselijk trouwens: het is dat een vrouwelijke collega me om halfacht komt ophalen. Zoiets moet je 's ochtends doen, anders kijk je de hele dag tegen zo'n komend dieptepunt aan.

Ik ben een georganiseerd alcoholist, tweemaal per week laat ik me volledig vollopen, ga ik echt door het lint, word imbeciel dronken. Om twee uur zit ik dan in het café, om zes uur ben ik volkomen weg en dan nog een hele avond en nacht voor de boeg, heerlijk. Wijn, calvados, wodka, als het maar geen jenever is, want daar word ik kwaadaardig van. Het gebeurt alleen op avonden dat Lieuwe bij z'n moeder is. Als co-ouder heb ik hem elk weekeinde en twee dagen per week. Doe ik van alles met hem, videootje kijken, computerspelletje spelen, koken, hapje eten, wandelen met zijn hond. Die jongen heeft zijn vader nog nooit dronken gezien, dat zweer ik. Wel met een reuzekater, maar nooit dronken. Het is heel erg voor een kind zijn ouders onbekwaam te zien. Daar weet ik alles van, want ik heb mijn moeder vroeger regelmatig dronken gezien, dat was geen fijn gezicht.'

Waarom stop je na 1 mei niet helemaal, je bent het dan inmiddels gewend?

'Houd op, het is al zo'n ellende. Ik kan het alleen maar volhouden door steeds te denken aan het vreugdevolle moment op die avond van de eerste mei 2002, wanneer ik weer een glas mag drinken. Dat houdt me op de been.'

Stop je dat halfjaar ook met drugs?

'Nee zeg, er moet wel iets prettigs overblijven, een snuif coke blijft. Hoe vaak? Dat varieert, soms tien keer per maand, soms een keer. Er moet toch iets blijven om naar uit te kijken? Mijn leven is al zo leeg. Ik haat de nuchtere periodes, maar ik weet dat ze nodig zijn.'

Waarom al die drank en drugs?

'Ik voel me vaak zo onaangenaam. Niet nu, hoor, als ik gezellig met jou praat, maar ik bedoel het meer in het algemeen, als een state of mind, over hoe mijn leven in elkaar zit. Ik voel me als een leeg huis, als: ik ben er niet. Als ik bij mijn volle, nuchtere verstand ben, voel ik me eigenlijk nooit prettig. Als ik verdoofd ben, doordat ik gesnoven of gedronken heb, is het leven makkelijker.'

Dan voel je die leegheid minder?

'Leegheid is een zwaar woord, het zijn meer de pijn en het ongemak die ik over mezelf voel. Ik ben niet zo'n bewonderaar van mezelf. Niet dat ik voortdurend in grote zelfhaat in de spiegel kijk en denk: wat een lul staat daar, maar ik ben niet onder de indruk van mezelf. Als ik eerlijk ben: ik vind het leven niet zo veel. Ik ben dol op mijn kind, ik ben dol op een paar vrouwen en vrienden, maar dat is het dan. Ik vind het leven echt niet geweldig en naarmate ik ouder word, wordt het alleen maar ingewikkelder. Het enige waarvan ik minder last heb, is paniek. Toen ik twintig was, verkeerde ik voortdurend in een staat van paniek. Ik was behoorlijk bang dat ik een totaal mislukte, Wassenaarse rijkeluiszoon zou worden. Godzijdank is het me gelukt genoeg geld te verdienen om een paar mooie films te maken. Daardoor is de paniek voor een deel verdwenen.'

Welke paniek voel je nu nog?

'Over de vijfde colonne fundamentalisten die ons bedreigt, de Taliban en consorten. Ik volg die ontwikkelingen met grote interesse, maar ook met grote zorg. Ik zie hoe de westerse intelligentsia opnieuw anti-Amerika wordt, hoe Amerika de propagandaslag verliest, hoe de islam het gaat winnen. Het is een soort nachtmerrie, 't is Hitler-Duitsland 1938: je kijkt ernaar en je kunt er niks aan doen.

Bush had het zich niet kunnen permitteren niets te doen, je kunt niet vijfduizend mensen verliezen en zeggen: we gooien geen bom, we doen niks – maar het is een verloren oorlog. Zelfs als ze Bin Laden zouden vinden, wat natuurlijk niet lukt, wordt het terrorisme niet uitgeroeid. Integendeel: het is fascinerend te zien hoe honderden miljoenen mensen in het oosten *Baywatch* als hun favoriete programma zien, graag op Amerikaanse gymschoenen lopen en tegelijkertijd alles haten wat met Amerika, maar ook met ons, de hele westerse wereld, te maken heeft. Onze gelijkberechtiging van vrouwen en mannen, het feit dat je homo mag zijn, dat je niet in een god hoeft te geloven, al die dingen.

Het zijn de duistere middeleeuwen die op ons afkomen, we gaan het aan alle kanten afleggen, met al onze technologie. Omdat zij miljoenen mensen op de been kunnen brengen die zich dood vechten voor Allah en wij niemand om datzelfde te doen voor God, onze vrijheid van meningsuiting of al die andere westerse waarden van de Verlichting. *Nobody gives a fuck*, echt niet. Raar om te zien, had ik nooit gedacht.

Reken maar dat ze jou ook haten, om wat je bent, om wat je vertegenwoordigt: een vrije, geëmancipeerde vrouw die vindt dat je ook zonder man kunt leven en gelukkig zijn. Dat leren de imams niet in de moskee. Een vrije, alleenstaande vrouw is een hoer, een doorn in het oog, die mag niet bestaan. Daar moet Fatima Elatik, die beweert dat haar hoofddoek alles te maken heeft met een vrije keuze, eens goed aan denken. Zou zij wel gekeken hebben naar die documentaire, waarin je Afghaanse vrouwen zag die twintig jaar geleden nog gewoon in Kabul naar de universiteit konden, maar die nu in tenten moeten rondschuifelen, zonder recht op scholing of een baan? Nee, ik ben daar heel pessimistisch over, wij gaan die slag verliezen. Mijn zoon zal het meemaken dat de wereld onvrij wordt.'

En jij ook?

'Ik denk het wel, binnen tien, misschien wel vijf jaar is het zover. Dan zal het voor mij steeds lastiger worden om nog een stukje te schrijven of op televisie te komen met mijn openlijke anti-Allah-gedrag, dat ik altijd tentoongespreid heb. Dat zal genadeloos afgestraft worden, ik maak me daar geen enkele illusie over.'

En dan ga ook jij door de knieën?

'Ja, natuurlijk, wat dacht je dan? Waarom op papier de held uithangen? Nee, da's onzin. Als het moet, laat ik een baard staan en doe een theedoek om mijn hoofd. Ik ben altijd gefascineerd geweest door oorlogen en de positie die mensen daarin innemen. Of je NSB'er wordt of een verzetsheld. Ik kom uit een familie met verzetsmensen, maar ik vrees dat ikzelf eerder bij de NSB zou geraken. Ik heb wat dat betreft geen hoge pet op van mezelf. Ik ben laf en houd van compromissen.'

Toch niet in je jarenlange strijd tegen de aanklacht dat je een antisemiet zou zijn.

'Die strijd heb ik inderdaad ruim negen jaar volgehouden. En uiteindelijk gewonnen. Ik had in een column iets gezegd over de schrijver Leon de Winter, die zijn jood-zijn zou uitbuiten. Sonja Barend heeft daarop een klacht tegen me ingediend. Dat heeft jaren voortgesleept. Ik vond het vooral pijnlijk voor mijn ouders, die in het verzet zaten. Hadden we thuis weer zo'n bijeenkomst waar een boom in het Israëlische heldenwoud werd aangeboden aan een familielid, zat daar die dikke Theo met een aanklacht wegens antisemitisme aan z'n broek. Uiteindelijk heb ik alles gewonnen, maar wel pas na negenenhalf jaar. Het was niet leuk allemaal, ik heb ook fouten gemaakt, dat geef ik eerlijk toe, ik had dat stuk nooit zo moeten schrijven. Maar ik vond het niet antisemitisch en daarvan ben ik gelukkig ook vrijgesproken.'

Je zei straks dat het bij de psychiater vaak over je bindingsangst gaat. Dat is zo'n modern begrip.

'Ja, vreselijk, je hoort het jezelf zeggen en krijgt gelijk braakneigingen. Maar dat neemt niet weg dat ik behept ben met die eigenschap. Of moet je het een afwijking noemen? Hoe komt een man daaraan? Ik denk dat het alles te maken heeft met de relatie met zijn moeder, want dat is nu eenmaal de eerste vrouw die een jongetje tegenkomt in zijn leven. Mijn obsessie voor vrouwen heeft alles met haar te maken. Ik ben dol op mijn moeder, maar ik heb ook nare dingen met haar meegemaakt: ze heeft een wild leven gehad, dronk nogal eens te veel, had weleens een jongere minnaar, felle ruzies met mijn vader. Allemaal dingen waarvan ik niet vrolijk werd.

Mijn ouders hadden een gecompliceerd huwelijk, waarvan ik veel heb opgestoken: kijken naar de oorlog die twee emotionele mensen met elkaar voeren in dat heilloze instituut van het huwelijk. Ze sloegen elkaar niet op de bek, het was een verbale oorlog. Daar heb ik natuurlijk een aardige tik van meegekregen. Een deel van mijn rusteloosheid en onvermogen om serieuze, dat wil zeggen langdurende, relaties aan te knopen, heeft daarmee te maken. We zijn nu wel erg driestuiverpsychologie aan het bedrijven, maar dat is toch wel mijn conclusie.

Toen mijn vader een paar jaar geleden met een hartaanval in het ziekenhuis lag, zei ik tegen hem: "Dat komt doordat moeder voor het eerst geen ruzie met je maakte op vrijdagavond." Maar ze hebben het overleefd en zijn nog steeds bij elkaar. Wat hen samenbracht was, denk ik, hun cynische gevoel voor humor. Dat is wat ons gezin altijd gered heeft: wat er ook gebeurde, er werd veel en hard gelachen om onfatsoenlijke dingen en harde grappen. Ieder jaar begon mijn moeder er onder de kerstboom weer over tegen mijn opa: "Die Vincent van Gogh had toch geslachtsziekte, daar komt dat vreemde perspectief in zijn schilderijen toch vandaan? En jouw grootvader, die Theo, was toch ook niet helemaal fris, die is toch hartstikke gek gestorven in het gesticht? Kwam toch ook door een geslachtsziekte?" Dat soort grappen.

Mijn moeder heeft me weleens gebeld en gezegd: sorry, dat en dat heb ik verkeerd gedaan. Mijn antwoord was: zeg, ben jij gek, ik ben een volwassen man, ik heb dat van jou niet nodig, je hoeft je nergens voor te schamen. Je kunt als ouder niet meer dan je best doen, je hobbelt hooguit wat achter je kind aan, ik denk dat je altijd veel fouten maakt, maar een kind voelt heel goed of papa en mama van hem houden ja of nee. Als je die veiligheid meekrijgt, kom je een heel eind. En die veiligheid heb ik wel meegekregen. Dat is veel belangrijker dan een aantal feitelijke onvolkomenheden.'

Terug naar jouw bindingsangst, wat is dat nu precies?

'Goeie vraag. Bij mij is het een wurgend gevoel: dit houdt nooit meer op, nu heb ik hier mijn boterham met tevredenheid, we slaan elkaar de hersens niet in, zo ziet de rest van mijn leven er dus uit. Dan voel ik me letterlijk doodsbenauwd worden, ik krijg geen lucht meer, 't is alsof ik stik, fysiek, en dan moet ik weg, alleen zijn. Ik moet lucht krijgen. Het heeft iets heel hysterisch, ik geef het toe, maar zo is het. Daardoor ben ik veel aardige vrouwen kwijtgeraakt. Ik wil meestal niet meer aanwezigheid dan een avond per week, van elf uur 's avonds tot acht uur de volgende ochtend. Met de prikklok erbij. Letterlijk. Was een grapje, maar toch...

Er is een vrouw met wie ik onlangs tweeënhalve week huis en bed gedeeld heb, een oude liefde uit Australië van wie ik weet dat zij na die twee weken weer 16.000 kilometer verderop zit. Dan is het te overzien. Ik ben dol op die vrouw, maar alleen op deze manier. Ik werk het trouwens keurig af met de vrouwen die ik wegstuur. Ze krijgen een bolsjewiek van me.'

Een wat?

'Een bolsjewiek. Dat is een ring met een aparte slijptechniek, die de Russische adel aan het begin van de vorige eeuw droeg. Een ring met een brede diamant, die ze makkelijk in hun zak konden steken op de vlucht voor de communisten. Zo'n ring geef ik aan die meisjes.'

Hoe duur is die?

'Ja, zeg, ga me een beetje als een poenerige idioot afschilderen, die vrouwen afkoopt met een juweel. Ik geef verder geen antwoord, ik veins niet te horen wat jij vraagt.'

Kom op, vertel.

'Nee, dat gaat de lezeressen van *Opzij* niks aan. Ik zwijg.'

Wat wil je aantonen met die ring?

'Niks. Misschien als enige: denk nog eens aan me. Of een controlfreak op afstand, ik neem aan dat dat het onderliggende motief is. Dat zou ik in ieder geval denken als ik mijzelf interviewde. Hoeveel ik er al weggegeven heb? Meer dan tien en minder dan twintig.'

Zou je weleens een reünie van al die ringdraagsters willen meemaken?

'De glinsterende bolsjewieken bijeen? Nee, hoor. Maar ik verheug me wel op mijn begrafenis want dan zullen ze er vast allemaal zijn met hun ring, voor zover ze nog in leven zijn natuurlijk. Jij blijft maar zeuren over die prijs; nou, vooruit dan: tussen de drie- en achtduizend gulden. En die prijs heeft niks te maken met hoe lief ik iemand vond. Gewoon een kwestie van welke ring op dat moment voorradig is.'

Je bent überhaupt een royaal mens.

'Ja, ik geef makkelijk geld en mooie dingen weg aan vrienden en vriendinnen. Een Chanel-pakje van Metz, voor jou speciaal de prijs erbij: zesduizend gulden. Of een plooirok en pennyshoes. Daar geil ik op, een overblijfsel uit mijn Wassenaarse jeugd. Of geld voor een advocaat als men in scheiding ligt. En een goeie alimentatie voor mijn ex, voor haarzelf en voor onze zoon. Ja, ook nu ze een nieuwe man heeft. Wat dacht je? Ik wil graag dat Lieuwe in een goeie buurt woont en op een goeie school gaat, dat kan allemaal als ik het geld daarvoor geef. Voor hem zal ik altijd royaal blijven betalen, maar de afspraak is, dat ik, als ik ooit in geldnood raak, mijn alimentatie aan haar mag staken.'

Je bent een man van veel vrouwen, ook van echte vriendinnen?

'Er zijn vrouwen met wie ik alleen maar praat en niet naar bed ga. Dat zijn mijn zwaantjes. Die krijgen geen bolsjewiek, maar mijn aandacht. En hulp bij problemen. Dat kan ook financiële hulp zijn. Met mijn bedvriendinnen praat ik niet, tenminste niet echt. Niet over mezelf in ieder geval.

Wat vreemdgaan betreft hang ik de theorie aan: wees daar nooit eerlijk over tegen je vriendin. Ik geloof erg in de grote leugen, nooit iets opbiechten, alles is een leugen, liefde en vreemdgaan ook. Vooral je partner niet kwetsen door de waarheid te spreken. Daarmee delg je misschien je eigen schuldgevoel, maar je kwetst de ander verschrikkelijk. Gewoon consequent liegen. Het getuigt van meer respect om een ostentatieve leugen te vertellen dan te zeggen: sorry, schat, ik had even een ander. Dat doe je niet. Liegen en goede manieren zijn de kruipolie van de maatschappij, van het intermenselijke verkeer. Daarbij is het wel belangrijk dat je zelf weet wat waarheid en wat leugen is. Dat zal ik mijn zoon ook leren.

Ik houd van vrouwen, ik ben een heel vrouwelijke man, in m'n intuïtie bijvoorbeeld. Mocht reïncarnatie bestaan, wat ik niet geloof, dan zou ik dolgraag terugkomen als vrouw. Vanwege die intuïtie en bemind te worden door mannen op die wanhopige manier zoals mannen dat meestal doen. En om een kind te kunnen dragen.

Baren is weer iets anders, daar ben ik niet zo dol op, als ik zie hoe de vroedvrouwenmaffia in Nederland je veroordeelt tot een uiterst pijnlijke bevalling, zonder verdoving en dat ook nog eens thuis, het liefst onder water of zo. Ik heb dat bij de geboorte van Lieuwe gezien: mijn vriendin had zich de kop gek laten maken door die misdadige vroedtypes, ze ging nota bene onder de douche zitten toen het zover was. En natuurlijk niet naar het ziekenhuis. Uiteindelijk is ze met een ontsluiting van negen centimeter alsnog naar het ziekenhuis gebracht, want het kind kwam maar niet. Schandalig dat vrouwen niet allemaal in het ziekenhuis bevallen, waar alle medische apparatuur en specialisten bij de hand zijn als er iets misgaat. In Amerika wordt iedereen verdoofd, ik begrijp niet dat ze dat hier niet doen. Nou ja, er zijn altijd frusto's die pijn willen lijden, maar ik zie daar het nut niet van in. Als je botkanker hebt, krijg je morfine en bij de tandarts word je ook verdoofd.

Als vrouw zou ik Hélène Dubois of iets dergelijks heten, ik zou een dikke, eenzame vrouw zijn, in een plooirok en op pennyshoes, werkzaam op het Frans Verkeersbureau in Leiden, mijn verloofde zou een Marokkaan zijn en ik zou weten dat-ie van me hield omdat ik een ring voor hem had gekocht, die ik af en toe pijnlijk voelde wanneer hij me sloeg. En dan wist ik: hij houdt van me.'

Hoe eindig jij, denk je?

'In grote eenzaamheid, vermoedelijk op straat. Al mijn geld verspeeld en – omdat ik toch een soort waanzin in het hoofdje heb – zal ik er uiteindelijk niet in slagen overeind te blijven zoals ik tot nu toe overeind gebleven ben. Daarom heb ik ook vaak gezegd: ik hoop niet dat ik echt oud word, terwijl ik ook weleens zeg: laat mij maar mooi 84 worden. Een ding is wel zeker: ik zal niet door eigen hand sterven, ook al heb ik daar vroeger vaak aan gedacht. Voor mij geen Herman Brood-scenario. Te wreed wat hij zijn kinderen heeft aangedaan, vrijwel voor hun ogen van het dak springen. Dat zal ik mijn zoon nooit aandoen.

Met twee vriendinnen uit Wassenaar hebben we het plan onze oude dag door te brengen in een artiestenpension in Zuid-Frankrijk, waar mijn enige functie zal zijn om stinkend als een vieze, oude man in de tuin te zitten, onder een parasol, om elf uur 's ochtends al aan de pastis, dus eigenlijk in een permanente staat van dronkenschap. Mocht dit plan mislukken dan zie ik mezelf op straat belanden. Ik hoop dat mijn zoon dan gewoon over me heen stapt of een daklozenkrant van me koopt. Ik wil hem niet tot last worden; voordat het zover is, wil ik in het harnas sterven. Ik kan daarbij een handje helpen door veel te snuiven en veel te drinken, waardoor ik langzaam wegglijd.

Maar stel je voor dat je voortleeft na je dood. Denk je eindelijk van al het gedoe en gedonder hier af te zijn, zie je opeens een helder wit licht en hupsakee, daar ga je het volgende paradijs in. Dat is wel een serieuze angst van me: het moet wel afgelopen zijn met dit leven. Stel: de gemene truc dat wij, kinderen van de Verlichting, al die jaren volkomen gelijk dachten te hebben met de overtuiging: dood is dood en dan straft God ons alsnog met een volgend leven. Wat een ramp. Ik acht alles mogelijk, dus dat ook, hoewel het wel een erg wrede grap zou zijn. Maar goed, het kan, ik laat er een gaatje voor open, want je moet altijd van de ergste nachtmerries uitgaan.'

December 2001

EINDSCORE: +2

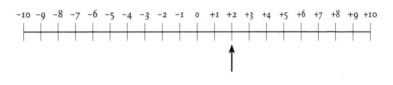

Commentaar

Mevrouw Van Gogh (1936),
moeder van Theo van Gogh

De reacties:
Ik geloof wel dat Theo spijt had van dat interview, maar dat kwam natuurlijk ook omdat hij in het interview onwaarheden over mij had gezegd. Ik was daar heel kwaad over en we hebben vreselijke ruzie gehad. Twee maanden hebben we niet met elkaar gesproken. Dat vond hij heel vervelend. Theo was namelijk zeer familieziek en had helemaal geen trek in ruzie. Hij heeft dan ook alle mogelijke moeite gedaan om het weer goed te maken, maar daar had ik twee maanden lang even geen zin in. Er stonden gewoon onwaarheden in het interview en daar werd ik regelmatig op aangesproken. Heel vervelend, want mijn kleindochter van achttien had het natuurlijk ook gelezen. Ik heb Theo toen ook gezegd dat hij zich dat wel eens had mogen realiseren. Maar uiteindelijk is het, zoals altijd bij ons, weer goed gekomen. Je kunt niet doorgaan en maar boos blijven

als je een beetje familie bent. Dus na twee maanden was het weer over. Maar hij zat er wel mee. Hij had er beslist spijt van.

Het fameuze cijfer (+2):
In de kwaadheid is mij dat cijfer ontgaan. Dat was helemaal niet aan de orde en ook zeker niet van belang.

Eigen mening:
Ik heb geen goede herinneringen aan dit interview. Theo heeft heel aardige, goede interviews gegeven, maar dat was dit niet. Ik weet ook niet wat hem bezield heeft om dit te doen, maar ja, hij was natuurlijk heel erg publiciteitsgeil en pakte alles aan om maar in de belangstelling te staan. Theo was in de regel heel erg eerlijk, daar was niets op aan te merken en hij ging tot op de bodem als hij vond dat hij gelijk had, maar hij kon ook dingen zeggen die helemaal niet waar zijn. Dan was hij in zo'n bui en zoog hij dingen uit zijn duim. En dat was niet alleen met ons in dat interview, maar ook met andere mensen die hij eindeloos op de rug zat. Hij heeft zich zeker niet mooier voorgedaan dan hij is, maar het was Theo natuurlijk ook niet vreemd om een beetje machogedrag te vertonen en interessant te doen.

'Alle mannen zijn lui'
Raoul Heertje

De wereld kent schilligen en onverschilligen, mensen die oprecht betrokken zijn of die het allemaal niets kan schelen: 'Schillig vind ik Jan Marijnissen, Femke Halsema, maar ook Theo van Gogh, Jort Kelder en Pim Fortuyn.' Vrouwen weten dingen die mannen maar niet kunnen leren: 'Hoe weten jullie nu wanneer de soep klaar is en hoe je een overhemd strijkt?' Hij heeft graag vrouwen in de zaal, die lachen makkelijker om zichzelf: 'Ze hebben niet van die grote ego's, mannen worden sneller nijdig.'
Stand-up comedian Raoul Heertje (1963)

Mannen van in de dertig, hij weet erover mee te praten. Hij is het zelf, zijn vrienden en collega's zijn het. Ze hebben over het algemeen niet veel of geen goeie tekst, praten in korte zinnen, gaan niet erg diep, weten zich vaak geen raad met de vrouwen van hun leeftijd, moeten onder druk worden gezet om eens iets aardigs te doen, gaan niet vreemd omdat hun relatie slecht is maar omdat zich iets spannends voordoet: kortom het zijn eigenlijk eenvoudigen van geest, zonder diepere lagen. *What you see is what you get,* is de boodschap. Als vrouwen dat nou maar zouden aanvaarden, zou het allemaal veel makkelijker worden.

Nou, nou, het is dat jij het zegt, ik zou vreselijk op mijn kop krijgen voor zulke generalisaties.

'Ik spreek in het algemeen, dat begrijp je, waarbij ikzelf natuurlijk een goede uitzondering ben. Nee, serieus, ik had het er laatst uitgebreid over in een café met een vrouw van dertig. Mooi mens, leuk mens, die geen man kon vinden. Onvoorstelbaar. Ze klaagde erover dat mannen geen tekst hebben, geen normaal, fatsoenlijk gesprek kunnen voeren. Maar ondertussen staat ze dan in het café toch maar met allemaal van die sukkels te praten. Waarom doe je dat? vroeg ik haar. Ja, je hoopt toch dat er eens wat onverwachts gebeurt, dat er eens een jongen met een aardig verhaal is, zei ze. Maar tot dan toe was er nog nooit een jongen met een normaal verhaal op haar af gekomen.'

Wat zeggen die mannen dan?

'Je gelooft het niet, maar dit meisje vertelde het in alle ernst; op vakantie kwam er een man op haar af, die zei: *"Did it hurt when you fell from heaven?"* Echt, dat zeggen mannen gewoon, je kunt je het toch niet voorstellen; als je dat uit je mond krijgt, ben je vrij ver heen.'

Dat was klaarblijkelijk geen Hollander. Wat hebben Nederlandse mannen van dertig als openingszin?

'Ook niet veel soeps, zoiets als: gaan we meteen naar huis, laten we alles hier gewoon vallen? Of: bij jou of bij mij? Iets waardoor hij denkt op te vallen, maar wat volledig de plank misslaat, want zo is de situatie op dat moment nog helemaal niet. Vaak brallerige teksten, zonder enige subtiliteit. Ze vertellen een dronkenmansmop of een dom lulverhaal. Het gebeurt maar zelden dat een gesprek interessant wordt als er een man bij komt zitten. Vrouwen zijn natuurlijk per definitie interessanter. Ik spreek dan ook mijn medeleven uit met vrouwen. Vroeger was het makkelijker voor mannen, het was niet beter georganiseerd, helemaal niet, maar het was allemaal overzichtelijker, de vrouwen zaten thuis, de mannen gingen op jacht en regelden alles. Daar had je geen spannende openingszinnen bij nodig. Het is heel goed dat er veel veranderd is, je moet je niet indenken dat alles nog bij het oude zou zijn, maar de mannen hebben daar gewoon hun rol nog niet in gevonden.'

We krijgen toch niet het verhaal: mannen zijn in de war?

'Ze lopen niet massaal verdwaasd rond, dat nou ook weer niet, maar er is wel verwarring. Ze weten zich vaak nog geen houding te geven tegenover die zelfstandige, pittige, intelligente dames, die hen niet meer nodig hebben voor het geld. Daardoor hebben vrouwen eigenlijk de macht overgenomen: op alle fronten lopen ze nu voorop. Maar dat laten ze nog steeds niet duidelijk blijken, om volstrekt onduidelijke redenen doen ze net alsof mannen nog de macht hebben, alsof er niets veranderd is. Waarom doen jullie dat?'

Wacht even, welke macht hebben vrouwen inmiddels veroverd?

'Nou ja, ik praat even zwart-wit en ik heb het dan niet over de macht van het grote geld of van de invloedrijke banen, meer over het normale verkeer tussen mensen. Vrouwen hebben veel meer inzicht in wat er aan de hand is, begrijpen veel beter hoe de wereld in elkaar zit, zien ook heel goed hoe mannen zijn, maar op de een of andere manier verbergen ze dat. Daarom zeg ik: het gedrag van mannen kan alleen maar zo zijn omdat vrouwen geen behoefte hebben om het te corrigeren. Zij zullen echt hun macht moeten gebruiken om het zo te draaien dat het allemaal beter voor hen wordt, nu doen ze het vaak maar half en rennen dan weer gauw terug naar de oude situatie. Daarmee gedragen ze zich als iemand die vroeger schoonmaakster was, maar nu de baas is geworden en toch nog steeds doet alsof ze schoonmaakster is. En daar kan de tegenpartij, de man in dit geval, dan mooi misbruik van maken.'

Maar vrouwen krijgen juist altijd het verwijt dat ze mannen voortdurend willen veranderen, dus niks ervan dat ze zich neerleggen bij de situatie zoals die is.

'Ja, ik ga mezelf nu tegenspreken, maar die twee dingen zijn beide waar. Vrouwen laten dingen over hun kant gaan en aan de andere kant zitten ze steeds aan mannen te sjorren. Wat dat laatste betreft: vrouwen maken de fout te denken dat er meer in mannen zit dan erin zit. Ze denken altijd dat er nog diepere lagen zijn, die zij kunnen aanboren, dat er dan diepzinniger, fijnzinniger en leukere mannen tevoorschijn komen. Vrouwen moeten accepteren dat er niet meer in zit, dat is makkelijker. What you see is what you get, dat is het.

Aan de andere kant: ze moeten wel druk blijven uitoefenen op mannen, ze moeten ze laten merken dat er een andere, betere manier is om met de wereld en de macht om te gaan. Trouwens: mannen weten eigenlijk heel goed hoe het zou moeten. Kijk maar naar ze wanneer ze verliefd zijn. Dan kunnen ze gesprekken voeren tot diep in de nacht, dan weten ze precies welke leuke cadeautjes ze moeten kopen, dan bellen ze voortdurend op: allemaal dingen, die ze later, wanneer de vrouw veroverd is, bliksemsnel vergeten en niet meer doen. Ze weten het dus wel.

Ach natuurlijk, we zijn geen botte debielen, alleen als het niet meer hoeft, worden we lui. Want dat is een eigenschap van vrijwel alle mannen: luiheid. Als we denken dat het thuis allemaal goed zit, doen we er geen moeite meer voor. Mannen zijn heel snel tevreden, ook in de relatie. Ik heb nog nooit een man horen zeggen: ik geloof dat mijn relatie een beetje is ingedut, we moeten eens iets leuks gaan doen samen. Welnee. Ik geloof ook niet dat mannen vreemdgaan omdat hun relatie niet goed is, veel meer omdat de gelegenheid zich toevallig voordoet, even een beetje spanning, heel simpel. Kijk naar mij. Ik ga af en toe een avond stappen met vrienden. Het kan dan makkelijk vier uur worden. Vier uur, zegt mijn vrouw Mirjam, waarom zo idioot laat, waarom niet twee uur, dat is toch ook leuk en lang genoeg? Tja. Ik sms haar dan af en toe, maar verder wordt het toch gewoon vier uur. Daar kun je dan elke keer weer ruzie over maken, maar het lijkt wel genetisch bepaald dat het steeds weer zo laat wordt en dat ik daar geen enkele moeite mee heb. Ja, er zijn allerlei misverstanden tussen man en vrouw, die niet oplosbaar zijn, dat moet ook vooral niet, anders gaat het leuke eraf. Maar mannen moeten wel gedwongen worden niet alleen puur man te zijn, ze moeten ook eens hun ogen opendoen, anders blijven ze eeuwig steken in hun mannendingen. Mannenkleedkamerhumor, een beetje slap ouwehoeren, daar zit geen kwaad bij, zit ook niks onder en daar kunnen heel intelligente mannen aan meedoen, hoor. Puur mannen onder elkaar, je begrijpt elk half woord van de ander. Ik weet niet of vrouwen iets vergelijkbaars hebben.'

Vlak vrouwen en hun vriendinnen ook niet uit. Al die lange telefoongesprekken. Zit er eigenlijk verschil tussen vrouwen- en mannenvriendschappen, denk je?

'Ja, dat geloof ik wel. Het belangrijkste verschil is dat mannen een vriend makkelijk een paar maanden niet kunnen zien zonder te denken: er is iets mis. Dat gebeurt gewoon, daar zoeken ze niks achter. Voor vrouwen geldt dat niet, die moeten elkaar regelmatig zien en spreken, anders klopt er iets niet in de vriendschap. Vrouwen zouden moeten leren dat het niets betekent als een man een tijdje niet opbelt, hij is hen helemaal niet vergeten, maar er is gewoon even geen tijd, geen goeie omgeving of geen telefoon in de buurt.'

Geen telefoon? In deze tijd van de mobieltjes?

'Nou ja, de technische mogelijkheden zijn nu misschien veranderd, maar de instelling van de man niet. Het zou vrouwen veel rust geven als ze dat zouden kunnen geloven en accepteren.'

Praten mannen onder elkaar over intieme zaken, zoals relatieproblemen?

'Ja, maar daar is wel een soort code voor. Als je iets wilt vertellen doe je dat, maar wel heel bedekt. En je vraagt er elkaar ook niet rechtstreeks naar. De deal is een beetje: als je iets wilt vertellen, hoor ik het wel. Pas had ik het met een vriend, het was uit met zijn vriendin. Hij mailde me en verstopt tussen tien grappen zag ik opeens een zin waaruit ik kon afleiden dat het niet goed ging met zijn relatie. Geen vraag, zelfs geen hint of ik hem wilde bellen. Dat heb ik dus ook niet gedaan. Maar toen ik hem later zag, vroeg ik er wel naar. Mannen zeggen soms weinig, niet omdat ze ongevoelig zijn, maar juist overgevoelig. Soms staan ze op het punt uit elkaar te barsten, dat kunnen en willen ze niet, dus dan maar liever een onderkoeld, ironisch zinnetje in plaats van een emotioneel verhaal.'

Hoe zit het met het man-vrouwverschil in jouw beroep, de stand-upcomedy?

'Er zijn veel meer mannen in dit vak dan vrouwen. Het is een vak van zwart-wit, snel scoren, voortdurend de aandacht vasthouden, met een grote lachgeiligheid, waardoor je soms doorschiet in je grappen, nogal macho. Er moet steeds iets gebeuren en wel snel. Dat zou weleens de reden kunnen zijn dat er weinig vrouwen in dit vak zitten. Die denken namelijk niet in zwart-wit, maar in grijstinten, net zoals het leven zelf, zou je kunnen zeggen. En die willen hun eigen kwetsbaarheid ook laten zien. Voor dit genre is dat allemaal minder geschikt, want het duurt te lang om nuanceringen aan te brengen.

Je ziet trouwens vaak dat vrouwen die dit vak ingaan het nog harder doen dan mannen. Alsof ze de mannen willen verslaan: o, gaat het over seks, let maar eens op wat ik daarover durf te zeggen, waardoor het ongeloofwaardig wordt, terwijl geloofwaardigheid het belangrijkste is wat je op een podium moet hebben. Ik ken wel goede vrouwelijke collega's: Lenette van Dongen, Sanne Wallis de Vries en Cindy Pieterse. Lenette heeft de stand-upcomedy inmiddels verlaten, dat heeft waarschijnlijk alles te maken met dat snelle scoren, het machogedoe. Sanne heeft van het begin af aan haar eigen ding gedaan, die is niet typisch mannelijk of vrouwelijk, die is gewoon Sanne.'

En de vrouwen in de zaal?

'Ik heb graag vrouwen in de zaal, die pikken de grappen sneller op en – wat heel belangrijk is – ze kunnen meestal harder om zichzelf lachen dan mannen. Mannen worden gauwer nijdig, voelen zich aangevallen of lachen om die man naast hen, niet om zichzelf. Vrouwen hebben minder problemen met hun ego, ze voelen heel goed waar bepaalde grappen vandaan komen; of iets gezegd wordt uit haat, om iemand kapot te maken of dat het gewoon een grap is. Het is en blijft een link gebied.'

Je hebt een dochter, Noa, van drieënhalf. Ben je een leuke vader?

'In ieder geval niet zo een uit de Sire-spot, die rare zondagse vleessnijder. Een vaste dag per week zorg ik voor haar. Dan doen we meestal iets leuks, naar Artis, een hamburger eten of naar de film. Vorige week naar *Ja zuster, nee zuster*. Zat ik de hele tijd te huilen. Niet vanwege de film, hoor, maar omdat ik daar zat, met mijn eigen dochter. Heel sentimenteel. Ik had nooit gedacht een kind te zullen hebben, ze is het gevolg van een ongelukje met een anticonceptiemiddel. Maar een heel fijn gevolg. Ze zal wel enig kind blijven, want de zwangerschap was heel zwaar, Mirjam was veel ziek.

Het gekke is dat ik als jongen uit een gezin met alleen maar broers, gerekend had op een zoon en opeens was er dat kleine meisje. En het is een echt meisje, je staat erbij en je kijkt ernaar en denkt: hoe bestaat het? Waarom vraagt ze naar nagellak en mascara, terwijl Mirjam dat niet gebruikt? Zou het dan toch allemaal in de genen zitten? Of zou mijn moeder, bij wie ze elke week een nachtje slaapt, haar indoctrineren? Mijn ouders zijn gek op haar: eindelijk de dochter die ze zelf nooit gehad hebben. En een nieuw, vrolijk mensje in hun leven, dat voor een belangrijk deel getekend is door de vroege dood van mijn broer Patrick. Pas vijfentwintig was die toen hij overleed. Hij woonde thuis, was hersteld van een zwaar auto-ongeluk, maar had daar wel iets vreemds aan overgehouden, een soort epilepsie. Twee jaar na het ongeluk is hij 's nachts onverwacht overleden. Waarschijnlijk aan zo'n aanval.'

Toen je jaren geleden een talkshow op de radio had, belde je elke dag je moeder op.

'Leuk toch? Ik bel haar sowieso twee, drie keer per week en nu kon ik dat combineren met mijn programma. Betrapte ik haar weer eens tijdens het winkelen, vroeg ik: ga je weer zo'n lelijke lamp kopen? Werd ze kwaad. Leuke gesprekken. Zij vond het ook heel leuk. Mijn contact met thuis is warm, intiem, persoonlijk. We praten veel en bepraten ook veel, soms op hoge toon, maar over één ding hebben we het eigenlijk nooit: de oorlog, hun jarenlange onderduik en de verdwenen familieleden. Dat durf ik niet. Ik wil het ook niet, weet niet of zij ertegen kunnen en of ik het aankan. Ik heb ze wel min of meer gedwongen mee te doen aan het Spielberg-project, waarin hun verhaal op film gezet is. Die banden liggen bij hen thuis. Ik heb ze nog niet bekeken en weet ook niet of ik dat ooit ga doen. Misschien als mijn ouders er niet meer zijn? Ik vraag het me af. Het zal vreselijk zijn, wat ik dan te horen krijg, het gaat niet om onbekenden met een aangrijpend verhaal, maar om mijn eigen vader en moeder. Ik kan er al niet tegen als ik hoor hoe mijn oma na de oorlog bij de buren spullen zag staan die van haar waren. "Die tafel van jou? Nee hoor, die is van oom Kees, die hebben we geërfd." En de berusting waarmee zij reageerde. De alledaagsheid van het kwaad.'

Je hebt het weleens over de schilligen en de onverschilligen.

'Dat zijn mensen die het wel of niets kan schelen wat er in de maatschappij gebeurt. Mensen die echt betrokken zijn, die het niet voor hun brood alleen doen, maar die authentiek zijn in hun betrokkenheid tegenover de overgrote meerderheid die het allemaal niets kan schelen, zolang hun eigen tas maar niet gestolen wordt. Dat zijn ook de mensen die lijdzaam toekijken hoe iemand in elkaar geschopt wordt, zoals in Venlo. Ik ben ook geen held, verre van dat, maar helemaal niks doen, zelfs niet schreeuwen of met zijn allen een opstootje maken, waardoor de daders misschien afgeschrikt worden, is wel heel bar. Het gekke is dat de fatsoenlijke mensen verreweg in de meerderheid zijn in dit land, maar dat we doen alsof het tuig het voor het zeggen heeft. Als we met zijn allen onze stem zouden verheffen of in opstand zouden komen bij een vechtpartij, zou het tuig geen schijn van kans hebben. Maar we lijken liever mee te lopen in de stille tocht achteraf. Vreselijk, die stille tochten, gewoon een voortzetting van het zwijgen. Wie ik schillige mensen vind? Je bedoelt namen? Moeilijk. Omdat je zo aandringt: Femke Halsema, Theo van Gogh, Jan Marijnissen, Jort Kelder en vreemd genoeg ook Pim Fortuyn. Ik had niks met die man, maar hij was wel authentiek betrokken, veel dingen gingen hem echt ter harte, dat merkte je.'

Nog even terug naar de man-vrouwverschillen. Je zei: vrouwen weten zoveel dingen die mannen nooit leren. Wat bedoel je?

'Afgezien van het feit dat ze een beter inzicht hebben in hoe de wereld in elkaar zit, bedoel ik ook gewone, alledaagse dingen. Bijvoorbeeld: hoe weten jullie wanneer de soep klaar is? Dat schijnt elke vrouw te weten, ze roeren erin en zeggen: over vijf minuten is-ie klaar. Geen idee hoe jullie dat weten. Of hoe je een overhemd strijkt. Ik zou beginnen met de voor- en de achterkant. Niet goed? Eerst de kraag, dan de mouwen en dan de grote vlakken? Hoe weet jij dat in vredesnaam? Wie heeft je dat geleerd of voorgedaan? Of hebben jullie het afgekeken van jullie moeder? Maar ik heb mijn moeder toch ook zien strijken, waarom weet ik dat dan niet?

En als ik afwas en afdroog, een van de weinige huishoudelijke karweitjes die ik doe, schijn ik schaaltjes op een bepaalde manier te moeten neerzetten, zodat ze drogen zonder dat er een doek aan te pas komt. Op zijn kop? Ja, dat weet ik ook nog wel, dat het water er dan uitdruipt, maar er schijnt nog een speciale manier te zijn. En als je het gasstel schoonmaakt. Dan moet dat rek eraf en die vier pitten. Hoe weet je nou welke pit op welke plek terug moet?

En kijk mannen nou eens staan in de supermarkt, naast het groentevak. De boontjes liggen niet boven, maar onder en komen niet uit Nederland maar uit Argentinie. Dan pakken ze de gsm en bellen naar huis. Nou schaam ik me toch al dood om in het openbaar te bellen, maar vanuit Albert Heijn is natuurlijk helemaal vreselijk. Weet je waarom mannen dat doen? Om er nog iets van te maken, interessantdoenerij. Ze vinden het een zielige zaak, boodschappen doen, een losersactiviteit. Maar met die gsm aan het oor en een barse stem voelen ze zich toch nog chef-inkoop.

Ach, mannen, het blijft behelpen.'

December 2002

EINDSCORE: +4

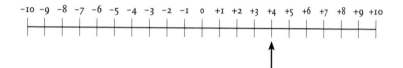

'Geluk is niet per se afhankelijk van liefde voor een mens'
Rudi van den Hoofdakker

Hij wil 'een harde psychiater' en 'een harde dichter' zijn: 'Ik haat softheid, dat hangt samen met mijn liefde voor mensen.' Echte liefde is het besef dat de ander werkelijk een ander is, 'totale afhankelijkheid van elkaar is ongezond'. En: 'Je kunt jezelf niet dwingen van iemand te houden, net zomin als je jezelf dat kunt verbieden.' Haat? 'Daarbij denk ik aan iets extreems, zoals Kosovo. Zelf voel ik haat jegens mensen die jammerende dieren een abattoir binnendrijven.'
Psychiater prof. dr. Rudi van den Hoofdakker (1934), als dichter bekend onder de naam Rutger Kopland

Of een mens gelukkig kan zijn zonder liefde, vraag ik.

Daar moet hij eens diep over nadenken. 'Geluk is gevaarlijk. Zo heb ik een van mijn dichtbundels genoemd, niet voor niets. Die titel verwijst naar het eerste gedicht, waarin staat: "Geluk was een dag aan een vijver, ik was een kind van God en van mijn grootvader, beiden stierven, geluk is gevaarlijk." Houden van heeft de gevaarlijke kant dat je iets investeert in anderen en dat je daardoor heel kwetsbaar wordt voor het verlies van die anderen. Hoe meer je van iemand houdt, hoe meer je kunt verliezen en hoe groter en hoe heviger het verdriet.

Ikzelf kan ook gelukkig zijn door andere dingen dan de liefde voor een mens. Ik kan een ogenblik van geluk ervaren bij het zien van een landschap of bij het kijken naar hoe het licht door een boomkruin valt. Ik kan mij ineens gelukkig voelen als ik een merel hoor zingen of de ganzen door de lucht hoor vliegen op een mooie winterdag. Ik voel me dan gelukkig omdat ik daardoor blij ben dat ik er ben. Geluk is voor mij niet per se gelijk te stellen met liefde voor een mens. Ik durf niet voor andere mensen te spreken, ik ben geen socioloog of psycholoog die een studie gemaakt heeft van wat normale mensen beweegt, ik ben een psychiater die alleen maar mensen tegenkwam die in de knoei geraakt waren. Maar als ik uit eigen ervaring spreek, kan ik zeggen dat mijn geluk niet alleen afhangt van andere mensen, dat ik ook gelukkig kan zijn als ik gewoon hier uit mijn raam kijk.'

Zouden andere mensen dat ook moeten leren: niet hun hele ziel en zaligheid ophangen aan één persoon?

'Ja, dat zou wel goed zijn: hang je geluk niet alleen op aan je partner, je kinderen, je hond of weet ik veel. Kijk eens verder om je heen en kijk eens hoe gelukkig je kunt zijn met dat vogeltje daar op dat nestkastje.'

U hebt makkelijk praten: behalve dat vogeltje hebt u ook nog een vrouw en kinderen.

'Hebt u helemaal gelijk in. Zo is het. Dat is een terechte opmerking.'

Wat is eigenlijk echte liefde?

'Ik heb dat een keer goed gezegd, dus dat herhaal ik maar: echte liefde is het besef: jij bent een ander en ik ben blij dat jij er bent. Het is een vorm van liefhebben waarin je de ander werkelijk als een ander erkent en niet als een stuk van jezelf beschouwt. Echt houden van betekent dat je bereid bent het voorwerp van je liefde op alle mogelijke manieren te zien, te willen weten hoe hij of zij is. Het in elkaar opgaan, het versmelten met elkaar, de zogeheten symbiotische liefde, is mijns inziens een ongezonde verhouding. In mijn psychiatrische praktijk heb ik gezien hoe akelig dat kan uitpakken.

Dat tussen moeder en baby zo'n symbiotische relatie bestaat, vind ik normaal. Maar er komt een ogenblik dat ouders moeten erkennen dat hun kinderen echt andere mensen zijn, met een eigen persoonlijkheid. Dat moet je erkennen en respecteren. Dat betekent ook dat je accepteert dat je naasten het af en toe niet met je eens zijn, dat ze andere wegen bewandelen dan jij graag zou zien. Het is voor ouders gezond te bedenken dat hun kinderen totaal andere mensen zijn, dat ze niet hun raison d'être zijn. Dat is een voorwaarde om ook later een goede relatie met je kinderen te hebben: op een radicale manier afscheid nemen van het kind in je kind. Je gaat dan met elkaar om als goede vrienden, als mensen die een grote solidariteit met elkaar hebben, maar die niet afhankelijk van elkaar zijn.'

Toch hoor je mensen wel eens trots zeggen dat ze een eenheid vormen met hun partner of hun gezin.

'Sommige mensen zien dat als een positief punt, terwijl het dat niet is. Als psychiater heb ik er de brokken van gezien, wanneer mensen elkaar niet kunnen loslaten. Je zag dat nogal eens met moeders, die depressief en psychiatrisch gestoord raakten wanneer de kinderen de deur uit gingen, die in een totale leegte terechtkwamen omdat ze hun verlengstuk, waarvan ze afhankelijk waren, verloren. Zulke ouders gunnen hun kinderen geen zelfstandigheid en dan is het voor kinderen natuurlijk heel moeilijk om zelfstandig te worden. Het uit elkaar gaan gaat dan gepaard met grote schuldgevoelens en het gevoel elkaar in de steek te laten.'

Hoe raken mensen zo in elkaar verstrengeld?

'Bij vrouwen is het natuurlijk wel eens zo dat hun levensvervulling helemaal bestaat uit het moederschap en het grootbrengen van kinderen. Dat hoeft op zichzelf niet de oorzaak te zijn van zo'n symbiotische verhouding. Er zijn ook onder die moeders vrouwen die hun kinderen wel kunnen loslaten en hun levensvervulling in andere dingen gaan vinden. In het algemeen kun je zeggen dat mensen die zo in elkaar zitten in hun eigen jeugd weinig kans gekregen hebben tot een zelfstandig wezen op te groeien.'

U bent zelf vader van drie dochters tussen de dertig en achtendertig jaar. Wat was en bent u voor een vader?

'Ik ben minder actief geweest bij de opvoeding van mijn kinderen dan mijn vrouw. Ik was minder vaak thuis, maar wel zeer betrokken. Ik was zeker niet de beruchte afwezige vader. En nu ervaar ik de verhouding met mijn kinderen als een bijzonder prettige en kameraadschappelijke verbondenheid. Zeker is dat mijn dochters een ander en frequenter contact hebben met hun moeder. Dat lijkt me heel begrijpelijk. Ze delen het vrouw-zijn en het moederschap met haar. Bovendien is mijn vrouw jarenlang arts aan een consultatiebureau geweest, dus ze is een fantastische vraagbaak als het gaat om allerlei praktische problemen met kinderen.'

Jammer dat u geen zoon hebt?

'Ik ben blij met mijn dochters, maar ik had ook best graag een zoon gehad, omdat ik daarbij meer van mijn jeugdervaringen had kwijt gekund. Als kind was ik gek op voetballen, dat deed ik het liefst twaalf uur per dag. Daar hadden mijn dochters geen interesse in, net zomin als in vliegeren, een andere grote hobby van me. Ik heb zelf vliegers gemaakt, maar ook daar waren mijn dochters niet erg in geïnteresseerd. Aan de andere kant: dochters lijken mij makkelijker voor een vader, er is niet dat altijd dreigende autoriteitsconflict. En dochters doen niet van die gevaarlijke dingen. Ik heb in mijn jeugd verdomd enge dingen gedaan: op heel dun ijs gelopen, in veel te hoge bomen geklommen, door gammele dakgoten gelopen, gevist in verboden water, noem alles maar op. Ik heb nu een kleinzoon, maar die is nog geen jaar, dus die doet zulke dingen goddank nog niet.'

We hadden het net over een symbiotische relatie tussen moeders en kinderen, maar zulke verhoudingen zie je ook tussen man en vrouw.

'Jazeker. Sommige mannen zoeken weer de relatie op die ze met hun moeder gehad hebben, weer een symbiotische relatie met een vrouw. Andersom zijn er ook vrouwen die hun man zo uitzoeken. Uit mijn psychiatrische praktijk, die inmiddels al weer zo'n vijf jaar achter me ligt, herinner ik me patiënten bij wie zo'n symbiotische relatie een groot probleem was. Ik hoop dat ik, als mijn vrouw zou overlijden, kan doorleven. Natuurlijk, ik zou verschrikkelijk veel verdriet hebben, we zijn al 38 jaar samen, maar ik hoop dat ik toch niet zou overblijven met de gedachte dat ik zonder haar geen stap meer kan verzetten. Het zal een pijnlijke wond blijven, maar ik hoop toch dat mijn leven dan niet voorgoed voorbij is.'

Zou u een nieuwe relatie aangaan?

'Ik weet het niet. Sjongejongejonge, wat een gedoe om weer opnieuw te beginnen, je weer helemaal aan een ander toe te vertrouwen. Bij die gedachte kan ik een zekere huiver niet onderdrukken. Stel je voor dat je je vergist. Je komt toch in een heel andere wereld terecht met zo'n nieuwe vrouw, met zoveel geschiedenissen die je niet kent. Ik vond het vroeger ook buitengewoon moeilijk om in het huwelijk te treden. Ik heb daar heel lang over nagedacht, ik vond het een enorme stap, je op die manier aan iemand te verbinden. Wij woonden al een paar jaar samen voordat we trouwden. Daar hebben we lang over gepraat, dat gebeurde bepaald niet op een stormachtige manier waarbij we elkaar in de armen vielen en riepen: nu trouwen we. Daar is veel en lang over gepraat, totdat we zeiden: laten we de sprong maar wagen, het zou best eens goed kunnen gaan. En het gaat nu al 38 jaar goed. Als ik erover denk dat allemaal nog eens opnieuw te moeten doen...'

Je ziet heel veel mannen die juist graag opnieuw beginnen met een jonge vrouw. Weduwnaar of niet.

'O nee, met een jonge vrouw, dat zie ik al helemaal niet voor me. Iemand die de oorlog en de watersnood niet heeft meegemaakt, bij wijze van spreken. Natuurlijk, ik zie ook wel dat jonge vrouwen buitengewoon aantrekkelijk kunnen zijn, maar als partner om de rest van mijn leven mee door te brengen? Nee, alsjeblieft niet. Als ik een nieuwe partner zou willen, dan toch graag iemand van mijn eigen leeftijd, die waarschijnlijk beter kan aanvoelen wat mij bezighoudt, hoe ik in de wereld sta.'

Kunt u goed alleen zijn?

'Nee, niet echt. Ik ben geen type dat zegt: laat mij maar fijn alleen, dat vind ik prachtig. Als mijn vrouw weg is – en dat gebeurt wel eens een weekje, of twee of drie – vind ik dat toch wel erg schraal en alleen. Ik red me wel, hoor, ik kom niet om van de honger of de eenzaamheid, maar het is wel erg ongezellig. Natuurlijk, ik maak afspraken met vrienden of met de kinderen, ga eens ergens eten, maar 's avonds kom je toch weer in dat lege huis en dat is niet vrolijk. Toen ikzelf vroeger wel eens reizen maakte, voelde ik die eenzaamheid ook sterk. Twee weken vond ik wel genoeg. Op het moment dat ik goeiedag zei op het station of op Schiphol voelde ik onmiddellijk de leegte binnensluipen. Niet echt hinderlijk, omdat er al snel allerlei nieuwe indrukken kwamen, maar ik begrijp best wat mensen bedoelen als ze het hebben over de eenzaamheid van de hotelkamer. Ik voelde me daar ook verschrikkelijk eenzaam, maar het was niet ondraaglijk.'

Dat is dus een dilemma: het alleen-zijn grijnst u aan, maar het opnieuw met iemand beginnen grijnst u net zo hard aan.

'Zo is het inderdaad. Dat is een goede samenvatting van wat ik op dat punt voel.'

Terug naar de liefde: bestaat er onvoorwaardelijke liefde?

'Liefde zonder condities? Bij vlagen misschien, maar als permanente toestand? Moeilijk, hoor. Ik aarzel om te zeggen dat het helemaal niet bestaat. Eigenlijk vind ik het wel een ideaal, iets nastrevenswaardigs. Ik denk dat je bij momenten het gevoel kunt hebben: ach, wat er ook gebeurt, ik blijf van je houden. Dat gebeurt, dat vind ik ook helemaal niet sentimenteel. Alleen: het klinkt zo zwaarwichtig en het mag beslist niet verward worden met het idee dat je in de liefde alles over je kant zou moeten laten gaan.

Het is natuurlijk vreselijk wanneer er tegen een kind wordt gezegd: ik houd alleen maar van je als je zus of zo bent, wanneer je je daar niet aan houdt, houd ik niet meer van je. Maar in elke relatie stellen mensen toch eisen aan elkaar, anders gaat het niet. Je kent elkaars grenzen, je weet: als ik daar overheen ga, komt er narigheid. Dan komt er een moment dat je zegt: ik moet afscheid van je nemen omdat je voortdurend over mijn grenzen gaat, ik houd nog wel van je, maar toch zal ik proberen innerlijk afstand van je te nemen en mijn liefde elders onder te brengen.'

Hebt u zulke grenzen? Zou u kunnen leven met het feit dat uw vrouw een minnaar had? Of dat ze een misdaad zou begaan?

'Een minnaar? Dat doet zich gelukkig niet voor. Dat zou voor mij buitengewoon moeilijk zijn. Een misdaad? Dat hangt helemaal af van de aard van de misdaad. Als mijn vrouw een man die haar probeerde aan te randen een mes in zijn rug had gestoken waaraan hij was overleden, zou ik daar geen enkel probleem mee hebben, hoewel de rechter er misschien toch anders over zou denken. Ik zou het alleen voor haar verschrikkelijk vinden, maar ik zou haar nooit enig verwijt maken. Ja, wat accepteren mensen nog van elkaar? Het is soms niet te geloven, als je ziet dat vrouwen die door hun man worden afgeranseld toch nog bij hem blijven en zelfs genegenheid voor hem blijven voelen. Ik begrijp dat niet. Je zou toch denken dat vrouwen in zo'n geval veel vaker zouden zeggen: ik houd misschien nog wel van je, maar ik moet toch afscheid van je nemen en op zoek gaan naar een ander om mijn liefde in te investeren.'

En dan kiezen ze vaak weer zo'n verkeerde man. Hoe bestaat dat toch?

'Dat gebeurt inderdaad. Maar niet willens en wetens. Volgens mij denken die vrouwen echt: ditmaal is het anders. Maar ze lijken stekeblind. Je ziet dat mensen steeds weer in dezelfde val trappen, steeds weer in dezelfde kringloop terechtkomen. Mensen hebben soms blinde vlekken, ze zien niet wat ze doen.'

Is dat te doorbreken?

'Natuurlijk. Daarvoor moet je psychotherapie ondergaan of liever gezegd: aangaan, want het vereist nogal wat activiteit van jezelf. Het veronderstelt dat je inziet dat je bepaalde dingen niet ziet. Je moet je bewust worden van je blinde vlekken. Je moet je afvragen: hoe komt het toch dat me zoiets elke keer weer overkomt, terwijl ik dat helemaal niet wil. Waarom reageer ik elke keer weer zo inadequaat? Als je jezelf die vraag stelt, is er verandering mogelijk.'

Is liefde te sturen?

'Nee, je kunt jezelf niet dwingen iemand lief te hebben, net zomin als je jezelf dat kunt verbieden. Verliefdheid is wel te sturen. Het opkomen ervan niet, maar het doorzetten ervan is te vermijden, is mijn persoonlijke ervaring. Ik heb natuurlijk ook wel eens zoiets gevoeld, in een vlaag, maar dan dacht ik: daar doe ik niets mee, want dat leidt alleen maar tot narigheid. Ik weet niet of iedereen zo'n gevoel kan onderdrukken, ik wel. En daar ben ik blij om. Toegeven aan verliefdheid is spelen met vuur. Je zet de relatie met je vrouw, je kinderen, je hele leven op het spel. Iets anders is dat je naast je vrouw best van andere vrouwen kunt houden, kameraadschappelijk, zonder seksuele lading. Ik heb wel zulke vriendschappen, maar er zijn geen vrouwen van wie ik meer of evenveel houd als van mijn vrouw.

Een andere vraag is: kun je liefde bij een ander opwekken? Je zou denken van wel als je naar de miljoenenindustrie van de cosmetica en de kleding kijkt. Allemaal bedoeld om jezelf aantrekkelijk en geliefd te maken voor anderen. Maar afgezien daarvan: er zijn mensen die een aangeboren charme hebben, die altijd en door iedereen aardig gevonden worden. Als baby werden ze al meer geknuffeld.'

Ik moet daar altijd aan denken als ik bijvoorbeeld naar Hans van Mierlo en Wim Kok kijk. De een charmant, de ander totaal niet.

'Daar zie je inderdaad iets dergelijks. Van Mierlo, een charmante man, tegenover Kok, een stroeve man, die geen kritiek kan verdragen. Wat de een op een presenteerblaadje krijgt aangereikt, daarvoor moet de ander zwaar buffelen. En dan nog iets anders: de ene dag voel je je aardiger en aantrekkelijker dan de andere. Als ik chagrijnig in een winkel sta, straal ik niet bepaald uit dat ik een praatje wil maken. Dat gebeurt dan ook niet, men vindt mij een izegrim. De dag erna straal ik kennelijk vriendelijkheid uit want iedereen is aardig tegen me. Zo'n verbazende verandering zag ik ook wel eens bij mijn patiënten: een zwaar depressief iemand ging ineens stralen. Dat waren de mooie dingen van mijn vak.'

Klopt de veelgehoorde uitspraak: je kunt pas van een ander houden als je van jezelf houdt?

'Lijkt mij heel aannemelijk. Als mensen heel streng zijn voor zichzelf, zwaar aan hun eigen fouten tillen, doen ze dat meestal ook bij anderen. Mensen die kritisch jegens zichzelf zijn, zijn ook niet bepaald mild tegen anderen. Ik weet dat uit eigen ervaring. Ik kan het niet goed van mezelf hebben als ik fouten maak en ook bij anderen vind ik dat heel vervelend. Ik was nogal streng in mijn leven. Ik denk zeker dat er een relatie is tussen je vriendelijkheid en je tolerantie jegens je omgeving en de manier waarop je met jezelf omgaat.'

Als psychiater hebt u veel mensen behandeld. Weet u waarom en in hoeverre therapieën helpen?

'Ik kan niet precies aangeven hoe en waarom iemand opknapt. Als we een aspirientje geven, weten we ook niet waardoor de pijn verdwijnt, maar wel dat hij vaak weggaat. Van sommige psychotherapieën weten we ook heel precies hoeveel kans je hebt op succes. Je weet ook dat je in sommige gevallen de beste resultaten boekt met pillen, bij andere met gesprekken en bij weer andere met een combinatie van beide. Er is een wereld van onderzoek en literatuur op dat gebied.'

U hebt wel eens gezegd: ik wil een harde psychiater en een harde dichter zijn.

'Dat was een beetje ironisch gezegd. Maar zoals bij alle ironie:

het was ook ernstig bedoeld. Als je werkelijk respect en liefde voor mensen hebt, moet je nietsontziend kijken naar wat er mis is en niet denken: het zal allemaal wel meevallen, ik hoop maar dat het goed komt. Je moet alles overwegen, ook de ernstigste dingen, daar moet je hard in zijn. Je moet precies kijken wat er aan de hand is, daar doe je mensen goed mee, ook als psychiater. Niet soft denken: nou ja, ik begrijp het wel zo'n beetje, nee, hard naar de kern van de pijn gaan, geen gezeur, geen gelul, nu wil ik weten hoe het zit. Dat doe je met tact, respect, maar ook met de harde wens: ik wil weten wat er aan verborgens in jou leeft en waarom je daar last van hebt. Dat is goede psychiatrie: een harde opstelling, veronderstellen, checken en nog eens checken en kijken of het klopt met de werkelijkheid.

Ik heb een grote hekel aan softheid, aan new age en aan godsdiensten, die je met zachte oplossingen tevreden willen stellen. Daar wordt een buitenaardse instantie aangedragen als oplossing voor alle problemen, dat vind ik buitengewoon soft en geen oplossing voor echte problemen. Ik ben van mening dat het gebed mensen niet beter maakt, maar harde wetenschap.'

Bij de EO hoor je wel anders, daar zeggen mensen dat ze wel degelijk beter geworden zijn door gebed.

'Dat kan zijn, iedereen mag geloven wat hij wil. Hoewel... een gesprek kan veel goed doen, ook een gesprek met God. Maar ik heb moeten snijden in lijken, waardoor ik gezien heb hoe dingen zitten en waar en waardoor het fout is gegaan. Dat is vreselijk confronterend, maar het is de enige weg. Een paar jaar geleden heb ik een hartoperatie ondergaan en een paar maanden geleden een hartcatheterisatie na een hartinfarct. Als er geen mensen waren geweest die hard geweest waren, die niet een mes hadden gepakt, een lijk hadden opengesneden, elk bloedvat hadden bestudeerd en alles precies hadden opgeschreven, had ik niet meer geleefd. Ik heb mijn leven niet aan gebed te danken, maar aan het feit dat mensen wetenschap hebben bedreven.

Met de poëzie is het precies hetzelfde: men denkt dat poëzie een beetje vaag, soft, romantisch gepeins is. Nee, ook daar gaat het om een heel precieze omschrijving van iets wat je nog niet eerder gezegd hebt en wat je een ander precies zo wilt laten zien. Een gedicht moet bij analyse zo in elkaar zitten dat je tot de conclusie komt: het moest zo gezegd worden en niet anders. Daarom zei ik dat ik een harde dichter en een harde psychiater wil zijn: ik rust niet voordat het er zo staat als het er moet staan en voordat ik weet hoe het echt zit.'

Laten we het eens over haat hebben. Wat is een sterkere drijfveer in de wereld: liefde of haat?

'Ik denk dat ze even sterk zijn. Het zijn twee kanten van dezelfde medaille, het een kan niet zonder het ander. Zelf weet ik niet zo veel over haat, het is niet een gevoel dat ik goed ken, tenminste niet in zijn extreme vormen. Als ik aan haat denk, komen mij toch scènes uit Kosovo in gedachten. Als ik op de televisie naar een man kijk, weet ik dat ik daar iemand zie die, bij wijze van spreken, zojuist een vrouw heeft verkracht voor de ogen van haar eigen man en kinderen, waarna hij haar de kop heeft afgehakt. Zo'n man zou ik kunnen neerschieten. Ergens in mijn lichaam en mijn ziel voel ik dan wat haat is. Maar anders? Ik voel het gelukkig niet ten opzichte van iemand of iets in mijn directe omgeving.

Weet je wanneer wel? Als iemand misbruik maakt van de hulpeloosheid van een ander, van machtsoverwicht. Wanneer mensen zwakkeren treiteren. Als ik kijk naar opgesloten varkens in zo'n stal of ik zie mensen die jammerende en schreeuwende beesten een abattoir binnendrijven zonder zich een ogenblik te verplaatsen in wat die dieren moeten ondergaan. Ik zag het ooit in Griekenland, hoe daar met dieren wordt omgegaan, daar ga ik van over mijn nek. Dan voel ik haat. Ik heb gezien dat daar paarden werden opgeladen op een veel te klein autootje. Dat zo'n arm beest wanhopig probeert op de auto te krabbelen, er toch weer afvalt, er half bij hangt, terwijl de omstanders erg hard moeten lachen. Uit bangigheid steek ik geen poot uit, maar loop weg om het niet te hoeven zien.'

Haat u zichzelf dan achteraf?

'Ja, dan heb ik een hekel aan mezelf.'

Is er te leven met haat? Moet je die uitspreken of dooft die vanzelf?

'Als mensen in een huwelijk elkaar echt haten, moet je daar natuurlijk iets aan doen. Ik probeerde altijd te kijken of er nog iets over was van vroegere warme gevoelens, of er nog enig krediet was. Is dat er niet, dan kun je beter zeggen: ga alsjeblieft uit elkaar. Als het om mensen gaat die verder van elkaar staan, moet je zien of het om een pathologische haat gaat die een leven helemaal beheerst en een obsessie wordt of een haat die op afstand en bij het verdwijnen van het object wel uitdooft. Soms kun je heel goed leven met haat, wanneer je de persoon in kwestie maar uit de weg gaat. Dan dooft het gevoel op den duur vanzelf.'

Er zijn mensen met een grote zelfhaat.

'Jazeker, die heb ik als psychiater vaak gezien. Niet alleen mensen die zelfmoord willen plegen of zichzelf verwonden door zich te snijden of te branden, maar ook meisjes die zich uithongeren, anorexiapatiënten. Dat noem ik ook een vorm van zelfhaat: jezelf doden door uithongering. Daar overlijden heel wat meisjes aan, vlak dat niet uit. Hoe komt iemand daaraan? Daar zijn verschillende verklaringen voor, noem maar op: het zit in de genen, kinderen zijn met een te streng geweten opgevoed, waardoor ze zichzelf steeds straffen omdat ze tekortschieten of eenvoudigweg: er zit iets fout in de serotoninehuishouding in de hersenen. Kortom: we weten het niet.'

In overlijdensadvertenties zie je wel eens staan: liefde is sterker dan de dood. Is dat alleen maar een sentimentele frase of is dat echt zo?

'Mijn ouders hebben mij geen mooie jeugd bezorgd, maar ooit heb ik toch wel van hen gehouden, denk ik, heel lang geleden. Het gevoel zakt weg, er blijft niet veel meer van over. Als ik naar mezelf kijk, zie ik dat er alleen maar een milde vorm van verdriet overblijft nu ze dood zijn. Elke dag denk ik wel even aan mijn ouders, soms met een vleugje weemoed, soms echt verdrietig. Vlak voordat mijn moeder stierf, heb ik lang stilgestaan bij mijn vroegste jeugd, toch de tijd waarin ouders het belangrijkst zijn.

Hun graf bezoek ik nooit, ik ben geen grafbezoeker. Mijn moeder was al jarenlang zwaar dement. Toen ik vlak voor haar dood bij haar was, wilde ik nog eens proberen contact te krijgen. Ik zei: "Moeder, ik ben het, Rudi." Ze maakte alleen maar afwerende gebaren, ze herkende me totaal niet. Toen kwam er een verpleegster, die zei: "Anna, hoe gaat het?" En ze begon te stralen. Ze werd bij haar eigen naam genoemd. Zo noemde iedereen haar toen ze een kind was, zo noemde mijn vader haar ook, maar die Anna heb ik nooit gekend. Toen pas drong het tot me door dat ze ooit een kind geweest was, een meisje, een jonge vrouw. Voor mij was ze mijn moeder, maar dat wist ze op het eind zelf niet meer: ze was weer Anna geworden.'

Juli/augustus 1999

EINDSCORE: +2

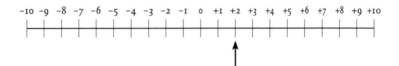

'Als ik kritiek krijg, is het altijd van vrouwen'
Dolf Jansen

Hij is verslaafd aan hardlopen: 'Ik doe het nu al 27 jaar, zeven maal per week. Als ik een dag oversla, word ik chagrijnig.' Zijn vaste loopvriend heeft dit voorjaar een eind aan zijn leven gemaakt. 'Ik heb het er nog steeds vreselijk moeilijk mee dat ik niet méér voor hem heb kunnen doen.' Als hij kritiek krijgt op zijn optredens, is het altijd van vrouwen: 'Die spreken je aan op die vier grappen over vrouwen. "Dat heb je toch niet nodig," zeggen ze dan.' Dat haar van hem? 'Zo'n kleurtje erin vind ik gewoon leuk, van mezelf heb ik saai melkboerenhondenhaar.'
Cabaretier Dolf Jansen (1963)

Op 5 januari 2006 is het zover. Dan vertrekt hij met zijn gezin – vriendin en twee kinderen – naar Amerika. Voor acht maanden. Even helemaal weg uit Nederland. Niet om daar vakantie te houden, maar om ongestoord op een andere plek in de wereld te kunnen werken. Want er moet geschreven worden. Een paar boeken maar liefst, waarvan één samen met zijn vriendin Margriet, die fotografe is. Zij de foto's, hij de teksten.

'Twee keer eerder zijn we samen een langere tijd weggeweest, de redding voor m'n relatie heb ik dat wel eens genoemd. Vooral de eerste keer was dat ook zo. Ik zat toen tegen een burn-out aan, had veel te veel en veel te hard gewerkt, was bijna nooit thuis. En als ik er was, was ik er alleen met mijn lijf, niet met m'n hoofd, want daar spookte het werk nog steeds in rond. Ik stopte twaalf dagen werk in zeven dagen en dat elke week weer. Dat had toen geen paar maanden langer moeten duren of ik was echt afgeknapt. Toen gingen we net op tijd drie maanden naar Amerika. Daarna heb ik, met pijn in mijn hart, *Spijkers met koppen* opgegeven, het liveradioprogramma met Felix Meurders op de zaterdagmiddag, het leukste wat ik ooit in de media gedaan heb. Maar dat kostte me bijna een hele dag, van negen uur 's ochtends tot 's middags half vier. Mijn kinderen hebben nu de leeftijd dat ze op zaterdag allerlei dingen hebben: atletiek, voetballen, noem maar op. Daar wil je als vader toch wel eens bij zijn.'

Acht maanden weg met twee schoolkinderen. Gaat dat zomaar? Geen strenge leerplichtambtenaar die dat verbiedt?

'Nou, daar is veel en uitgebreid overleg over geweest en alleen op voorwaarde dat wij de kinderen zelf lesgeven, krijgen we hopelijk toestemming. Voor de kinderen is het trouwens een halfjaar, want er zitten twee maanden vakantie in. Ze zitten in groep drie en vijf, ouderwets gezegd: de eerste en de derde klas. Ze zijn goed bij, kunnen prima meekomen, zijn zelfs wat voorlijk. De oudste van acht zit nu al met een cd-rom Engels te leren.'

Maar toch, denk je niet dat jouw naam geholpen heeft bij die soepelheid?

'Nee, dat denk ik niet, nou ja, ik weet het niet. Er is veel en langdurig over gesproken en hopelijk wordt het "ja".'

Wat gaan jullie doen, die acht maanden?

'We gaan naar verschillende plaatsen in Amerika en Canada. Eerst twee maanden in Californië; daar hebben we al een huis gehuurd. Eigenlijk leven en werken we heel normaal, maar op een andere plaats in de wereld. Dat betekent: ongestoord. En ik ben vrij van verplichtingen voor radio, televisie en theater. Ik ga schrijven: een paar boeken is de bedoeling. Of die er ook echt allemaal komen, is natuurlijk de vraag. Eén boek samen met Margriet: we gaan naar plekken die zij fotografeert en waarbij ik een tekst schrijf; dat kan de ene keer een gedicht van tien regels zijn, de andere keer een verhaal van vierduizend woorden. Verder wil ik een persoonlijk boek schrijven over hardlopen, mijn grote hobby, mijn verslaving kun je beter zeggen. En een satire over de politieke situatie in Nederland-van-nu en een kinderboek. Ja, de lat ligt hoog.'

Een heel triviale vraag: hoe moet dat nou met je kapsel in Amerika?

'Hoe bedoel je? Daar zijn toch ook kappers? Hier in het dorp heb ik een vaste kapper die me knipt, scheert en kleurt. Dat experimenteren met mijn haar is lang geleden begonnen, op de atletiekclub, waar veel dingen begonnen zijn, ook het hardlopen. Ik ontmoette daar een jongen die zijn vrienden knipte en later kapper is geworden. Die moest veel oefenen, dus dat deed 'ie op mij, eerst gewoon bij hem thuis, in de badkamer. Op een bepaald moment ging hij het haar opscheren, vormpjes en golfjes erin maken, dan weer met een staart van achteren of aan de zijkant. De volgende stap was dat hij zei: zullen we het eens kleuren of blonderen? Ja hoor, zei ik. Er zit dus geen ingewikkelde theorie achter. Ik wilde gewoon weleens van dat saaie melkboerenhondenhaar af en er een leuk kleurtje in. Tot mijn zeventiende was ik zo'n saaie, stille, magere jongen met een mager bekkie, een spijkerjackie en een brilletje, iemand die vier jaar dezelfde winterjas droeg. Het zwijgen is wel verdwenen, net als dat saaie haar en die saaie bril. Mager ben ik nog steeds, maar ik weet dat onder mijn kleren een stevig, gespierd en goedgevormd lijf zit. Dat ik door anderen wel eens een wandelend kadaver genoemd ben (dat is nu ook mijn e-mailadres), vat ik maar op als een geuzennaam. Voordat ik naar Amerika ga, zal ik m'n haar misschien wel blonderen. Lekker licht, dat past goed bij de zon.'

Stel dat jij in zo'n televisieprogramma als De reünie zou zitten, wat zouden je voormalige klasgenoten dan over je zeggen?

'Laat ik vooropstellen dat ik niet in zo'n programma zou willen. Maar wat niemand verwacht zou hebben, is dat ik cabaretier zou worden, echt niemand. Op school was ik die stille. Daarna ben ik criminologie gaan studeren. Ik heb die studie ook afgemaakt, maar er nooit iets mee gedaan. Er was zeker te weinig misdaad in die tijd, want ik kwam nergens aan de bak.

Mijn medeleerlingen zouden waarschijnlijk beroepen noemen in de trant van: reclasseringsambtenaar, maatschappelijk werker bij justitie, misschien wel sociaal advocaat, want ik was altijd een politiek bewust en betrokken type, zo'n jongen die PSP-posters ophangt in de klas en een diep verlangen heeft om al op z'n zestiende te mogen stemmen. Dat had ik niet van thuis: mijn vader was een VVD-stemmer en mijn moeder was van het CDA. Over dat soort zaken hadden we het eigenlijk nooit, want dat ontaardde maar in ruzie. Alles wat ik deed, vonden ze thuis links. En in ruziemaken en conflicten ben ik nooit sterk geweest, nog steeds niet.

Ik ben meer een schipperaar, zoals we dat vroeger ook altijd deden met mijn vader. Die werkte in de horeca en had onregelmatige diensten. Als hij thuis was, wilde hij gewoon aardappelen, groente en vlees eten, dus dat gebeurde. Maar zodra hij avonddienst had, aten we spaghetti, rijst, een maaltijdsoep en havermoutkoekjes. Allemaal dingen die we lekker vonden. Je hoeft niet over alles in conflict te gaan, zo kan het ook.'

Voordat jullie vertrekken naar Amerika hebben we nog een oudejaarsshow van jou en je collega Lebbis tegoed. Op 30 december bij de Vara, want Youp van 't Hek zit echt op oudjaar. Is dat niet sneu voor jullie?

'Nee hoor, die afspraak heeft Youp nu eenmaal met de Vara. Als hij één keer in de vier, vijf jaar een oudejaarsshow maakt, mag hij op 31 december. Prima. Ik vind het trouwens wel raar: als je zegt een oudejaarsshow te maken, doe je dat elk jaar, niet af en toe. Wij doen het al zestien jaar maar hebben nooit gezegd: wij zijn DE oudejaarsconferenciers. We zijn er nu al mee bezig: we spelen hem zo'n zestig tot zeventig keer in verschillende theaters voordat de finale versie op tv te zien is. Al spelend veranderen we er steeds nog wat aan, zodat we op de avond van 30 december up-to-date zijn. Wij brengen het jaaroverzicht volgens Lebbis & Jansen, maar zelfs op die avond kunnen we nog verrassen met iets nieuws.

Lebbis en ik hebben een verschillende aanpak: hij is meer de man van de woede en andere emoties, hij bouwt iets op in een paar zinnen, is dan authentiek woedend of opgewonden en maakt het af met een goeie grap. Ik ben er goed in om erg precies te luisteren naar wat hij echt zegt en daarop te reageren. We houden elkaar scherp in de gaten, mogen alle twee met iets onverwachts komen en mogen alle twee weleens winnen van de ander. Wat heel vervelend is en wat wij gelukkig niet doen, is tegen elkaar opbieden. Dat mondt maar al te vaak uit in steeds harder door elkaar heen schreeuwen, niet om aan te horen.'

Wat komt zeker aan bod?

'De veranderingen in de maatschappij die te maken hebben met veiligheid en angst, het feit dat we het enige land zijn waar regeringspersonen in het openbaar niet mogen beweren dat er fouten gemaakt zijn in het oorlogsverhaal Irak, dat mannen als Lubbers en Van Agt, die vroeger vooral domme dingen zeiden, opeens verstandige uitspraken doen, maar daarmee wel gewacht hebben totdat ze vijftien jaar uit de macht waren. Verder natuurlijk Rachel Hazes met André in de vuurpijlen. En misschien wel iets over de gevaren van de bridgesport, waarmee wij dan ook gestopt zijn.'

Je hebt net je laatste optredens van Dolf durft achter de rug, waarin je optreedt met een band.

'Daarin zing ik, niet tot ieders plezier naar ik heb begrepen. En ik praat met de zaal. Ik stel vragen, niet als cabaretvorm, maar omdat ik echt geïnteresseerd ben in de antwoorden. Ik ben gestopt met het snellegrappenwerk, het graggrapgrap van vroeger, de stand-upcomedy. Natuurlijk zijn er nog grappen, maar het is niet meer die non-stopopeenvolging van vroeger. De grap-van-nu overvalt me meer, is direct een reactie op wat ik te horen krijg uit de zaal, is niet vooraf ingestudeerd. Ik vraag de mensen bijvoorbeeld waarvoor ze bang zijn. Opvallend is dat ik vooral persoonlijke dingen te horen krijg: ziekte, dood, het donker, spinnen. Als ik in die vijf maanden dat ik *Dolf durft* heb gespeeld drie keer "terrorisme" of "een aanslag" heb gehoord, is het veel. Laatst niesde iemand heel hard in de zaal, dan zeg je: "Hebt u misschien kippen?" En toen er even later aan de andere kant van de zaal nog een nies kwam: "Zie je, daar heb je het al, meldt u zich straks maar bij de afdeling quarantaine." Mensen geven over het algemeen eerlijke antwoorden. Natuurlijk is er wel eens een lolbroek die roept: "Ik ben bang dat het bier op is." Wat ik eigenlijk nooit hoor, is de angst voor armoede of werkloosheid. De mensen die daarmee zitten, komen duidelijk niet naar het theater.'

Reageren mannen anders dan vrouwen?

'Jazeker, vrouwen zijn veel kritischer, althans als het om grappen over de eigen sekse gaat. Als ik kritiek krijg, is het eigenlijk altijd van vrouwen die na afloop op me af komen en zeggen: "Die grappen over vrouwen, waarom doe je dat nou? Zoiets heb je toch helemaal niet nodig." En dan gaat het hooguit om vier of vijf dingen in een programma van twee uur. Dat begrijp ik gewoon niet. Het is zo duidelijk dat ik die dingen natuurlijk helemaal niet meen. Ik zeg de meest stereotiepe dingen: Vrouwen hebben geen richtinggevoel. Mijn moeder kan niet autorijden, laat staan achteruit inparkeren. Vrouwen begrijpen bepaalde borden niet. Of het gaat over hun gewicht. Daarmee heb je wat mij betreft alle grote vrouwenissues wel gehad. En dan doe ik daar iets over de ideale man bij, waaruit zonneklaar blijkt dat ik dat natuurlijk niet ben.

Tja. Als je een beetje gevoel voor humor hebt, begrijp je heel goed dat ik geen hekel aan vrouwen heb, dat ik ze niet dom, dik of atechnisch vind. Nou ja, paarlen voor de zwijnen. En ik ga het ook allemaal niet uitleggen achteraf, dat is pas echt pijnlijk.'

Misschien waren het wel strenge Opzij-lezeressen, die jou kennen als een uiterst serieus lid van het vroegere Opzij-panel, waarin je een jaar lang met drie anderen elke maand commentaar gaf op actuele gebeurtenissen.

'Lebbis heeft daar nog eens iets over gezegd in onze oudejaarsvoorstelling van twee jaar geleden: wat moet jij nou in dat Opzij-panel? De macht van vrouwen van binnenuit uithollen, natuurlijk. Maar ik vond het echt interessant: met professor Van Praag, de hooggeleerde Marli Huyer en Samira Abbos. En dan zit daar zo'n Dolf Jansen, cabaretier, bij. Het leuke was dat je je echt moest verdiepen in bepaalde problemen, bijvoorbeeld over de boerka. Wat betekent zo'n ding en wat vind ik ervan? Natuurlijk moet je je geloof kunnen uitdragen, maar je geeft met een boerka wel aan: ik ben hier, maar ik sluit me volledig af. Dat vind ik verkeerd, want als je hier wilt zijn en erbij wilt horen, maar je tegelijk fysiek helemaal afsluit, zeg je in wezen: ik wil er niet bijhoren. Dat deugt niet.'

We zien en horen je nu dus acht maanden niet. Wat ga je doen als je terugkomt?

'Ik kom in augustus 2006 terug, vlak voor het popfestival Lowlands, waar ik altijd optreed. Dan volgt er in ieder geval een oudejaarsvoorstelling en misschien dat ik per januari 2007 ook weer het theater inga. Misschien komt er een nieuw televisieprogramma, ik weet het nog niet. Ik heb wel wat plannen die ik met de Vara bespreek. Ik zou graag iets in de lichte actualiteit doen, zoals *De wereld draait door* van Matthijs van Nieuwkerk en Francisco van Jole of *Woestijnruiters* van Jeroen Pauw en Paul Witteman. Ik kijk daar goed naar en ik zou iets in die trant heel leuk vinden: praten over literatuur, popmuziek en sport, allemaal zaken waar ik best wat vanaf weet. En dan ben ik natuurlijk niet die snellegrappenman, dat ben ik trouwens nooit als ik interview. Bij *Spijkers met koppen*, waar ik een duopresentatie met Felix Meurders deed, was ik ook een gewone interviewer. Dat begrepen sommige mensen niet. Zo stelde ik eens een vraag aan Klaas de Vries, die gewoon bleef doorpraten met Felix Meurders en mij negeerde. Ik stelde de vraag nog een keer en hij keek weer langs me heen. Totdat het hem ineens begon te dagen: u wilt echt antwoord? Jazeker, meneer De Vries, daarvoor stel ik die vraag namelijk.'

Zou je het leuk vinden om Zomergasten te presenteren?

'Absoluut. Heel leuk. De vraag is natuurlijk of ik dat kan, maar ik zou het graag proberen. Ook daar zou ik niet de grappenmaker zijn, maar de man die goed luistert, die probeert een interessant gesprek op te bouwen waarin de gast zijn enthousiasme kwijt kan over de televisiefragmenten die hij heeft uitgekozen. Want dat is het leuke van *Zomergasten*: dat iemand dolenthousiast of vreselijk nijdig over iets is. En natuurlijk zorg ik af en toe voor de lichte toon. Ik zou niet, zoals Connie Palmen, bij elke tweede vraag dieppsychologisch uit de hoek komen: zie ik hier een relatie tot je jong overleden vader? Dat soort dingen. Wie ik zou vragen? Nou, uit de politiek Femke Halsema, uit de sport Johan Cruyff, als schrijver Tommy Wieringa, uit de cabarethoek Sara Kroos en dan nog Anton Corbijn, die altijd muzikanten fotografeert.'

Een heel andere kant van jou is het hardlopen.

'Een levensvoorwaarde, een verslaving. Als ik een dag niet loop, voel ik me chagrijnig, sneller geïrriteerd, niet lekker in mijn vel. Ik loop in principe zeven dagen per week, per dag zo'n veertig minuten tot anderhalf uur. Daarin loop ik dan 20 tot 32 kilometer. Ik heb pas aan de marathon van Eindhoven meegedaan, waar ik als zesde in mijn categorie – de veteranen – geëindigd ben. Bij de veteranen hoor je al als je boven de veertig bent. Bij vrouwen is het nog erger, die zijn al "veteraan" op hun vijfendertigste. Discriminatie, mevrouw. Werk aan de winkel voor het *Opzij*-panel. Ik ben op mijn vijftiende begonnen met hardlopen, eigenlijk om op de jaarlijkse sportdag van school iets te laten zien. Voetballen kon ik niet, daar was ik fysiek niet sterk genoeg voor, ik had geen kracht, kon niet hard schieten en werd gewoon opzij gegooid. Hardlopen kon ik wel. Dus dat is het geworden en gebleven. Als ze me zouden vertellen dat ik zou moeten stoppen met lopen, zou dat voor mij net zoiets zijn als de mededeling dat ik een ernstige, ongeneeslijke ziekte zou hebben.'

Een van je hardloopvrienden, je beste maatje, heeft dit voorjaar zelfmoord gepleegd.

'Ik kende hem al 26 jaar. We liepen samen hard, maar hij was ook altijd bij andere belangrijke dingen in mijn leven: de opname van een cd, try-outs van een nieuw programma, premières, noem maar op. Ik heb het er nog steeds vreselijk moeilijk mee dat ik die laatste maanden niet meer echt kon doordringen tot zijn diepste gedachten en angsten, dat ik niet méér voor hem heb kunnen doen. In nog geen zes maanden tijd veranderde hij van iemand die midden in het leven stond in een mentaal en fysiek wrak. Afschuwelijk. Het begon met overspannenheid door zijn werk, maar er kwam van alles uit zijn hele leven naar boven, alles wat zich vanaf zijn jeugd had opgestapeld. Op het eind maakte hij zich overal zorgen over: stel dat ik niet meer kan hardlopen, stel dat mijn medicijnen de bijwerkingen hebben die op de bijsluiter staan. Hij was bang voor alles wat zou kunnen gebeuren.

Ik ben helemaal niks gewend op het gebied van ziekte en dood, ik heb mijn beide ouders nog, vief en in goede gezondheid. Na zijn dood heb ik hem nog gezien – dat was goed. Margriet, die haar vader verloren heeft toen ze zeventien was, had me dat aangeraden: ga naar hem toe, kijk naar hem, neem afscheid, zeg nog iets. In mijn theatershow praat ik over hem, ik heb een gedicht over hem en mijn gevoelens na zijn dood geschreven. Dat komt zeker in onze oudejaarsshow. Hij ligt begraven in ons dorp. Een keer per week ga ik naar zijn graf, aan het eind van de training. Ik vertel hem dan even hoe het met me gaat, wat ik doe en hoe het lopen ging. We waren tenslotte echte hardloopvrienden.'

December 2005

EINDSCORE: +4

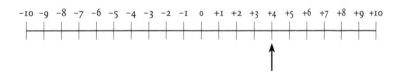

Commentaar

Enda Jansen (1935),
moeder van Dolf Jansen

De reacties:
Ik heb alleen maar positieve reacties gekregen op het interview. Mijn vriendinnen vonden het allemaal zo'n leuk en mooi verhaal. En dat vond ik ook. Ik geloof ook niet dat Dolf spijt had van het interview.

Het fameuze cijfer (+4):
Toevallig was ik op de dag dat Opzij in de bus viel, bij Margriet, de vriendin van Dolf. Zij ging onmiddellijk kijken wat voor een cijfer Dolf had gekregen. Zij was heel blij, maar ik schrok van het cijfer. Zo'n mooi interview en hem daar dan zo'n laag cijfer voor geven? Een vier! Ik begreep er niets van. Totdat mijn man uitlegde dat het van −10 tot +10 ging en dat het dus helemaal niet zo'n slecht cijfer was. Ik dacht bij die vier aan wat ze je op school geven en dat was toch vreselijk geweest. Nu vind ik het schitterend.

Dolf vond het ook een prachtig cijfer. Hij heeft er zelfs over opgeschept in een blad van de Hogeschool van Amsterdam.

Eigen mening:
Ik ben geen abonnee van Opzij, maar dat interview vond ik zo mooi, dat ik dat nummer meteen gekocht heb. Dolf heeft zich zeker niet mooier voorgedaan dan hij is. Ik herkende hem helemaal in het interview. Alles wat hij zei was oprecht en eerlijk. Maar dat is hij altijd.

En dan die tekening. Geweldig. Die zou ik wel willen hebben, zo mooi vind ik die.

'De islam is niet achterlijk, veel moslims wel'
Haci Karacaer

Hij is een gelovige moslim, maar zou graag de discussie aangaan over de dubbele moraal. 'Inderdaad, waarom moet een vrouw een hoofddoek om en ik geen pet op of een theedoek om m'n hoofd?' Transnationale huwelijken moeten verdwijnen, want 'er zijn genoeg jonge Turken en Marokkanen in Nederland om mee te trouwen, anders importeer je steeds nieuwe probleemgevallen'. Ayaan Hirsi Ali mag zeggen wat ze vindt, maar dan moet ze wel de consequenties aanvaarden, namelijk 'dat ze de moslimvrouwen van zich vervreemdt en niet aan zich bindt'.
Directeur van de Turkse organisatie Milli Görüs, Haci Karacaer (1962)

Hij weet eigenlijk niet of hij echt wel eenenveertig jaar is. Misschien is hij wel veertig, negenendertig of achtendertig. In zijn paspoort staat als geboortedatum 1 januari 1962, maar zijn vrouw is ook jarig op 1 januari, net zoals volksstammen andere Turken. Wel heel toevallig.

'Mijn echte geboortedatum weet niemand, ook mijn vader en moeder niet. Mijn vader denkt dat ik van 1964 ben, mijn moeder weet alleen dat de bomen gingen bloeien toen ik werd geboren. Tja, dat gebeurt natuurlijk elk jaar opnieuw. Toen ze mij naar de lagere school brachten, moesten ze daar weten hoe oud ik was. Dus er is toen maar een gok gedaan door de ambtenaar van de burgerlijke stand: 1 januari 1962. Ik kan daar zo kwaad over worden: waarom allemaal op 1 januari, waarom niet 3 maart of zo? Zo ongeïnteresseerd.'

Eigenlijk wel spannend. U kunt tenminste met recht een paar jaar van uw leeftijd aftrekken.

'Helemaal niet spannend, ik vind het triest. Ik zou graag willen weten wanneer ik geboren ben, dat wil toch iedereen? Maar op het Anatolische platteland waar ik vandaan kom, werd niks geregistreerd. Mijn moeder is gewoon op het land, tussen het werk door, van mij bevallen. Ik herinner me nog de geboorte van een jonger broertje. Mijn zus werd wakker, ze hoorde mijn moeder van de wc roepen: "Ga je tante eens halen," maar toen was het kind al geboren. Nee, ik vier m'n verjaardag nooit, m'n vrouw ook niet. Wij zijn daar niet mee opgegroeid. Op 1 januari is het sowieso feest: vuurwerk, champagne, doen we toch net of dat voor ons is?'

U kwam in 1982 naar Nederland, uw vader was hier al vanaf 1969. U hebt op Schiphol gewerkt, in de schoonmaak en de catering, later na een omscholing in de automatisering, bij de gemeente Amsterdam, het Gak en ABN Amro. U bent nu drie jaar directeur van de Turkse organisatie Milli Görüs, die enkele tientallen moskeeën en een paar culturele vrouwen- en jongerenorganisaties overkoepelt. U bent een echte Nederlander geworden, zegt u.

'Geloof ik wel. Ik dank God elke dag dat ik hier gekomen ben, ik wil nooit meer terug naar Turkije. Alles wat ik hier doe en zeg, zou daar niet kunnen. Ik kan hier lezen, me ontplooien, meedoen, zeggen wat ik wil. Dat kan in Turkije allemaal niet, het is een onvrij land met corruptie en omkoping en een veel te grote rol voor het leger, dat nota bene een autofabriek en een bank heeft. Daar mag je in het openbaar geen kritiek op hebben. Ik zeg weleens: in Turkije is iedereen een beetje vals en stiekem, dat wordt door de staat bevorderd, omdat je je eigen identiteit niet mag beleven. De beroemde uitspraak: iedereen weet dat de koning naakt is, maar niemand mag het zeggen, is volledig van toepassing op Turkije. Ik ben genaturaliseerd, heb een Nederlands paspoort en stem al jaren PvdA. Als dat niet geïntegreerd is? Ik heb zelfs geprobeerd op de gemeenteraadslijst van die partij te komen, maar dat was nog iets te vroeg, zie ik nu wel in, want als Milli Görüs-leider zou ik te veel verschillende petten hebben. Maar in de toekomst wil ik de politiek wel in. Minister worden, zegt u? Dat zou natuurlijk het toppunt zijn voor een kind van een arbeider en een moeder die niet kan lezen en schrijven.'

Laten we eens een actueel onderwerp bij de kop nemen: Ayaan Hirsi Ali en haar uitspraken over de achterlijkheid van de islam en de hoognodige emancipatie van moslimvrouwen.

'Ze mag zeggen wat ze wil, ook als politica. Dat staat voor mij voorop. Maar ze moet dan wel de consequenties aanvaarden.'

En die zijn?

'Dat mensen zeggen: dat kun je toch niet maken, je moet ook mij vertegenwoordigen, want je bent volksvertegenwoordiger. En als ze moslimvrouwen wil bevrijden, bereikt ze met haar uitspraken het tegendeel; die vrouwen nemen nu een defensieve houding aan. Ze vervreemdt hen van zich in plaats van dat ze hen aan zich bindt. Ik moet de eerste moslimvrouw nog tegenkomen die blij is met haar uitspraken. En wat bereikt ze dan? Wat ze zegt, mag soms waar zijn, maar als strategie is het fout. En dat zeg ik ook tegen Cisca Dresselhuys: je moet nooit je eigen emancipatieproces, het feministische concept zoals dat in Nederland is ontwikkeld, oppakken en zeggen: dat gaan we op Turken en Marokkanen loslaten, zo werkt het niet. Ik zou trouwens graag de discussie met Ayaan Hirsi Ali aangaan. Bij haar installatie als Kamerlid stonden er zo'n honderd demonstranten voor het Kamergebouw. Daar was ik niet bij, zal ik ook nooit bij zijn, dat is voor mij niet de weg. Nu is zij het die deze dingen zegt, zij is niet de eerste en zal zeker niet de laatste zijn. Waar ik me door geraakt voel, is dat zij een beeld neerzet, waardoor ik mij het recht ontnomen voel als gelovige deel te nemen aan de seculiere democratie. Het is bij haar: emanciperen en dus je geloof afzweren. Zij ziet geen andere weg.'

Zij geeft een kritische kijk op de islam en op de profeet Mohammed, onder andere op diens huwelijk met een negenjarig meisje.

'Ik ben een volgeling van Mohammed, dus dat steekt mij. En dat huwelijk? Het is de vraag of dat bestaan heeft. Ik ben geen voorstander van relaties met jonge kinderen, daar sta ik zeker niet achter.'

Waarom bent u dan zo geraakt door zo'n opmerking?

'Omdat ze nog verder ging in haar uitspraken. Zij trok de lijn door naar megalomanen als Saddam Hoessein en Khomeiny. Dat vind ik fout. Maar de grootste fout is dat zij emancipatie, inburgering en acceptatie alleen maar mogelijk acht als je je geloof vaarwel zegt. Alsof een persoon en zijn gedrag alleen maar bepaald worden door religie. Er zijn heel wat meer invloeden.'

Zij zegt bijvoorbeeld ook: er staat in de koran dat je je vrouw mag, soms zelfs moet, slaan om haar te corrigeren. Dat vindt ze verwerpelijk.

'Dat vind ik ook. En velen met mij. Het wordt tegenwoordig zelfs een beetje als achterlijk gezien je daarop te beroepen. Want dat zijn uitspraken van 1400 jaar geleden, die toen – in de tijd dat een man meer vrouwen had – misschien begrijpelijk waren, maar nu niet meer. Daar heb ik enorme discussies over met mijn imams, mensen uit mijn achterban en ook met mijn vader. Het is doodzonde dat wij in Nederland nog geen islamitische theologen hebben, die zich in deze discussie kunnen mengen. Want ik kan er van alles over zeggen, maar wie ben ik? De leider van een culturele organisatie, maar geen theoloog. Ik zei straks dat ik in de toekomst wel in de politiek zou willen, maar misschien zou ik nog liever theologie gaan studeren. Dat zou in ieder geval heel nuttig zijn. Want als de discussie gevoerd wordt met de koran onder de arm, zoals nu vaak gebeurt, wat trouwens heel ongemakkelijk voelt, moet je natuurlijk met theologische argumenten komen.'

Ayaan Hirsi Ali is een voortrekker, moet zo iemand niet voor de troepen uit lopen met haar uitlatingen?

'Zeker, dat moeten voortrekkers inderdaad. Ik word er ook van beschuldigd voor de troepen uit te lopen en dan zeg ik: ik ben hier de leider, niet de portier. Wat je niet mag doen is een religie, waaronder je zelf ontzettend geleden hebt, in haar algemeenheid verketteren. Dat je dat belangrijker vindt dan de mensen voor wie je zegt het allemaal te doen een perspectief te bieden. Het is vooral een kwestie van strategie en verstandig opereren.'

Ik herinner me van u ook geen misselijke uitspraken over de achterlijkheid van de islam: die heeft vijfhonderd jaar stilgestaan, hebt u gezegd. Is dat niet ongeveer hetzelfde als wat Pim Fortuyn en Ayaan Hirsi Ali zeiden?

'Nee, ik zeg dat het islamitische denken vijfhonderd jaar heeft stilgestaan. Een religie op zichzelf kan niet hollen of stilstaan, de aanhangers ervan wel. Die hebben vijfhonderd jaar stilgestaan, hun kop in het zand gestoken en hun geloof niet bijgesteld. De islam is dus niet achterlijk, maar veel moslims wel. Die willen 1400 jaar oude voorschriften van toepassing laten zijn op het leven en denken van de eenentwintigste eeuw. Dat kan niet. Daarom is er nu zoveel ellende en zijn er zulke grote problemen. Ze willen terug naar de bloeitijd van de islam, toen wij de voorlopers waren in het denken, maar die tijd ligt ver achter ons, die kun je niet terughalen. Het gaat uiteindelijk om de wijsheid achter de teksten en niet om de letterlijke regels. Bovendien moet je alles in zijn context laten. De enige weg is nu: zelf nadenken en je aanpassen aan de nieuwe tijd. Zo hebben wij bijvoorbeeld van de vrouwenfederatie van Milli Görüs het verzoek gekregen te helpen bij de opzet van een telefonische hulplijn voor mishandelde vrouwen. De eerste reactie van de mannen was er een van grote schrik: wat zullen de mensen daar wel van zeggen en: zo ga je stoken in een goed huwelijk. Het plan is er nog niet door, maar het komt terug op onze agenda. We hebben gezegd: dames, ga ermee verder, zoek contact met mensen die ervaring hebben met zo'n telefoondienst. Met een zekere goede wil kun je dat toch wel als een feministische ontwikkeling beschouwen, ook al zullen onze vrouwen dat zelf nooit zo noemen.'

Nee, want feminisme staat niet hoog op uw lijstje van geliefde zaken, denk ik.

'Het feminisme wordt in de islamitische wereld met een behoorlijke huivering tegemoet getreden.'

Waarom?

'Vanwege het negeren van het geloof, sterker nog: het uitbannen van het geloof.'

Dat is zeker niet een van de pijlers van het feminisme. Wel een echte pijler is: vrouwen moeten zelf over hun leven kunnen beschikken. Hoe staat u tegenover anticonceptie, abortus, betaald werk?

'De pil wordt heel veel gebruikt, ook door mijn vrouw bijvoorbeeld. Dat is geen punt meer. Ook al zijn streng gelovige moslims er misschien nog op tegen. Abortus: daar zijn we tegen, maar werk vind ik een noodzaak, voor iedereen, voor elke volwassene, man of vrouw. Want werk brengt je in contact met de maatschappij en dat is een must voor elke migrant. Daarom zou ik willen dat elke Turk, Marokkaan, Somaliër, noem maar op, zich elke dag ergens meldt, voor het geval men geen betaalde baan heeft. Al is het maar om samen de krant te lezen en te bespreken. Of hulp te bieden in de zorg. Iets terugdoen voor wat je hier krijgt: je bijstandsuitkering. Dat zou ik heel normaal vinden. Niemand mag zonder reden thuiszitten. Nederland mag best wat strenger worden ten aanzien van migranten. Zo vind ik dat het als immigratieland, want dat is het, een echte migratiepolitiek zou moeten voeren, zoals Amerika bijvoorbeeld. Dus: voordat je hier binnen mag, moet je de taal spreken, moet je aantonen dat je je nieuwe vaderland iets te bieden hebt en dat je jezelf kunt onderhouden. In Amerika zie je een heel ander soort migrant dan in Nederland: Turken, Ieren, Italianen, Mexicanen, allemaal zijn ze hartstikke trots op het feit dat ze Amerikaan zijn geworden.'

Dan maken analfabeten geen kans meer op migratie.

'Nee, en wat zou dat?'

Dan zou uw moeder hier nooit gekomen zijn.

'Mijn moeder woont niet echt in Nederland. Ik vind haar eigenlijk een tragische vrouw, ze pendelt, net als mijn vader, tussen Turkije en Nederland. Daar is ze veel gelukkiger dan hier, omdat ze daar iemand is, een individu. Hier is ze niks, want ze spreekt de taal niet, durft bij ons thuis de telefoon niet aan te nemen want ze kent alleen de woorden "mag niet", ze kan niet alleen een winkel in of naar de dokter. In Turkije verbouwt ze haar eigen tomaten en komkommers, stapt op de bus naar de markt waar ze haar spullen verkoopt. Ze kan inderdaad niet lezen of schrijven, maar in Turkije kan ze goed haar eigen leven leiden, als een zelfstandig persoon. Omdat al haar kinderen en kleinkinderen in Nederland wonen, wil ze ook hier zijn. Ik zeg weleens: zij hoort, net als mijn vader, tot de generatie wier dromen gestolen zijn. Ze verlieten jaren geleden voor het eerst in hun leven hun geboortedorpje en belandden toen gelijk in Nederland, België of Duitsland. Een aardverschuiving.'

U was het niet eens met mijn hoofddoekenstandpunt: geen redactrice bij Opzij met een hoofddoek. Maar u bent wel fel tegen de chador.

'De chador zou verboden moeten worden: die belemmert vrouwen in hun dagelijkse leven en contacten. Als vrouwen die willen dragen, wonen ze hier in het verkeerde land. De hoofddoek is een heel ander geval, daarover bestaat een grote consensus onder de moslims. Mijn eigen vrouw draagt hem ook, zij voelt zich daar prettig bij. U werkt niet emancipérend als u vrouwen met een hoofddoek weigert.'

Maar waarom draagt u eigenlijk geen pet als u tegenover mij zit? Want die hoofddoek is bedoeld om verleiding tegen te gaan. U kunt toch ook verleidelijk zijn voor mij? Of kennen vrouwen geen seksualiteit?

'U hebt gelijk dat de hoofddoek bedoeld is als instrument tegen verleiding. En inderdaad: alleen vrouwen zijn verplicht die te dragen. Dat zou een interessante discussie zijn: waarom zij een hoofddoek en ik geen pet of een theedoek om m'n hoofd? Ik kan daar geen antwoord op geven omdat ik geen theoloog ben. Daarvoor zijn die islamitische theologen en dan het liefst vrouwelijke, heel nodig. Maar u hebt gelijk: er is hier sprake van een dubbele moraal.'

U bent wel voorstander van de hoofddoek, maar niet van thuiszittende vrouwen?

'Nee, helemaal niet. Tachtig procent van de moslimvrouwen zit thuis. Spreek die voorraad aan, wat mij betreft met gepaste dwang of drang. Via cursussen moeten ze bij de maatschappij betrokken worden, net zolang tot ze klaar zijn voor een betaalde baan. Daarom organiseren wij nu zelf taalcursussen voor oudkomers, daar hebben we subsidie voor gekregen. Op die cursussen zitten tweemaal zoveel vrouwen als mannen, die hebben nog veel meer in te halen, ze zijn ook veel gedrevener dan mannen. Eigenlijk moeten ze zich driemaal bewijzen: tegenover hun eigen mannen, hun eigen leefwereld en de Nederlandse maatschappij.'

Hoe ziet het leven van uw eigen vrouw eruit?

'Zij heeft geen werk, maar volgt wel cursussen. Als ze nu aan het werk zou gaan, zou het in de schoonmaakbranche zijn en dat zou ik niet willen. Het is beter dat zij zichzelf via cursussen ontwikkelt en zelfstandiger en mobieler wordt. Wij hebben drie zoons, van wie twee zwaar gehandicapt. Zowel lichamelijk als geestelijk. Dat vergt natuurlijk heel veel van ons, maar vooral van haar, want ik heb mijn drukke baan.'

U bent een tegenstander van transnationale huwelijken.

'Die moeten worden afgeschaft, zorg dat daar een eind aan komt. Langs die weg importeer je steeds nieuwe probleemgevallen. Er zijn hier genoeg Turkse en Marokkaanse jongeren om mee te trouwen. Of Nederlanders natuurlijk, is ook goed. Je zou het moeten zien, de kermis die zich afspeelt als je naar Turkije op vakantie gaat met een stel dochters. De eerste avond komen er al familieleden op bezoek die hun oog op dochter A hebben laten vallen als huwelijkspartner voor hun zoon. Wil dochter A per se niet, dan switchen ze binnen een minuut naar dochter B. Idioot. Alles vanwege het economisch belang, geen sprake van liefde. Dat zulke huwelijken, vaak tussen neven en nichten, nog veel gesloten worden, verklaar ik uit het feit dat het doorsnee Turkse en Marokkaanse kind niet erg assertief is. Bovendien denken ze: misschien klikt het wel. Of: laat maar gaan, eenmaal terug in Nederland scheiden we wel. Maar zo makkelijk gaat dat allemaal niet. Dus wat mij betreft: geen transnationale huwelijken meer.'

U vertelde net iets over uw twee gehandicapte kinderen.

'Twee jongens, een van twaalf en een van drie met precies dezelfde handicap. Een vorm van epilepsie, ze kunnen niet staan, zitten, lopen of spreken, moeilijk slikken, ze worden gevoed via een maagsonde. Ze zijn zowel geestelijk als lichamelijk gehandicapt. Wat ze precies hebben, is nog steeds niet bekend. Overdag zitten ze in de dagopvang, 's avonds en in het weekeinde zijn ze thuis. Zaterdags en zondags doe ik het meeste aan hun verzorging, dan kan mijn vrouw naar haar zwemcursus en eens even rustig winkelen. We hebben een avond in de week iemand van de thuiszorg, maar verder doen we alles zelf. Het is een zwaar bestaan, want er is geen genezing mogelijk. Toen onze eerste gehandicapte zoon werd geboren, ben ik een halfjaar van de kaart geweest. Ik was geschokt, depressief, wist me geen raad met de situatie. Het liefst had ik toen mijn werk opgegeven. Gelukkig heeft mijn baas dat verhinderd, maar er wel voor gezorgd dat ik zes maanden parttime kon werken. Ik voel me schuldig dat we daarna een tweede kind met dezelfde handicap hebben gekregen. We hebben heel lang gewacht, er veel over gepraat, ook met deskundigen, die zeiden: jullie hebben 25 procent kans op nog een gehandicapt kind. Prenataal onderzoek was niet mogelijk, want deze afwijkingen zijn nog niet te ontdekken. Bovendien: wij zijn tegen abortus. Uiteindelijk ben ik overstag gegaan, mijn vrouw wilde zo vreselijk graag nog een kind. Het was een fatale beslissing, want dit kind had inderdaad dezelfde zware handicaps. Wat is dit voor een leven, voor hen, voor ons, denk ik vaak. Het is wachten, wachten, maar waarop?

Uiteindelijk op de dood. Ik hoop dat ze niet vreselijk moeten lijden voor het zover is. We weten niet hoe oud ze kunnen worden, op die vraag geeft niemand antwoord. Pas had een van hen longontsteking. Dan doe je natuurlijk alles om hem beter te maken. Naar het ziekenhuis, specialisten erbij, medicijnen, alles en alles. Moslims zijn tegen euthanasie, ik ook. Maar je weet niet waarvoor je nog komt te staan. Geen benauwdheid, geen slangen door de mond, geen vreselijke pijn, alsjeblieft niet, God, bid ik in stilte. Heel soms denk ik weleens: werden ze 's ochtends maar niet meer wakker. 's Nachts vredig en rustig gestorven, een einde aan het lijden, het wachten voorbij.'

Maart 2003

EINDSCORE: +1

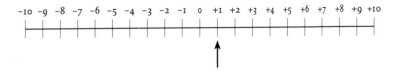

'Zonder mouwplankjes kan ik niet werken'
Henk Kamp

Hij is geen huiler: 'Ik geloof niet dat ik als kind gehuild heb toen mijn vader doodging.' Zijn vrouw kent hij al van de schoolbanken, 'na de middelbare school zijn we direct gaan samenwonen, ik heb daar nooit spijt van gehad'. Hij is heel katholiek opgevoed, was misdienaar en zanger in het kerkkoor, 'maar op mijn dertiende wist ik: ik geloof niet'. Hij was graag fractieleider van de VVD geworden, 'de mooiste politieke functie die er is.'
Minister van Defensie, Henk Kamp (1952)

Hij is een saaie man, zegt hij zelf. Geen man van grote emoties. Wel van vaste gewoonten. Zo strijkt hij al bijna z'n hele leven elke ochtend een overhemd voor zichzelf. Omdat er altijd werk te doen is, staat hij om zes uur op. Eerst een uur stukken lezen, dan ontbijten, z'n flat opruimen, wassen, scheren, schoenen poetsen en dat overhemd strijken. Soms twee, als er genoeg tijd is.

'Ik zou me doodschamen als ik mijn vrouw dat zou laten doen. Ik heb het vroeger van mijn moeder geleerd, het zou toch gênant zijn, dat ik dat nu opeens niet meer zelf zou doen. Bovendien: ik heb acht jaar doordeweeks alleen op een flat gewoond. Dan moet je wel voor jezelf zorgen.'

Kan ik daar een bewijs van krijgen? Hoe krijgt men een goed gestreken overhemd?

'Belangrijke voorwaarde is het mouwplankje...'

Het mouwplankje? Gebruikt u dat? U bent waarschijnlijk de enige man in Nederland die weet dat er überhaupt zo'n ding bestaat.

'Zonder een mouwplankje wordt het niks. Dan krijg je lelijke vouwen in de mouwen en manchetten. Ik heb het wel eens opgezocht in een etiquetteboek, die vouwen schijnen wel te mogen, maar ik vind het lelijk. Ik begin dus met de mouwen op dat mouwplankje, dan het achterpand, dan de voorkant, de manchetten en ten slotte de boord. Ik zet het strijkijzer op iets minder dan katoen, want katoen vind ik wel erg heet, dan ben ik bang dat ik de stof kapotmaak.'

U bent geslaagd voor het examen. Zo'n man heb ik nog nooit ontmoet. Hoe komt u aan dat mouwplankje?

'Gewoon: gekocht. Want dat zit niet standaard bij een strijkplank, gek genoeg. Ik strijk ook altijd een zakdoek. Nee, m'n sokken en ondergoed worden niet gestreken. Ik begrijp wel dat u wat voorbeelden zoekt om te zien hoe een man zich opstelt in z'n relatie, maar ik vind die aandacht voor mijn overhemden eigenlijk een beetje gênant.'

Helemaal niet. U bent de eerste die mij daar zo overtuigend over kan vertellen. De meeste mannen raken geen strijkijzer aan.

'Waarom zou je dat niet doen? Ik heb net zoveel handen als m'n vrouw, er is dus geen enkele reden waarom ik dat niet zou kunnen. En verder vind ik het heerlijk 's ochtends naar de radio te luisteren. Dat combineer ik dan met strijken. Ik heb zo m'n vaste ritmes.'

En dan gaat u naar het werk, tegenwoordig het ministerie van Defensie. Waarom bent u eigenlijk geen minister van Vreemdelingenzaken en Integratie geworden? Die post is u aangeboden. In de Kamer was u woordvoerder op dit terrein.

'In het eerste kabinet-Balkenende ging de portefeuille Minderheden naar de LPF. Ik had toen voorgesteld dat er zo'n ministerie moest komen, ik had er ook over nagedacht hoe je dat moest invullen en ik zou het toen graag gedaan hebben. Maar de LPF ging ermee vandoor. Toen ben ik minister van Vrom geworden, dat heb ik tien maanden gedaan. De laatste vijf maanden kreeg ik Defensie erbij na het aftreden van Benk Korthals. En toen viel het kabinet. Het tweede kabinet-Balkenende trad aan, de VVD kreeg Minderheden en Gerrit Zalm vroeg me inderdaad voor deze post. Maar ja, ik weet niet hoe dat met u gaat, maar ik hop niet van hot naar haar en ik was inmiddels gewend, zowel op Vrom als op Defensie.'

En Gerrit Zalm liet u kiezen; wat een voorkeursbehandeling.

'Ik ben bang dat ik Gerrit een beetje teleurgesteld heb door uiteindelijk niet te kiezen voor Vreemdelingenzaken en Integratie. Hij had, geloof ik, het liefst gezien dat ik dat gedaan zou hebben.'

U zat tien maanden op Vrom en vijf op Defensie. Uiteindelijk kiest u voor de laatste functie. Waarom?

'Ik denk dat ik voor Defensie gekozen heb omdat ik na meer dan vijfentwintig jaar binnenlandse politiek graag iets met het buitenland wilde, met internationale contacten.'

Bent u zelf in dienst geweest?

'Veertien dagen. Ik was goedgekeurd, wilde graag reserveofficier worden en ik was al geplaatst in de Jan van Schaffelaarkazerne in Ermelo, toen ik een meniscusoperatie moest ondergaan. Dat ging niet zoals tegenwoordig, je hele meniscus werd toen verwijderd, dus dat was niks meer met marsen lopen. Na elke mars had ik een enorm dikke knie. Na veertien dagen ben ik herkeurd en meteen weggestuurd. Einde van mijn militaire carrière. Ik krijg nu dus een herkansing.'

Als uw liefde voor Defensie zo groot is, waarom hebt u zich dan onlangs nog in de strijd geworpen om fractieleider van de vvd in de Tweede Kamer te worden?

'Omdat fractieleider de mooiste politieke functie is die er bestaat. Daarvoor had ik alle andere laten vallen. En ik dacht dat ik er wel geschikt voor zou zijn: ik kan me indenken in een Kamerlid, in een minister en ik heb jarenlange ervaring in de politiek, zowel op plaatselijk als landelijk niveau. Ik weet zo'n beetje hoe de partij in elkaar zit, ik heb goede ideeën, kortom: ik vond mijzelf wel een geschikte kandidaat toen Gerrit op een gegeven ogenblik zei dat hij weer in het kabinet wilde. Toen hij vroeg wie er belangstelling voor die functie had, heb ik mijn vinger opgestoken, net als Van Aartsen en Frank de Grave.'

U bent ook een Rupsje Nooitgenoeg.

'Ik ken mijn plaats. De fractie heeft gekozen voor Jozias en dat vind ik prima. Ik ben als minister ook heel gelukkig. Jozias is met een ruime voorsprong gekozen. Met hoeveel stemmen? Dat is officieel niet bekendgemaakt. Op wie ik gestemd heb? Eh... op mezelf. Dat mag in zo'n situatie, vind ik. Ik wilde die baan echt graag hebben, dan mag je op jezelf stemmen.'

Een fractieleider moet ook een goede teamleider zijn over heel verschillende mensen, inclusief iemand als Ayaan Hirsi Ali.

'Ayaan vind ik echt een talent. Een stoere meid, ik vind haar ook erg lief, ik mag haar graag, dus ik hoop dat ze lol heeft en houdt aan haar werk. Ze is slim, ik geef haar een goede kans. Ik zou het prachtig vinden als iemand van de nieuwe groepen in ons land erin slaagt een mooie plek in de politiek te verwerven.

Het woordvoerderschap emancipatie en integratie heeft ze inderdaad op een harde manier binnengehaald, via de pers. Tja, misschien moet je af en toe wel hard zijn en op je strepen gaan staan. Ik heb dat zelf nooit gedaan, ik zou het anderen ook niet aanraden, haar ook niet. Ik zei: "Je was al woordvoerder emancipatie en tweede woordvoerder integratie. Je hebt voldoende contacten met de pers om je goed te profileren, dus je krijgt vanzelf wel meer, doe het rustig aan." Maar ja, ze luisterde niet en heeft het toch anders gedaan. Uiteindelijk heeft ze binnengehaald wat ze wilde, dus dan ga ik niet zeggen dat ze het fout heeft gedaan.

Wat zoiets voor de verhouding met collega's betekent? Dat zal ze zelf moeten ondervinden. En dat zal af en toe wel met schuren gepaard gaan, dat vind ik geen probleem. Ze is helemaal nieuw; niet alleen in de politiek, maar ook in dit land, ze is gekomen om wat anders te brengen, dus ze hoeft niet alles van ons over te nemen.'

U staat op uw ministerie voor een serie keiharde bezuinigingen: 380 miljoen euro per jaar. Dat betekent onder meer het verdwijnen van negen- à tienduizend arbeidsplaatsen, het sluiten van drie vliegbases en twee kazernes, het afstoten van vier fregatten en bijna dertig jachtvliegtuigen. Niet leuk allemaal.

'Tja, wij zijn er niet voor de werkgelegenheid, maar voor het bijdragen aan vrede en veiligheid in de wereld. Als je een organisatie hebt die je stabiel kunt financieren, met mensen die je goed kunt betalen, waarmee je kunt voldoen aan je internationale verplichtingen en als je dat doet voor het geld dat je van de belastingbetaler daarvoor krijgt, doe je je werk goed. En dat kunnen we dus met zestig- in plaats van zeventigduizend mensen en met 108 jachtvliegtuigen in plaats van 137 en met tien fregatten in plaats van veertien. Grote zeeslagen op de oceanen tegen de Russen hoeven we niet meer te verwachten, die tijd is voorbij, dus we kunnen met minder schepen toe. Waar wij nu voor staan, is het meedoen aan crisisbeheersingsoperaties in de wereld. En dat kan, ook na de bezuinigingen.'

Is er nog sprake van compensatie voor plaatsen als Ede, Soesterberg en Twente, waar bases gesloten worden?

'Nee. Nogmaals: ons ministerie is er niet voor het verschaffen van werkgelegenheid. Misschien dat er wel iets te halen valt bij het ministerie van Justitie, waar nog geld is voor nieuwe gevangenissen.'

Worden de vrouwen ontzien bij de ontslagen? Er zitten toch al zo weinig vrouwen in de krijgsmacht.

'Ja, dat is zeker de bedoeling. Ons streefcijfer van 12 procent in 2010 blijft gehandhaafd en dat betekent dat we nu geen vrouwen willen ontslaan, want we zitten net op zo'n 8,5 procent.'

En dan de vraag die ik al twaalf jaar aan elke minister van Defensie stel: wanneer krijgen we de eerste vrouwelijke generaal?

'Als alles gaat zoals het er nu uitziet: in 2010. Maar dan moeten die paar vrouwelijke kolonels die in de operationele dienst zitten, niet voortijdig opstappen.'

Een andere belangrijke zaak: de Nederlandse aanwezigheid in Irak. Op grond van rapporten van de inlichtingendiensten heeft Nederland politieke steun geboden aan de oorlog tegen Irak. Kamerleden van de PvdA, SP en GroenLinks willen die rapporten zien. U weigert dat. Waarom?

'Ik kan niet meer met die diensten werken als ik hun geheime rapporten openbaar zou maken. Ze moeten mij, als minister, vertrouwelijk en ongecensureerd, met naam en toenaam en bronvermelding dingen kunnen vertellen. Als die rapporten openbaar worden, kunnen die diensten niet meer onbevangen en open functioneren en dat is niet in het belang van de Nederlandse staat en de Nederlandse krijgsmacht.'

Maar nu wekt u de indruk dat er vreemde zaken in die rapporten staan. Misschien wel een soort kwestie-Blair, die de gegevens van zijn inlichtingendiensten inzake Iraakse massavernietigingswapens 'opwaardeerde', wat tot een ernstige politieke crisis heeft geleid.

'Die conclusie laat ik volledig aan u. Ik vind het wel vreemd om, als er ergens in de wereld iets misgaat, direct te zeggen: dat zal hier ook wel het geval zijn, kom maar op de proppen met je geheime rapporten. Het is toch ondenkbaar dat ik zaken ernstiger zou voorstellen in de Kamer dan ze in werkelijkheid zijn, ik ben toch niet gek?'

In Engeland is dat anders wel gebeurd, omdat Blair zijn vriend Bush zo graag wilde steunen in diens oorlog tegen Irak. Inmiddels is er nog steeds geen spoor van massavernietigingswapens gevonden.

'Ik weet niet wat Blair bewoog, ik kan alleen zeggen dat wij in de Tweede Kamer gezegd hebben dat er een vermoeden bestond dat Saddam massavernietigingswapens had en dat was echt niet uit de duim gezogen. In het verleden waren daar achtduizend liter antrax en allerlei andere akelige dingen. De internationale gemeenschap heeft tegen Saddam gezegd: zeg wat je in het verleden had, vertel wat je vernietigd hebt en wat je nu eventueel nog hebt. Daar heeft hij nooit voldoende op gereageerd. Toen kwam het moment dat de internationale gemeenschap zei: nou is het afgelopen. Daarom hebben wij ook politieke steun aan de oorlog gegeven, maar we hebben nooit een overdreven voorstelling van zaken gegeven. Waarom zouden wij dat in vredesnaam doen?'

Om in de pas te lopen met Engeland en Amerika?

'Absoluut niet. Waarom zou ik in de pas willen lopen met die landen? Ik denk dat zowel Bush als Blair oprecht bezorgd was over de dreiging in Irak en dat ze het daarom nodig vonden in die regio op te treden.'

En als straks uit het Engelse onderzoek blijkt dat Blair de zaken flink heeft aangedikt, zoals de wapenexpert Kelly al heeft verklaard vóór zijn zelfmoord?

'Ik heb geen reden om dat aan te nemen. Voor mezelf kan ik alleen maar zeggen dat Saddam Hoessein de aanval op Irak had kunnen voorkomen door open kaart te spelen. Hij heeft ervoor gekozen dat niet te doen en het gevolg daarvan is dat hij nu verdreven is en dat is een zegen voor het volk van Irak.'

U hebt een aparte carrière achter de rug. Na de havo aan het werk in de tabaksgroothandel van uw schoonvader, daarna volgde u, al getrouwd en vader van een kind, een belastingopleiding waardoor u rechercheur bij de Fiod werd en toen belandde u via de plaatselijke en de provinciale politiek uiteindelijk in de landelijke politiek. En nu minister. Van krantenverkoper tot president.

'Nou, nou, nou, zo voelt het helemaal niet. Het is allemaal heel geleidelijk gegaan. Ik heb er altijd keihard voor gewerkt. Wat mij drijft, is de zaak van het algemeen belang. Als je daar niet warm voor loopt, hoor je niet in de politiek. Ik heb genoeg verstand om dit werk te doen, ook genoeg ambitie, ik denk dat ik de goede sociale instelling heb, ik ben integer, ik ben niet met mijn eigen belangen bezig of met het matsen van vriendjes. Ik wil bereiken dat de overheid van zo min mogelijk belastinggeld zo veel mogelijk doet.'

Als je u zo hoort is het politieke bedrijf een paradijs waarin louter engelen werken.

'Nee, hoor. Er zit helaas ook een nare kant aan de politiek, namelijk dat je veel meer op de fouten van je tegenstanders let dan op hun goede kanten. Je kijkt met een vergrootglas naar de dingen die ze volgens jou niet goed doen en die vergroot je uit. Dat is echt een nare kant van dit bedrijf. Als mijn collega-Kamerleden van vroeger dit lezen, zeggen ze: moet je horen wie het zegt. Want ik kon er ook wat van in mijn tijd.'

Maar altijd met die eeuwige glimlach op uw gezicht

'Is dat zo? Meent u dat? Ik hoorde juist altijd dat ik wat vriendelijker moest kijken en nu zegt u dat ik altijd glimlach. Dat vind ik nou juist zo dom, want er is toch geen aanleiding om altijd maar te lachen. Daar moet ik echt eens over nadenken.'

U was onlangs in Korea bij de herdenking van de Koreaanse oorlog. Uw vrouw was mee op reis. Is dat normaal?

'Meestal gaat de partner niet mee, maar in dit programma was een onderdeel voor de partners opgenomen, dus in zo'n geval gaat ze mee. Ik vind dat heerlijk, want ik ben al zo lang met haar samen dat ik het niet prettig vind alleen te zijn.

We kennen elkaar van de middelbare school, ik was zestien, zij veertien. Na school zijn we bijna onmiddellijk gaan samenwonen en we kregen ons eerste kind toen zij twintig en ik tweeëntwintig was. Heel jong, maar ik heb er geen seconde spijt van. Ik gun het iedereen dat hij zo vroeg de ware tegenkomt. Ik heb acht jaar doordeweeks alleen in een flat in Den Haag gewoond. De laatste tijd reist mijn vrouw mee naar Den Haag, want ze heeft haar werk als therapeute opgegeven. Fijn vind ik dat. Zij is de spil waarom mijn sociale leven draait, zonder haar zou ik vooral een werkezel zijn. Zij let erop dat ik mijn moeder ook doordeweeks nog eens bel en dat we contact houden met vrienden.

Ooit ben ik eens een paar dagen alleen op Schiermonnikoog geweest. We hadden een korte vakantie geboekt, maar toen het zover was, had ze iets aan haar knie en kon niet mee. "Ga jij maar, we hebben ervoor betaald en jij hebt zo hard gewerkt, je kunt wel wat vakantie gebruiken," zei ze. Dus ik ben gegaan. Nou, ja, ik ben lekker uitgewaaid op het strand, heb weer eens een boek gelezen, maar echt leuk vond ik het niet.'

U bent gelijk vanuit het ouderlijk huis gaan samenwonen. Heel beschermd.

'Dat kun je wel zeggen. Als kind heb ik een paar jaar bij de paters op een internaat gezeten. We waren thuis katholiek, ik was een door en door katholiek jongetje: misdienaar, ik zong in het kerkkoor, zat bij de katholieke welpen en verkenners en de katholieke voetbalclub. Totdat ik op mijn dertiende zeker wist: ik geloof niet. Ik kon niet geloven dat er een God bestaat. Ik heb niks tegen het geloof, het heeft de mensen veel goede dingen gebracht, maar zelf geloof ik niet meer. Geloof wordt je gegeven of niet en mij is het niet gegeven.

Die kostschool vond ik niet prettig, maar het kwam niet in me op om ertegen te protesteren. Mijn ouders deden het omdat ze dachten dat het goed voor mij was, vooral voor mijn opleiding, omdat de paters me veel beter konden helpen bij m'n huiswerk. Thuis was het heel druk, mijn ouders werkten samen in een eigen papiergroothandel, van 's ochtends vroeg tot 's avonds laat. En toen werd mijn vader ernstig ziek. Kanker. Dus het werd voor mijn moeder nog extra druk en zwaar: de verzorging van mijn vader, die lange tijd in de woonkamer op bed lag. En daarnaast het gezin met vier kinderen en de zaak.

Het was dus een verlichting dat ik uit huis was en maar twee keer per maand een weekeinde naar huis kwam. Ik wilde zelf graag elk weekeinde naar huis, maar toen mijn moeder zei dat het voor haar zo beter was, heb ik er nooit meer over gekikt. Ik had honderd procent begrip voor mijn moeder. Zij was zo'n harde werker, ik kan me haar niet anders herinneren dan aan het werk. Nog meer nadat mijn vader was overleden. Zij heeft de zaak niet in haar eentje kunnen redden, dus is ze ergens in loondienst gegaan. 's Avonds zat ze dan nog strikjes te maken, die ze verkocht aan banketbakkers als versiering op de bonbondozen.

Of ik mijn vader heb gemist? Niet echt, geloof ik. Het leven ging na zijn dood gewoon door. We woonden in een hechte gemeenschap, die veel opving. Ik ben geen huiler. Ik heb zelfs bij zijn dood niet gehuild. Maar weet u wat wel vreemd is, nu ik erover nadenk? Dat ik maanden na zijn dood voortdurend over hem heb gedroomd. Dat hij nog leefde en dat we samen fietstochten maakten. In werkelijkheid is dat misschien één keertje gebeurd: van Hengelo naar Delden. Maar in die dromen fietsten we elke nacht, we zeiden niks, maar reden gezellig naast elkaar, hele einden.'

September 2003

EINDSCORE: +6

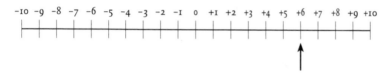

Commentaar

Linda Kamp (1954)

De reacties:
Spijt heeft Henk helemaal niet gehad van het interview. Sommige vrouwen zouden hem wel willen lenen.

Het fameuze cijfer (+6):
Hij vond het een prima cijfer. Ik begrijp dat een zesje in dit geval best goed is, dus wat mij betreft mag hij het hebben.

Eigen mening:
In het interview kwam de huishoudelijke kant wel erg sterk naar voren. Thuis hebben we het daar nooit zo over. We doen gewoon allebei wat klusjes.

Henk zegt in dit stuk dat hij saai is... Maar een échte 'saaimans' wil je na een wéék al kwijt. Ik zou dat in ieder geval wel willen. Dat we al vijfendertig jaar samen zijn, zegt dus wel wat.

'Ik wil niemand meer de genadeklap geven'
Andries Knevel

*Hij noemt zichzelf een sombere man, iemand die niet echt geniet van het le-
ven. Dat heeft minder te maken met de ellende in de wereld dan met hemzelf. Het zit in zijn karakter.*
EO-directeur Andries Knevel (1952)

'Ik geniet nauwelijks, vorige week bij een Mahler-concert in Vre-
denburg had ik een kortstondig moment van genieten. En een
goed glas wijn, een mooi boek en diepe momenten met mijn vrouw
als we samen een paar daagjes weg zijn, doen me ook goed, maar
in de grond van mijn hart blijf ik somber. Dat heeft te maken met
de gebutstheid door het leven, mijn leven in dit geval. Het menselijk bestaan is geen vreugdevol gebeuren, ook het bestaan van
een christen niet. Je zou denken: die mensen hebben Jezus in hun
hart, dus die leven heel vrolijk, maar dat is bij mij niet het geval. De
apostel Paulus zegt ergens: verblijd u te allen tijde, nou, dat gebod
kan ik echt niet houden, daar kom ik niet aan toe.
 Ik ben gebutst door het leven, door de jarenlange ziekte van
mijn vader en de dood van mijn zusje. Zolang als ik me kan herinneren had mijn vader ms, een langzame vorm, maar toch, hij is
nu al zestig jaar ziek. Tot zijn drieënvijftigste heeft hij nog een paar
uur per dag kunnen werken, de laatste jaren bracht ik hem elke dag
naar zijn werk op het gemeentehuis van Bussum. Hij is nu 81 en
zit in een rolstoel, vrijwel helemaal verlamd, alleen zijn armen kan
hij nog een beetje bewegen. Zijn ziekte heeft een zwaar stempel
gedrukt op ons hele gezin; mijn moeder heeft altijd moeten zor-

gen en verplegen. Soms werd het haar te veel, dan kon ze alleen nog maar op bed gaan liggen, dan kwam het hele huishouden zo'n beetje op mij neer, als oudste kind. Ik heb enorm veel bewondering voor mijn moeder, ze is voor mij altijd een toonbeeld van moed en kracht aan wie ik een voorbeeld neem.

Mijn jongste zusje is lang een zorgenkind geweest, ze leed aan angsten en fobieën. Na allerlei therapieën die niet echt hielpen, heb ik jarenlang heel intensief met haar opgetrokken. Elke dag probeerde ik met haar een stapje verder te gaan, heel letterlijk: eerst de tuin in, dan de straat op, naar de hoek lopen, een stukje op de fiets, op de bromfiets, met de auto. Dan een winkel in, eerst op heel stille momenten, dan wat drukker. Zo hebben we tijdenlang geoefend en geoefend. Uiteindelijk durfde ze weer naar buiten en onder de mensen te komen. Ze kon haar werk als bejaardenverzorgster weer doen. Ze kreeg een man en trouwde.

Eindelijk zag haar leven er een beetje zonnig uit en toen bleek ze plotseling kanker te hebben. Tot drie keer toe kreeg ze de boodschap dat de behandeling succesvol was, dat ze voor 99 procent genezen was, maar elke keer hoorde ze bij die ene procent: ze bleek niet genezen te zijn. Op haar zesendertigste is ze overleden. Dat heeft ons gezin een enorme dreun gegeven.'

Dan lijkt God niet bepaald die liefdevolle God van de EO.

'Regelmatig zeg ik: God, grijp nou toch eens in, laat eens wat meer van Uzelf zien. En niet alleen in mijn leven, maar überhaupt. Het zou toch een zegen zijn als Hij ingreep in Sierra Leone, in Algerije, in Kosovo, waar Albanezen worden afgeslacht. Dat zijn allemaal zaken die mij tot in het diepst van mijn vezels raken, daar lig ik nachten van wakker. Dan raak je aan het punt: is God almachtig en laat Hij dit allemaal willens en wetens gebeuren of is Hij machteloos en kan Hij er ook niks aan doen?

Ik ben daar heel veel mee bezig, want ik ben behalve een gelovig ook een rationeel mens, ik wil zo graag dingen kunnen begrijpen. Maar op dit punt kom ik er niet uit: hoe is de almacht van een liefdevolle God te rijmen met al het lijden in de wereld? Ik lees de bijbel steeds weer opnieuw, maar ik vind hiervoor nog geen oplossing. Ik wil er niet aan dat God een tandeloze, machteloze God zou zijn die het lijden niet kan voorkomen, maar ik wil ook niet gelo-

ven dat hij een bruut is die het lijden met zijn instemming laat gebeuren. Op het ogenblik kan ik alleen maar zeggen: Gods wegen
zijn ondoorgrondelijk, ik begrijp ze niet. Maar daar zal ik vast geen
genoegen mee blijven nemen, ik zal er steeds weer op terugkomen
en eraan blijven morrelen.'

Bestaat de kans dat u als ongelovige eindigt?

'Ik hoop het niet, ik hoop dat God mij vasthoudt. Ik heb zo'n
diepe relatie met Hem dat ik mij niet kan voorstellen dat die zou
verdwijnen. Tegelijkertijd weet ik dat er mensen zijn die op hoge
leeftijd alsnog agnost of atheïst worden. Dus ook hier moet je zeggen: zeg nooit nooit. Maar ik vind die gedachte alleen al dat mij
dat zou kunnen overkomen zo benauwend, zo vreselijk. Zonder
geloof heeft het leven toch geen zin? Dat betekent niet dat ik zelfmoord zou plegen als mijn geloof zou wegvallen, maar de zinloos-
heid zou me dan wel aangrijnzen. Wat is het dan helemaal, je hebt
tachtig jaar geleefd en dan is het voorbij, alles voorgoed voorbij.
Dan is alles toch zinloos en doelloos geweest? Ondanks alle goede dingen die je voor elkaar hebt kunnen doen. Ik weet het, ik weet
het, het leven heeft zin door alle dingen die je voor anderen doet,
maar dat is voor mij niet genoeg.'

*De EO is altijd de omroep van de stelligheden, de harde, afwijzende stand-
punten inzake abortus, euthanasie, homoseksualiteit. Deelt u die standpunten of verandert er wel eens iets in uw denken?*

'Natuurlijk denk je steeds opnieuw over deze dingen, vooral als
ze dicht in je eigen buurt komen. Wat abortus betreft, dat is en blijft
duidelijk voor mij: gij zult niet doden, staat er in de Tien Geboden
en als je aanneemt – wat ik doe – dat elke bevruchte eicel al een leven is, dan is abortus een verboden zaak. Als je, zoals de voorstanders van abortus, meent dat een bevruchte eicel in het begin alleen
maar een klompje slijm is en nog geen levend wezen, dan ligt het
voor de hand dat je geen moeite hebt met deze ingreep. Ik snap dan
ook niet dat die voorstanders zo'n moeite doen om te bewijzen dat
ze toch heel voorzichtig met abortus omspringen, dat ze het heus
niet doen omdat er een skivakantie gepland is. Wat maakt het uit?
Skivakantie of iets anders, als het alleen maar gaat om het weghe-
len van een propje slijm, maakt de reden toch niets uit? Ja, ook als
een zwangerschap, zoals in Bosnië, tot stand is gekomen na een

afschuwelijke verkrachting moet het nieuwe leven gespaard blijven. Dan moet er veel hulp voor de moeder zijn en de mogelijkheid afstand te doen van het kind.

Bij euthanasie ligt het allemaal veel minder eenduidig, want wat is euthanasie: iemand actief een spuit geven of passief ophouden met het verstrekken van levensrekkende medicijnen? Ik heb dat zelf meegemaakt bij mijn grootvader van 92. Toen was de vraag of we nog een ander medicijn of een nieuwe behandeling moesten toepassen. De dokter had zijn twijfels of het, gezien zijn algehele lichamelijke situatie, bij mijn grootvader nog zinvol was. Dan moet je van ophouden weten.

Ik ben niet als de orthodoxe joden die alles uit de medische kast trekken wat mogelijk is. Er komt een ogenblik dat je je moet terugtrekken. Ik heb het nu over uitzichtloos lichamelijk lijden. Natuurlijk, er is ook geestelijk lijden. Ik aanvaard de term: uitzichtloos geestelijk lijden, dat bestaat zeker. Maar als je daar iets aan gaat doen, is het zeer actief hulp bij zelfdoding. En daar ben ik tegen. Ja, je hebt gelijk, dat lijden moet iemand wat mij betreft uitzitten. Je gaat op Gods stoel zitten als je een leven beëindigt, maar als je een vreselijk moeilijk leven laat doorgaan, doe je dat in zekere zin natuurlijk ook. Ik ben geen automaat die zegt: dit is de situatie, dit is het gebod, hupsakee, zo moet het. Daar staat het menselijk leven tussen. Homoseksualiteit doet zich ook in mijn omgeving voor, dus dan ga je op dit punt de bijbel nog eens opnieuw lezen. Wat staat er precies? In onze orthodox-christelijke kring is daarover al langer een discussie gaande: heeft Paulus het nu echt over homoseksualiteit als hij zegt dat dit God een gruwel is, of gaat het over sodomie en andere perversiteiten? Is homoseksualiteit, beleefd in liefde en trouw, niet een vorm van seksualiteit die je zou moeten aanvaarden? In onze kerken wordt daarover druk gepraat en gedacht. Wat mij betreft: ik zie homoseksualiteit niet meer als een afwijking en ik denk ook niet meer dat het te genezen is. Maar hoe we daar nu precies mee verder moeten, weet ik ook nog niet, we zitten nog in een periode van studie en bezinning.'

Als ik naar de EO *kijk, ook naar u, word ik getroffen door de felheid en de intolerantie ten opzichte van andersdenkenden. Alsof ze te behandelen materiaal zijn, dat pas deugt als het bekeerd is.*

'Wat zeg je nou voor vreselijks: te bewerken materiaal? Hou nou toch op, zeg. Wij gunnen je Jezus, om het eventjes basaal te zeggen, en daarin zijn we erg gedreven, maar "te bewerken materiaal", hoe haal je het in je hoofd.'

Toch ben ik niet de enige die het zo voelt, de mediasocioloog Peter Hofstede en de schrijver Kees Fens noemen u een fundamentalist.

'Wat versta je onder een fundamentalist? Als dat iemand is die een aantal basiswaarheden gelooft, dan wil ik met ere een fundamentalist genoemd worden. Maar als het betekent dat het iemand is die, met of zonder geweld, zijn mening aan anderen opdringt, dan vind ik het een heel akelig woord, een heel eng iemand en dan voel ik mij niet aangesproken. Ik denk dat Peter Hofstede even niet goed bij zinnen was toen hij dat opschreef. Het portret dat Kees Fens over mij schreef in *de Volkskrant* vond ik naar. Ik vind het erg dat ik zo'n uitstraling heb, dat hij die dingen opschrijft. Wiens schuld dat is? Mijn schuld. Ik zeg toch dat ik het erg vind dat ik zo'n uitstraling heb. Ik ben niet zo, zijn visie correspondeert niet echt met de werkelijkheid. Misschien komt het wel door m'n priemende ogen. Blauwe contactlezen? Nee, ben je gek, ik denk er niet over, ik heb die ogen nu eenmaal.

In de eerste twee, drie jaar van *Het Elfde Uur* ging ik wel fel tekeer, wilde ik graag een genadeklap uitdelen, maar nu niet meer. Ik wil mensen niet meer onderuithalen. Een felle discussie, dat wel, ik maak tenslotte een journalistiek programma, daar mogen best harde noten gekraakt worden, maar ik kies toch veel meer voor de lijn van de liefde. Als je goed naar mij kijkt, zie je dat ik altijd een glimlach om mijn mond heb en nooit de genadeklap geef aan het eind, nooit. Ik laat mensen gewoon lopen, het blijft altijd leuk. Ik vraag ook van tevoren of er bepaalde dingen zijn waar men per se niet over wil praten, dat doe ik dan ook niet.

Ik heb er nu zo'n 190 uitzendingen opzitten en na afloop zegt iedereen dat het goed en gezellig was. Ik geniet van dit werk, ik zou het nog wel jaren willen doen. De mooiste gesprekken zijn die waarin een chemie ontstaat, waarin je voelt dat ook de ander zit te genieten. Dat had ik bijvoorbeeld bij Renate Dorrestein, toen we het over haar boek *Dit is mijn lichaam* hadden. Dat is een van mijn mooiste gesprekken geweest. We vonden het beiden een heerlijk interview. Een geweldige vrouw, ik heb al haar boeken in mijn kast. Zo zijn er meer fijne gesprekken geweest waarvan ik ook veel geleerd heb. Met Felix Rottenberg bijvoorbeeld, dat was een echt gevecht. Van hem heb ik geleerd dat het socialisme, waartegen ik me altijd fel verzet heb, vanuit goede principes ontstaan is, hij heeft me de bewogenheid van de sociaal-democratie laten zien.'

Mag iedereen in Het Elfde Uur?

'Onze formule: drie gasten per keer, twee uit "de wereld" en een uit onze eigen achterban, blijft gehandhaafd. Ik wil dit seizoen meer vrouwen in het programma hebben, minimaal één per keer. Dat is niet gemakkelijk, want wij zoeken de vrouwen vooral in de politiek en het bedrijfsleven. En dan ben je met een paar ministers en Sylvia Toth algauw aan het eind van je Latijn. Wat zeg je? De wetenschap en de cultuur? Natuurlijk, daar zitten ook veel vrouwen in, je hebt gelijk. Met een hoogleraar, zoals Heleen Dupuis, is het natuurlijk goed praten. En met iemand als Hella Haasse. Misschien ook vrouwelijke columnisten, zoals Beatrijs Ritsema. Ik ben nu een dossiertje over Dorien Pessers aan het aanleggen.

Tot nu toe hebben alle vrouwen die we gevraagd hebben altijd ja gezegd. Ik kan echt alle vrouwen krijgen. Voor mijn programma, welteverstaan. Schrijf dat maar niet zo op, want dan valt het doek natuurlijk. Wie ik graag nog eens zou hebben, is prinses Margriet. Haar man hebben we al eens gehad – het enige gesprek waarin we moesten knippen, van de Rijksvoorlichtingsdienst. Ik vroeg of hij de volgende dag ging stemmen en hij zei nee, waarna ik hem onderhield over dit prachtige grondrecht. Dat moest eruit. Verder zou ik graag nog Boonstra, Pieper, Ruud Lubbers en Van der Hoeven van Ahold hebben.

Wie er niet in komen? Menno Buch, Theo van Gogh en Xaviera Hollander. En allerlei voetballers, die op zondag spelen. Maar ja, ik merkt dat je je grenzen toch steeds verder oprekt, want ik zou nu best iemand als Gullit of Beenhakker willen hebben, mensen die over meer kunnen praten dan alleen maar over het trappen tegen een bal. Natuurlijk spelen die op zondag, maar als je een minister hebt, moet je ook niet denken dat die op zondag altijd een goed boek zit te lezen, die zal vaak werken. Voetbalde hij maar, zou je bijna denken.'

Met de vrouwen zit het dus nog niet helemaal goed in uw programma, hoe zit dat bij de EO als omroep?

'We hebben pas een advertentie gezet voor een clustermanager, dat is een van de vijf belangrijke managers onder de twee directeuren. Samen vormen die het managementteam. We willen bij voorkeur een vrouw op deze post. Laat ik het zo zeggen: het zou voor de EO heel belangrijk zijn een vrouw in de top te krijgen.'

Wat maakt een vrouw voor u aantrekkelijk, behalve dat zij pumps draagt, zoals u eens in HP/De Tijd hebt gezegd?

'Was dat het enige wat er stond? Wat vreselijk. Ja, ik herinner me dat ik zoiets gezegd heb, dat ik ervan houd dat vrouwen vrouwelijk zijn en niet van die Pleegzuster Bloedwijn-schoenen dragen. Maar ik heb meer gezegd. Is dat niet opgenomen? Wat een zotte uitspraak is dat zo, hè? Ik neem die woorden terug. Wat ik waardeer in vrouwen is dat ze sterk zijn, dat ze een sterke persoonlijkheid zijn. Een voorbeeld? Mijn vrouw en mijn moeder. Maar jij wilt natuurlijk bekende namen. De koningin? Nee, daar heb ik niks mee. Renate Dorrestein, maar die heb ik al zo vaak genoemd, dus dat vind je misschien een beetje flauw. Patricia Remak dan, VVD-Tweede Kamerlid, die ik in onze oudejaarsuitzending had. Die straalde iets uit van: hier zit ik, spontaan, niet brutaal, maar ook helemaal niet slaafs, niet alleen antwoord gevend op mijn vragen, maar soms zelf de leiding nemend van het gesprek. Door zo iemand word ik geïmponeerd.'

Wat vindt u van de positie van de Nederlandse vrouw in het algemeen?

'Er zijn te weinig vrouwen aan de top. Dat merk ik elke keer als ik vrouwelijke gasten zoek. In ons huwelijk zijn Rietje en ik volledig gelijkwaardig. Zij werkt twee dagen per week als bedrijfsleidster bij een productiefirma die programma's levert aan de televisie, ook aan de EO. Op haar schouders rust wel veel meer dan op de mijne de zorg voor onze drie kinderen, die allemaal nog thuis wonen, en voor de vier ouders en schoonouders, die allemaal in meer of mindere mate ziek zijn. Gelukkig hebben ze alle professionele zorg die nodig is, maar er is meer dan dat: je wilt bij hen zijn om met ze te praten, ze te troosten, er gewoon voor hen te zijn. Ze wonen allemaal vlak in de buurt, dus we kunnen gemakkelijk snel even langsgaan. Elke zondag gaan we naar een van de ouderparen.

Doordeweeks ga ik ook nog wel een keer en ik bel vaak. In onze kringen heeft men het nog wel eens over de man als hoofd van het gezin. Dat ben ik formeel ook wel, maar ik geloof dat bij ons thuis alles in goed overleg gebeurt.

In mijn kerk, de christelijk gereformeerde kerk, kennen we geen vrouwelijke ambtsdragers: geen dominees, ouderlingen of diakenen. Dat vond ik altijd prima. Mijn vrouw ook. Maar ik wil in de bijbel toch nog eens opnieuw onderzoeken of ik het daar nog mee eens ben. Wat het stemmen van vrouwen betreft: daarin verschil ik hemelsbreed van de SGP. Daar laten de vrouwen hun man bij volmacht stemmen. Wat zegt u? Hypocriet? Het is alsof ik mijn vrouw hoor, die zegt dat ook altijd. Mijn vrouw en mijn moeder hebben altijd zelf gestemd. Die vinden: of je stemt of je stemt niet, maar niet dat gerommel met mannen die met volmacht voor hun vrouw stemmen omdat ze dat zelf niet mogen. Tot mijn vijfentwintigste heb ik SGP gestemd, dat zou ik nu niet meer doen, het is nu RPF geworden.'

Hoe is Andries Knevel als man en vader?

'Ik zei al dat Rietje en ik volkomen gelijkwaardig opereren thuis. Onze jongste zoon heeft zijn studie er een tijdje aan gegeven, hij zag het niet meer zitten. Toen hebben we samen besloten dat hij maar eens een paar maanden naar Amerika moest. Zoiets besluiten we echt samen.

Als u het over mijn huishoudelijke taken wilt hebben, die bestaan wel degelijk. Ik ben een expert in het opruimen van buitengewoon chaotische keukens. Die willen bij ons nog wel eens voorkomen, met drie grote kinderen en twee werkende ouders. Ik heb er heel veel plezier in alles zo mooi op te ruimen dat het je tegemoet glimt. Dat doe ik vaak.

Verder: stofzuigen, vaatwasser in- en uitruimen, de boodschappen doen we samen op vrijdagavond, af en toe strijk ik mijn eigen overhemden, dat vind ik echt leuk, maar ik heb begrepen dat ik het niet goed aanpak. Ik krijg vaak van die valse vouwen en dan zit je helemaal fout, want hoe krijg je die er weer uit? Ik heb nu van mijn vrouw geleerd dat je moet beginnen met de kraag en de mouwen en dan pas de rest. Ik begon steeds royaal met die brede lap van het achterpand, lekker een groot stuk dat je mooi glad kon maken.

Maar dat was dus een verkeerde aanpak. Wat koken betreft zitten we thuis in een rommelige fase, dat is niet meer om zes uur achter de bloemkool met kruimige aardappels. Eén kind werkt van vijf tot acht bij Albert Heijn, een ander studeert in Amsterdam, ik kom nogal eens laat thuis, dus het gebeurt vaak dat ik mijn eigen hapje maak en ook nog iets voor de kinderen. Eten koken kan ik best, dat moest ik vroeger thuis vaak doen als mijn moeder ziek was, daar draai ik m'n hand niet voor om. Maar koken is geen hobby van me, ik ben geen type van een eigen set keukenspullen. Wat het vaderschap betreft, daar zit ik nog middenin. Ik ben bij alle drie de bevallingen geweest. De laatste was een keizersnede. Dat was vreselijk gezellig, ik stond erbij in zo'n groen operatiepak, ik regelde de zuurstof en de anesthesist maakte foto's van de gebeurtenis. Die keizersnee was het gevolg van een heel zware eerdere bevalling, waarbij mijn vrouw een ernstige vorm van bekkeninstabiliteit opliep. Ze heeft toen zes weken in een hangmat moeten liggen en een tijd met krukken gelopen. We kregen de boodschap: dit was het laatste kind, want een volgende bevalling kan een rolstoel tot gevolg hebben. Nou, die boodschap was duidelijk. Maar in de loop van de jaren lazen we er van alles over en merkten dat er misschien toch nog een mogelijkheid was. We wilden namelijk heel graag een derde kind. We zijn toen naar het Radboudziekenhuis in Nijmegen gegaan, de erkende experts op dit gebied, en daar zei men: via een keizersnede kan het nog wel. Dus hebben we na acht jaar nog een dochter gekregen. Fantastisch.

Ik ben altijd heel erg met de kinderen bezig geweest, 's nachts het bed uit, later spelen met blokken, Lego en Duplo en ga maar door. Ik merk nu dat ik met mijn dochter een heel andere emotionele band heb dan met mijn zoons. Ik heb een enorm beschermend gevoel ten opzichte van haar. Zo van: och meissie, je bent nu elf, wat kan je allemaal nog overkomen. Ik wil mijn armen om haar heen slaan en gewoon nooit meer loslaten, totdat ze tachtig is. Dat gevoel heb ik bij mijn zoons nooit gehad.'

Via de christelijke mannenbeweging bent u aan het emanciperen, wat betekent dat precies?

'De afgelopen vier, vijf jaar zijn er in ons land spontaan mannengroepen ontstaan, in navolging van de christelijke mannenbeweging in Amerika, de Promise Keepers. Die mannen komen een keer per week bij elkaar en houden eenmaal per jaar een grote bijeenkomst. Duizenden mannen komen daar dan. Er wordt gebeden en gepraat. We hadden in ons land natuurlijk al de christelijke vrouwenorganisaties, maar voor mannen was er niets. Het gaat hier heel duidelijk om de emancipatie van de man. Die zit namelijk niet meer als een gorilla op z'n borst te rammen met de boodschap dat hij de sterkste is, die wil een andere relatie met zijn vrouw en kinderen, een beter contact door meer praten. Niet meer die competitieve houding, dat machogedrag, maar meer het tonen van zijn emoties. Daarover praten deze mannen met elkaar. Op Urk heb je bijvoorbeeld een groep die elke zaterdagochtend om zeven uur bij elkaar komt. Op andere tijden moeten die mannen vissen. Ik denk wel dat deze mannenbeweging een gevolg is van de vrouwenemancipatie, maar dan geschoeid op christelijke leest. Hierdoor heb ik geleerd vaker tegen mijn vrouw en kinderen te zeggen dat ik van ze houd. Tegen mijn dochter zeg ik het erg veel: dat ik zo ontzettend van haar houd en zo gek op haar ben. Tegen haar zeg ik het toch nog makkelijker dan tegen mijn vrouw. Mijn emancipatie is eerder gevormd door deze beweging dan door het feminisme. Voor het feminisme kon ik nooit warmlopen, het deed me gewoon niks, het spijt me voor jou.'

Ook in uw emancipatie blijft u gelovig. En altijd weer wilt u anderen bekeren.

'Ik kan niet anders, als ik de bijbel serieus neem. Natuurlijk praat ik er niet elk moment, in elk gezelschap en op elk feestje over, dan zou ik geen geliefde gast meer zijn, meer een ouwe zeur. Maar ja, ik tob erover als mensen die ik liefheb ongelovig zijn. Dan kun je twee dingen doen: vreselijk veel voor ze bidden en er af en toe toch met hen over praten. Als ik jou naar de rand van de sloot zie lopen en je valt er bijna in, dan zeg ik toch: hé, stop. Ik grijp je bij je nekvel, want ik wil niet dat je verdrinkt.'

Maar als ik nu expres naar die slootrand loop omdat ik wil gaan zwemmen. En ik kan heel goed zwemmen, dus jij belet mij te doen wat ik wil?

'Ik weet heel zeker dat je daar niet kunt zwemmen, dat je echt zult verdrinken. Maar ja, als ik je dat een paar keer gezegd heb en jij wilt toch gaan zwemmen, dan laat ik het zo. Dan kom ik heus niet elke week bij je langs. Ik heb genoeg onchristelijke vrienden

en kennissen bij wie ik het heus niet elke keer weer probeer. Als mensen een bewuste keuze maken, is dat hun zaak. Maar ik blijf erover tobben, dus in die zin laat ik ze nooit los, ze blijven steeds in mijn gedachten.'
Maart 1999

EINDSCORE: +2

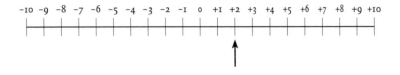

Commentaar

Rietje Knevel (1953)

De reacties:
Andries heeft spijt gehad van het interview en ik trouwens ook. In een interview dat zo lang duurt, blijk je er toch moeilijk aan te ont-komen dat je meer zegt, dan je eigenlijk prijs had willen geven. In Andries' geval hebben we vooral spijt gehad van het gedeelte over zijn zus. Het werd door een aantal mensen niet begrepen, dat hij zich daar kwetsbaar en open over had uitgelaten. Het werd hem zelfs verweten.

Voor zover ik me herinner, heb ik zowel positieve als negatieve reacties gekregen. Zojuist heb ik al negatieve reacties genoemd. Jammer genoeg schiet me op het ogenblik geen positieve te bin-nen. Over het algemeen merk je wel dat het ook gewaardeerd wordt, als je iets meer van jezelf laat zien.

Overigens ben ik geen bedrijfsleidster bij een tv-productiebe-drijf meer, zoals in het interview staat, maar werk ik al jaren in de Geestelijke Gezondheidszorg.

Het fameuze cijfer (+2):
Andries vond het aan de lage kant, maar volgens mij heeft hij niet lopen mopperen. De cijfers zijn over het algemeen aan de lage kant, toch?

Ik vond het cijfer te laag, omdat het voor mijn gevoel geen recht deed aan het feit, dat ik me in het huishouden erg gesteund voel door Andries. Als dat al niet letterlijk gebeurde, dan toch zeker door me te helpen de 'noodzaak' van sommige dingen te relativeren.

Eigen mening:
Ik herkende Andries zeker in het interview, hij doet zich nooit mooier voor dan hij is, maar ik zou me wel kunnen voorstellen dat het geheel wat somberder over is gekomen dan het in de praktijk is. We genieten genoeg samen, maar inderdaad, er zijn ook grote vraagstukken in ons leven en niet alleen in dat van ons.

'Ik zou graag opa willen worden, dat lijkt me een mooie tijdsbesteding'
Wim Kok

De nacht voor het interview had het flink geonweerd. Wim Kok en zijn vrouw Rita sliepen in het Catshuis. Hij werd wakker en dacht aan zijn jeugd. 'Mijn vader was doodsbang voor onweer. Als kind had hij een brand in zijn ouderlijk huis meegemaakt. Sindsdien had hij daar een panische angst voor. En dus moesten wij altijd opstaan en ons aankleden als het 's nachts onweerde. Hij stond dan met zo'n blikken trommeltje met de verzekeringspapieren startklaar. En mijn moeder waarschuwde altijd: ga niet met een schaar voor het raam staan. Je mocht überhaupt niet voor het raam gaan staan als het onweerde, maar al helemaal niet met een schaar. Alsof wij daar de neiging toe hadden. De combinatie: een stalen schaar en de bliksem was klaarblijkelijk levensgevaarlijk.'
Minister-president Wim Kok (1938)

Uw vader leeft niet meer, uw moeder nog wel.
'Mijn vader is zo'n vijftien jaar geleden overleden, mijn moeder is 84 en gelukkig nog goed gezond. Zij woont in een aanleunflat bij een bejaardenhuis. Ze heeft net voor de tweede keer een nieuwe heup gekregen, dus ze heeft een tijdje extra hulp gehad, maar normaal doet ze nog alles zelf.'
Geniet ze van de carrière en de successen van haar oudste zoon?
'Dat is heel gemengd. Want zo'n baan als de mijne heeft voor een moeder, trouwens voor je directe familieleden, ook moeilijke kanten. Neem die tijd van de WAO-kwestie, toen was er verschrikkelijk veel kritiek, ook op mij. De samenleving stond zo ongeveer op haar kop. Dat was voor een vrouw, die toen toch ook al tegen

de tachtig liep en er als weduwe alleen voor stond, heel moeilijk. Want natuurlijk werd ze daar door haar omgeving op aangesproken, zij was tenslotte de moeder van Wim Kok. En juist in zo'n hectische periode heb je geen tijd om daar eens rustig met elkaar over te praten. Dan is zo'n oude vrouw, die het mikpunt wordt van kritiek en vragen, heel kwetsbaar. Voor een moeder, die haar kind wil beschermen – ook al is dat kind een man van dik vijftig – is dat heel akelig. Voor je kinderen geldt hetzelfde. Die worden op school, op hun werk, in hun vriendenkring ook aangesproken op dingen die ik gezegd of gedaan heb. En natuurlijk is er altijd wel iets wat controversieel ligt. Ik moet me verdedigen, terecht, in het parlement en in de media. Maar zij moeten dat ook, terwijl ze er niets mee te maken hebben.'

Maar nu gaat het goed met u. Volgens de peilingen blijkt u echt een vader des vaderlands, zelfs VVD-stemmers willen u als premier in plaats van hun eigen Bolkestein.

'Ja, als je de wind in de rug hebt, voelt het wel even fijn. Maar nogmaals: de andere kant van de medaille is toch ingrijpender. Want zelfs al gaat het zo op het oog goed, er zijn altijd mensen, vooral ook ouderen, die zorgen of klachten hebben. Over de eigen bijdrage in de ziektekosten, over hun pensioen of de AOW en over toekomstige opvang. Onderschat niet het ongemakkelijke gevoel dat vooral bij eenzame ouderen leeft. Die lezen al die juichende opiniecijfers in de Volkskrant niet, die zien gewoon hun buurvrouw, mevrouw Kok, die toch de moeder van Wim is. Dus die zullen ze eens even een en ander onder de aandacht brengen.'

Vertelt uw moeder u dat of vreet ze dat een beetje op?

'Allebei. Natuurlijk krijg ik er wel iets over te horen, maar ik denk dat ze toch vrij veel incasseert wat ze mij niet vertelt.'

Die zou het dus best fijn vinden als u ermee ophield?

'Dat zou ik niet durven zeggen, daar zou ze ook wel weer heel gemengde gevoelens over hebben. In ieder geval zou ik dan meer tijd voor haar en de rest van de familie hebben. Maar ze zou ook weten dat ik niet iemand ben die gaat zitten duimendraaien.'

Dat moet onlangs op zaterdagmorgen fijn opstaan zijn geweest, toen op de voorpagina van de Volkskrant zulke positieve dingen over u stonden: meer dan driekwart van het Nederlandse volk wil u als premier en niemand wist een negatieve eigenschap van u te noemen.

'Ik heb er vrij lang over gedaan voordat ik die ochtend de krant uit de bus had gehaald, we waren nogal laat. Voor achten hoorde ik wel op de radio al een samenvatting van dat nieuws.'

Maar toen vloog u ook naar de brievenbus.

'Nee, hoor, er was op dat ogenblik nog zo veel te doen. Ik moest nog boodschappen doen. Ik moet eerlijk bekennen dat ik het hele verhaal pas op zondagavond echt ben gaan lezen. Daarvoor heb ik wel zo'n beetje de koppen bekeken. Ik denk dat ik het sneller was gaan lezen als het negatief was geweest. Dat ik dan eerder had willen weten wat er fout was. Nu dacht ik: dat komt morgen wel.'

Eerlijk?

'Nou ja, het geeft op zichzelf natuurlijk wel een goed gevoel, maar dit soort onderzoeken doen ze zo vaak en de ene keer kom je er beter uit dan de andere keer. Dat klinkt misschien wat blasé, maar zo is het wel.'

Als u dat allemaal leest en men geen enkele negatieve eigenschap van u noemt, denkt u dan niet: ze moesten eens weten, ze moesten mijn vrouw of mijn kinderen maar eens interviewen?

'Ik heb wel tegen Rita gezegd: er schijnen alleen maar goede eigenschappen van mij te worden genoemd, negatieve bestaan er niet meer, wil je dat vooral niet ontkennen de komende maanden. Dat was vroeger wel anders, toen hadden ze van alles op me aan te merken.'

Zoals?

'Zoek het eens op, zou ik zeggen.'

Saai, bijvoorbeeld?

'Eh, ja, dat werd wel eens gezegd. Nog trouwens. Dat mag er wat mij betreft nog steeds in staan, dat stoort me helemaal niet. Ik bedoel: wat is dat eigenlijk, saai? Is dat voorspelbaar? Dat heeft dan weer te maken met betrouwbaar. Saai als weinig flamboyant? Dat klopt, ik ben een weinig flamboyante man. Kennelijk is men tegenwoordig aan die saaiheid van mij gewend en stoort men zich er minder aan.'

Bij Bolkestein stond bijvoorbeeld dat men hem een dwarsligger vindt. Dat vind ik nog wel iets pittigs hebben.

'Ik denk dat Nederlanders mensen met een mening erg op prijs stellen. Ik heb uiteraard over tal van onderwerpen een mening, ieder uur van de dag word ik daarover ondervraagd en die geef ik dan ook. Maar ik denk dat het erom gaat hoe je vervolgens omgaat met al die verschillende meningen. Dat je niet onwrikbaar op je stuk blijft staan, maar met behoud van je eigen gevoel en eigen mening pogingen doet dichter bij elkaar te komen. Dwarsliggen zou wel eens kunnen betekenen: niet tot elkaar kunnen komen, koppig.'

U vertelde net dat u zaterdags vaak boodschappen doet.

'Ja, niet elke zaterdag natuurlijk, alleen als ik thuis ben. Eenmaal in de twee weken is onze oudste zoon André, die geestelijk en lichamelijk gehandicapt is, thuis uit Bartimeushage. En vanwege hem zijn wij echte lijstjesmakers. Een van de dingen waarop hij nog getraind kan worden, is namelijk boodschappen doen. Dan bespreken we eerst wat we 's avonds en de volgende dag zullen eten en wat we daarvoor nodig hebben. Dan maken we een lijstje en vragen hem of we echt niks vergeten zijn. Hetzelfde met eten koken. Hij wil bijvoorbeeld graag gehaktballen maken. Dan gaan we niet paneermeel, eieren, zout en peper voor hem neerzetten, dat moet hij zelf bedenken en bij elkaar zoeken. Dat hoort bij zijn ontwikkeling. André is nu 35 en behalve geestelijk gehandicapt zeer slechtziend, slechthorend en epileptisch. We zitten op het ogenblik in een fase waarin we hem zo gericht mogelijk meer proberen te leren. Vroeger bood men gehandicapten – figuurlijk – alleen maar een warme deken, liefst twee, waarin ze verzorgd en geknuffeld werden. Maar die tijd is gelukkig voorbij.

Goed, wij gaan dus naar de winkels, hier op ons pleintje in Amsterdam-Slotervaart. Als we niet zoveel tijd hebben, wordt het voornamelijk Albert Heijn, maar meestal ook de kleinere winkels: de poelier, de groenteboer, de kaasboer en de slager. Eerlijk gezegd is dat laatste veel gezelliger. Je hebt meer contact met de winkeliers, maar ook met de andere klanten.'

Hoe behandelen ze u in de winkels, als de minister-president?

'Nee, je bent langzamerhand zo'n deel van je omgeving geworden, het is je eigen buurt waar je al jaren woont. Naarmate je meer ingeburgerd bent in je wijk spreken ze je minder aan op je werk of je functioneren. Soms wel eens een keertje in de trant van: dat was goed gisteravond op de televisie, en dat vind je dan wel leuk.'

Bent u een royale inkoper? Veel voorraden? Altijd genoeg in huis voor on-verwachte gelegenheden?

'We zijn nog maar met z'n tweeën thuis, de drie kinderen zijn het huis uit. André komt dus eenmaal per twee weken een weekend thuis. Ik ben niet zo goed in de huishouding, ook daarom heb ik graag boodschappenlijstjes, zodat ik weet dat ik niet te veel koop of de verkeerde dingen. Ik ben nog opgevoed, u misschien ook, in de sfeer van: je mag geen eten weggooien. Dat doen wij dus ook niet. Van kindsbeen af is dat erin gehamerd: zuinig zijn, gooi nooit eten weg. Dus moet je zorgen dat je niet te veel inkoopt. Wij zijn ook geen mensen die de vrieskist helemaal volgooien. We hebben meestal wel iets achter de hand, een klein stukje vlees of iets anders.'

U hebt vast een werkster?

'Ja, een paar uur op de maandagochtend.'

Wit of zwart?

'Wij houden ons netjes aan de regeling dat iemand een beperkt aantal uren bij jou in de huishouding mag werken.'

U bent de enige bewindspersoon die voor de tweede keer langs de Feministische Meetlat mag. Bij de eerste keer, u was toen minister van Financiën, scoorde u plus drie. Wat wordt het nu, denkt u?

'Dan heb ik toen wel mijn uiterste best gedaan, zeker. Ik heb geen flauw idee. Ik ga toch echt niet op zaterdagochtend lopen stofzuigen in de gedachte: dan krijg ik er van *Opzij* weer een puntje bij.'

U hebt het altijd over uw drie kinderen: uw zoon André, uw dochter Carla en uw zoon Marcel. André en Carla zijn uit het eerste huwelijk van uw vrouw. Dat kwam vorig jaar opeens in het nieuws. Vond u dat naar?

'We hebben er nooit mee te koop gelopen, maar het was ook geen streng bewaard geheim. Op een bepaald ogenblik is het naar buiten gekomen. Tja, dat is dan een *fact of life*. Rita en ik hebben er wel even over gepraat, maar we waren niet heel erg geschokt toen het op grotere schaal bekend werd.'

Als man van drieëntwintig bent u een relatie aangegaan met een jonge gescheiden vrouw met twee kinderen, van wie een gehandicapt. U moet wel heel gek op Rita zijn geweest.

'Dat ik heel gek op haar was, is absoluut waar. Maar een feit was ook dat de ernst en de ware aard van Andrés handicap toen nog maar in heel geringe mate bekend waren. Niet dat ik anders gereageerd zou hebben als zijn handicap al voor honderd procent bekend was, maar we wisten nog niet echt hoe erg het met hem was. Jonge ouders weten vaak pas na lange tijd wat er precies aan hun kind mankeert. Ze worden van het kastje naar de muur gestuurd.'

Wat zeiden uw ouders ervan?

'Die waren in het begin natuurlijk geschrokken, dat kunt u zich voorstellen. Geschrokken in de sfeer van: wat haalt die jongen zich allemaal op zijn nek. Maar verder wil ik hier niet over praten uit piëteit met alle betrokkenen.'

Dit interview met u staat in een themanummer over de toekomst. Hoe ziet die van u eruit?

'Dat is wel bekend: ik wil graag door als premier van een nieuw paars kabinet. Maar als de kiezers anders zouden beslissen, bijvoorbeeld door de VVD de grootste partij te maken, dan wordt de zaak anders. Ik zou niet als vice-premier onder Bolkestein gaan zitten. Ik wil niet als tweede stuurman op het schip zitten. Om twee redenen: als de bevolking via verkiezingen zegt dat men een andere premier wil, moet je daar niet als oud-premier naast gaan zitten. Dat werkt volgens mij niet goed. Dat is de menselijke kant van de zaak. De politieke kant is dat ik bij de verkiezingen als minister-president het vertrouwen vraag zowel voor mijn partij als voor mijn persoon. Als de bevolking daar "nee" tegen zou zeggen, moet je daaraan je consequenties verbinden. Wat dan? Dat weet ik nog niet. Daar denk ik ook niet aan nu we nog zo *full speed* bezig zijn.'

Wat zou u nog een andere leuke baan of functie vinden?

'Mijn rangorde is: gewoon hiermee doorgaan de komende vier jaar. Mijn hoofd staat er niet naar iets anders te bedenken. Maar als dat zou moeten, zou ik in elk geval flink de tijd nemen om tot mezelf te komen en ook tot elkaar te komen met mijn vrouw en kinderen. Met Rita zou ik overleggen wat de meest voor de hand liggende en zinvolle invulling van mijn verdere leven zou zijn. Een van de grootste fouten die mensen maken die plotseling in zo'n situatie terechtkomen, is dat ze onvoldoende de tijd nemen om goed na te denken over hun toekomst. Uit een soort jachtigheid en angst springen ze op het eerste af wat hun wordt aangeboden om dan later tot de conclusie te komen dat ze zich weer hebben laten leven.

In 1984 ben ik drie maanden ernstig ziek geweest, hersenvliesontsteking. Ik moest met rust genezen en dat is godzijdank gebeurd. Later heeft de neuroloog me verteld dat ik 25 procent kans had gehad om te overlijden, 25 procent kans op een blijvende, zeer ernstige verlamming en vijftig procent kans op beterschap. Verstandig trouwens dat hij dat pas achteraf vertelde en niet toen ik met knetterende hoofdpijn in het ziekenhuis lag. Wat ik hiermee wil zeggen, is dat ik in die situatie van noodgedwongen rust bepaalde dingen geleerd heb. Bijvoorbeeld dat je dan veel meer aandacht krijgt en ook zoekt van je familie, buren, voorbijgangers op straat, je medemensen. Ik stond toen de heg te knippen en was blij als er een buurman langskwam met wie ik een praatje kon maken. Daarvoor zag ik die man waarschijnlijk elke dag passeren, maar je wisselde nauwelijks een woord. Ik heb altijd veel belangstelling gehad voor mensen, maar ik heb veel te weinig tijd voor ze. Niet dat ik nu als een soort Florence Nightingale te boek wil staan, maar als je meer aandacht voor mensen hebt, zie je hoeveel positiefs er onder hen leeft. Als ik meer tijd zou hebben...

De padvinderij is niet mijn pre. Maar vrijwilligerswerk vind ik heel belangrijk. Ik denk niet dat ik zelf mijn hele dag daarmee zou kunnen vullen, maar ik heb veel respect voor wat mensen daar doen. Van iemand die het altijd maar over werk, werk, werk heeft, klinkt het gek, maar ik heb er een broertje dood aan dat je alleen maar meetelt als je betaald werk hebt. Vrijwilligerswerk is het cement van onze samenleving. Misschien dat ik wel zou willen meedraaien in een groep mensen die zich bezighoudt met het denken over en het bespreekbaar maken van nieuwe ontwikkelingen in het gehandicaptenwerk.'

U zei net een keer 'godzijdank'. Hebt u iets met geloof en religie?

'Nee. Maar ik ben er voldoende dicht bij in de buurt opgevoed en opgegroeid om er respect voor te hebben. Het is geen totaal onbekende wereld voor mij. Mijn moeder was vrijzinnig hervormd, ze heeft er nooit veel aan gedaan, maar toen mijn broertje vlak na de oorlog werd geboren, had ze ineens behoefte hem te laten dopen. Dat is toen gebeurd en ik als kind van zeven ben toen ook nog gedoopt. Door een "lichte" dominee: Hugenholtz, meen ik. Mijn moeder luisterde zondags ook altijd naar dominee Spelberg van de VPRO. Maar het geloof heeft mij nooit kunnen raken, ik heb er geen affiniteit mee. Bij de vraag of er na de dood nog iets zal zijn, kan ik me ook niets voorstellen.'

Voor u is het: af is af, uit is uit.

'Nou, ja, af is af... Wat ik merk, is dat mensen ook na hun dood vaak nog een onuitwisbare indruk op anderen blijken te hebben achtergelaten. Ik merk dat zelf. Dat is wel iets anders, maar heel belangrijk. Je leeft door in de gedachten en levens van anderen. Maar of de overledene daar zelf nog iets van weet? Ik heb daar, om het zo te zeggen, geen aanwijzingen voor, ik heb daar geen verwachtingen van dat dat zo is. Maar ik heb allang afgeleerd om daar in heftige, afwijzende termen over te praten. Het is immers niet te bewijzen en bovendien moet je alle mensen met hun opvattingen in hun waarde laten.'

Iets heel anders: vrouwen in de politiek. Vooral vanuit de PvdA hebben we geluiden van vrouwen gehoord die de politiek de rug toekeerden. Is het wel leuk werken voor vrouwen in de Tweede Kamer?

'Het is moeilijk daar in het algemeen iets over te zeggen. Gerda Dijksman is er voortijdig uitgestapt en twee anderen die binnenkort vertrekken, hebben zich ook in negatieve zin geuit. Ik heb zelf drieënhalf jaar in de Kamer gezeten en ik weet dat er een geweldige pikorde is.

En ik denk dat haantjes over het algemeen iets beter kunnen pikken dan hennetjes. Die pikorde haalt soms het slechtste, soms ook het beste in mensen naar boven. Naar haar aard is de politiek nog steeds vooral en zeker te veel een mannenbedrijf.

Toen ik in 1986 in de Kamer kwam, had ik al een heel leven achter de rug in de vakbond. Nu was de vakbeweging absoluut geen clubje waar alleen maar aaien over de bol werden uitgedeeld, het was ook een hard leven, maar de individualiteit in de Kamer is wel erg groot, groter dan elders. Met individualiteit bedoel ik dat je beoordeeld wordt op je individuele prestaties. Er zijn geen andere bedrijven waar je zo nadrukkelijk om de vier jaar beoordeeld wordt op je functioneren. Je moet je onderscheiden, je moet scoren, want als je dat niet doet, ga je ten onder in de grauwe middenmoot en dat breekt je op als de kieslijsten worden opgesteld. En dat "moeten scoren" kan het slechtste in mensen wakker maken. Ik hoop dat ik toch een beetje een normaal mens ben gebleven, niet gedeformeerd ben geraakt. Om de kwaliteit van het functioneren van de Kamer wat bij te stellen, is het hard nodig dat er nog meer vrouwen in komen.'

Uit onderzoek blijkt dat steeds meer vrouwen, straks al een op de vier, bewust geen kinderen krijgen. Is dat zorgelijk?

'Kinderen krijgen is en blijft een volstrekt vrije keuze van mensen. Maar dan moet het ook echt een keuze kunnen zijn: vrouwen moeten niet van het moederschap afzien omdat ze geen mogelijkheid zien een baan en een gezin te combineren. Dus moet je als overheid heel goed onderzoeken: wat is de reden van de kinderloosheid en wat kunnen wij eraan doen om de combinatie werk en zorg mogelijk te maken. Op zichzelf is het zorgelijk als steeds minder vrouwen kinderen krijgen, omdat de balans tussen grijs en groen, oud en jong, nog verder uit haar evenwicht raakt. Een overheid mag daarom best een bevolkingspolitiek voeren.'

Hoe dan? Via meer kinderbijslag bijvoorbeeld?

'Nee, geen hogere kinderbijslag, maar wel meer kinderopvang en verlofmogelijkheden. En een wettelijk recht op deeltijdwerk.'

Zou u zelf graag kleinkinderen hebben?

'O ja, heel graag. Maar zoiets moet je niet te hard zeggen, want dat werkt contraproductief, dan duurt het nog langer. Mijn dochter woont al een hele tijd samen en ik geloof dat mijn kansen om via haar opa te worden vrij beperkt zijn. Dus ik hoop op mijn jongste zoon, die pas getrouwd is. Het grootvaderschap lijkt me wel mooi, een zichtbare illustratie dat het leven doorgaat en bovendien een fijne tijdsbesteding.'

Een tragische actualiteit: het toenemende geweld op straat.

'Dat is een van de grootste zorgen van dit moment, waarop niemand een afdoend antwoord heeft. Er zijn een paar belangrijke zaken: minder drank schenken aan jongeren, ook al gaat dat ten koste van de portemonnee van de horecabaas, meer politietoezicht, meer aandacht voor de schooluitval van grote groepen jongeren, want daardoor krijg je al vanaf een vroeg moment in het leven een gebrek aan controle en zinvolle dagbesteding – nog afgezien van het feit dat zonder diploma de school verlaten niet veel zicht geeft op een baan – en dan ten slotte meer aandacht voor geweld op de televisie. Elke dag zien kinderen op tv veel geweld, dat vaak volstrekt emotieloos wordt getoond. In het journaal zie je nog wel eens verdriet en rouw. Maar in al die zogenaamd spannende series wordt maar geschoten en gestoken zonder dat de rouw van de nabestaanden aan bod komt, want daar is geen tijd voor.

Ach, wat je ook verzint aan mogelijke factoren, het brengt je toch niet echt tot een oplossing, je kunt er met je verstand niet bij dat mensen elkaar zonder enige reden letterlijk doodtrappen. Ik heb daar geen antwoord op. Maar we moeten in ieder geval een evenwicht zien te vinden tussen straf en preventie. Er moet harder gestraft worden als er dingen gebeuren die absoluut niet getolereerd mogen worden, daar ben ik echt niet soft in, maar we moeten ook aan preventie doen en dan doel ik op het beperken van schooluitval en alcoholmisbruik.'

Wat een felle kritiek kreeg het kabinet onlangs van kardinaal Simonis. 'De enige echte socialist van dit moment is bisschop Muskens, dat is de enige die net als Joop den Uyl nog over de onderkant van de samenleving praat.'

'Ben ik het totaal mee oneens. Praten over de onderkant is immers niet voldoende, je moet kijken wat je praktisch en concreet kunt doen. Ik respecteer de opvattingen van de bisschop, maar hij moet zich niet over alles een mening aanmatigen. Gelukkig zijn kerk en staat goed gescheiden in Nederland.'

Nog een uitspraak van hem: 'Ik schrok van de troonrede, een opsomming van allemaal materiële zaken met een nietje erdoor, geen toekomstvisie, geen bezieling, Nederland mist een ziel.'

'Klinkklare onzin. De bisschop moet meer tijd besteden om hier eens grondiger naar te kijken, hij moet zich niet verlagen tot dit soort platitudes. Het is baarlijke onzin dat het in de troonrede alleen maar om materie zou gaan. De woordvoerders van de kerk moeten niet de ene keer zeggen: de politiek spreekt alleen maar mooie woorden, maar doet niets en als we dan de armoede materieel bestrijden weer zeuren dat het om meer gaat dan dat. Natuurlijk gaat het om veel meer tegelijk, maar ook om geld. Je kunt arme mensen niet alleen tevredenstellen met een troostend woord.

Iedereen die de tijd neemt rustig kennis te nemen van wat de regering over deze dingen zegt, zal niet tot zo'n versimpeld oordeel komen. Ik vind de reactie van bisschop Simonis goedkoop en dus een beetje beneden de maat.'

Ten slotte iets heel anders: trouwt Willem-Alexander met Emily en zo ja, wanneer?

'Komt u over vier jaar nog maar eens terug. Dan praten we ook daarover.'

December 1997

EINDSCORE: +3

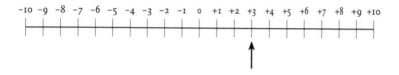

Commentaar

Rita Kok (1939)

De reacties:
Of hij achteraf spijt had van het interview, weet ik niet meer. Ik heb hem er nooit over gehoord. Wij spreken ook nooit op die manier over interviews.

Ook eventuele reacties kan ik mij niet meer herinneren. Het is te lang geleden. Bovendien waren er in die tijd zo veel interviews met mijn man, dat ik dat niet allemaal heb onthouden.

Het fameuze cijfer (+3):
Hij zal het niet vleiend hebben gevonden, maar ik denk ook niet dat hij het heel serieus heeft genomen.

Zelf vond ik het aan de lage kant, maar mijn criteria liggen anders dan die van Cisca Dresselhuys. Maar hoe wordt het gemeten? Is dat je houding naar vrouwen toe? Dat je vrouwen wilt hebben die geëmancipeerd zijn? Of moet de man zelf geëmancipeerd zijn? Dat hij de afwas doet of zo? Ik kan daar moeilijk in mee gaan, maar voor alle twee de kanten zou hij van mij toch echt iets meer dan een drie krijgen.

Eigen mening:
Hij was heel eerlijk in het interview, maar ik heb nooit anders meegemaakt. Zich anders voor doen, toneelspelen dus, kan hij niet. Wel was ik verbaasd over zijn openheid, want zo open is hij normaal gesproken niet. Althans niet naar buiten toe. Geen idee hoe dat komt, misschien een goede interviewster.

'Een jonge vriendin is heus geen medicijn tegen ouder worden'
Kees van Kooten

Hij wil best huilen, maar onmiddellijk daarna weer lachen, 'een mens heeft altijd twee emoties tegelijk'. Hij haat tweede-legmannen, 'hoe durf je verliefd te worden op een meisje dat je dochter zou kunnen zijn'. Hij kan niet wachten tot hij opa wordt: 'Kinderen? Ik lust er wel pap van.' Hij is eigenlijk een angstig mens, 'altijd was er dat gevecht: doe ik het wel goed genoeg?' Televisie is niet meer belangrijk in zijn leven: 'Ik ga duizend keer liever naar de bioscoop of het toneel.'
Schrijver Kees van Kooten (1941)

Het gaat goed met hem. Veel beter dan drie jaar geleden toen hij stopte met zijn televisiewerk. Dezer dagen komt zijn nieuwe boek *Hilaria* uit, een echt *Margriet*-winterboek met allerlei verrassingen, zoals hij het zelf noemt. Samen met zijn vrouw Barbara schrijft hij een toneelstuk, een waar blijspel over afscheid nemen. Af en toe leest hij in zalen en zaaltjes voor uit eigen werk. Hij heeft tijd en rust om over straat te lopen en met deze en gene, het liefst kinderen en bejaarden, een gesprekje aan te knopen. Met zijn schoonzoon, cabaretier Hans Teeuwen, gaat hij mee op try-outs. En in zijn tweede huisje in Frankrijk metselt hij intevreden aan een muurtje. Kortom: het leven is niet meer die zware last die het was geworden.

'Ik was in 1997 aan het eind van mijn Latijn. Op een dag stond ik klaar om naar Hilversum te gaan met mijn koffer vol rare colbertjes, snorren en brillen en opeens wilde ik niet meer, voor geen goud. Ik zei tegen Barbara: ik ga niet, ik kan niet meer. Wim heeft dat fantastisch opgevangen, in z'n eentje een uitzending gedaan met de mededeling dat Van Kooten griep had. Ik was burn-out, heb twee weken lang gehuild. Dokter aan mijn bed, het was helemaal op. In dertig jaar had ik nog nooit verzuimd en opeens was het over en uit.

Dat moest ik dus tegen Wim zeggen, daar zag ik heel erg tegen op, want je denkt toch: ik laat hem in de steek. Maar ik had een groeiende weerzin gekregen tegen televisie en ik leed er ook onder dat we minder goed werden, we hadden alle typetjes al een keer gedaan en zo goed, dat kon alleen maar minder worden. De actualiteit kent haar steeds terugkomende zaken: iedere vijf jaar hebben we de asielzoekers, de vervuiling, de gebroken olietanker, noem het allemaal maar op. En dus moet je weer opdraven met een wethouder Hekking, een Clavan, een Van der Laak of een asielzoeker. Dat kunnen alleen slappe aftreksels worden, want de oertypes hadden we al gehad.

Het was op en ik heb nooit een oude komiek willen worden. Je moet er toch niet aan denken dat de netmanager je komt vertellen: nou heren, bedankt en de groeten, u kunt gaan. Bovendien ben ik een zenuwpees, veel meer dan Wim, die is rustiger en bovenal: gek op televisie. Ik was altijd bang dat het programma niet vol kwam, dat het niet leuk zou zijn, dat de mensen niet zouden lachen, vreselijk. Toen ik uiteindelijk de beslissing had genomen te stoppen, kon ik dat seizoen nog volmaken, we moesten toen nog vijf uitzendingen. Dat lukte, omdat ik wist dat het daarna afgelopen zou zijn. Je kent je eigen inhoudsmaat niet van tevoren, je weet niet hoeveel energie je hebt en dus ook niet hoe lang je kunt doorgaan.'

En Wim was niet boos?

'Nee, hoor. We spreken elkaar nog regelmatig en binnenkort gaan we samen een videoband maken van de beste Van der Laakstukken, zeg maar de levensgeschiedenis van de familie Van der Laak. Iedereen zei indertijd: Kees laat Wim in de steek, maar je zou het ook kunnen omkeren, zoals Anil Ramdas deed: Kees stopt, dus Wim zou ook moeten stoppen, samen uit samen thuis. Wie laat wie in de steek?

Nou ja, de praktijk is dat Wim de televisie niet kan missen en ik dat medium niet meer kan luchten of zien. Ik kijk nog maar heel weinig tv, het journaal, B&W en die nieuwe jongens van Frøland voor de NPS. Daar gebeurt nog wat, daar zit vaart en spanning in. Naar Wim kijk ik lang niet altijd, soms vergeet ik het gewoon: potverdrie, is het alweer geweest, gemist. Mijn zoon Kasper in All Stars vergeet ik ook weleens. Als ik in Frankrijk zit, zie ik het zo een paar weken niet. Ik kan moeilijk naar Wim kijken, ik ken het wel wat hij doet, het is goed doordacht, ziet er verzorgd uit, maar het verrast me niet meer. Ik weet wat Wim kan en hij weet wat ik kan. Af en toe schiet ik nog weleens in de lach, hoor, dat wel. Ik zei het al: ik heb weinig meer met tv, duizend keer liever ga ik naar de bioscoop of het theater.'

Wat staat je zo tegen aan de televisie?

'Vooral de verseksualisering. Die tref je trouwens overal aan: ook in kranten, tijdschriften en het cabaret. Seks wordt een steeds goedkoper artikel, het wordt alom en overal ingezet om de platte lachers op je hand te krijgen en de kijkcijfers omhoog te jagen. Zoiets als Dit *was het nieuws* van de Tros, o, wat een hit. Als er een vrouw met een fietspomp staat, dan weet je het al: dan wordt het blazen, pijpen, beffen, noem maar op. Zogenaamd wordt er briljant geïmproviseerd op foto's, maar die hebben ze twee uur van tevoren al te zien gekregen en dan zitten ze als een gek te bedenken: wat kunnen we ervan maken, pijpen, beffen of in z'n reet neuken?

Ik vind seksgrappen prima, maar dan wel nieuwe, graag. En dan die oude cabaretiers, die op het toneel nog heel koket staan op te geven dat ze zo'n heerlijk nummer hebben gemaakt. Vreselijk. Die zijn geen stap verder gekomen dan Benny Hill. Ik herinner me nog goed hoe weerzinwekkend ik het als jongen vond dat je oude ooms, en dat waren dan mannen van net dertig, op verjaardagsfeestjes over seks zaten te praten. Dat wilde je toch helemaal niet horen.

Natuurlijk, seks is voor iedereen, ook voor ouderen, maar ik hoef dat niet te horen of te zien. Het mag tegenwoordig allemaal in het openbaar, het puur esthetische van twee mooie jonge, strakke lichamen, elkaar ontdekkend, genietend van elkaar, ik hoef het niet te zien, maar als ik het tegenkom op de tv, zal ik niet doorzappen. Maar dan treedt het verval in, dat gebeurt, en ook daarin moet je een verheuging kunnen vinden – zoals Peter Handke gezegd heeft na veertig jaar huwelijk: ik doe mijn best om ook uit dit verval een intiem, opwindend genot te peuren – maar doe dat niet in het openbaar.

Trouwens: ook in keurige kranten en bladen zie je die verseksualisering. In mijn nieuwe boek *Hilaria* geef ik er een paar voorbeelden van. Een knipsel uit *de Volkskrant* bijvoorbeeld, een redactioneel commentaar, waarin staat: "Ik ben geen moralist, iedereen laat zich weleens pijpen." Hè? O ja? We lezen het als heel normaal tegenwoordig. *Elsevier* over Frank Sinatra: "Hij rookte zich suf, zoop zich lam, neukte in het rond en werd toch 82." Leuk, modern taalgebruik. Dat we na twee eeuwen nog steeds niks anders hebben kunnen vinden om mee te schokken en te scoren... pff. Zoals Lewis Carroll zei over zijn *Alice in Wonderland* na alle analyses die hij daarover had moeten lezen: *"What have they done to poor little Alice?"* Nou, wat hebben wij met de seks gedaan...'

Niet veel goeds, volgens jou. Wat vind je trouwens van oudere mannen die een tweede huwelijk aangaan met een veel jongere vrouw, de zogenaamde tweede-legmannen?

'Ach jee, zo sneu, die tweede leg met het laatste zaad. Die mannen die na dertig jaar hun oudere vrouw inruilen voor een jong ding, onder het mom van: mijn vrouw stimuleert mij niet meer. Alsof een jonge vriendin een medicijn is tegen ouder worden. Langzamerhand wordt de jonge maîtresse trouwens een geaccepteerd verschijnsel in ons land. Ik vind het slecht te verteren dat iemand een ander laat vallen en inruilt, wanneer hij z'n partner "uit" heeft. Dat is het breken van een belofte, het weggooien van een enorm stuk gezamenlijke geschiedenis. Dan nog liever een keer stiekem vreemdgaan.

Het is toch verwerpelijk dat een man van mijn leeftijd een twijfelend meisje van twintig het hoofd op hol brengt met zijn grotere dosis levenswijsheid, mooie beloften, grote huis en goeie baan, dat is toch van meet af aan haar belazeren? En straks staat die tweede-legman aan het schoolhek, zelf apetrots, maar zijn kind schaamt zich dood. Dat soort mannen heeft ook de gewoonte z'n taal op te schonen; met de inwisseling van de oudere vrouw voor de jongere vriendin moderniseert hij ook zijn jargon en heeft het over kut en lul. Weerzinwekkend.'

Raak jij nooit eens verliefd op een andere, jongere vrouw?

'Nee, uitsluitend op vrouwen van mijn eigen leeftijd. Onlangs had ik nog een aanval van hevige verliefdheid op Joanna Lumley, Patsy uit *Absolutely Fabulous*, een fantastische actrice en schrijfster. Een vrouw van vijfenvijftig of zo, die mooi is, spectaculair, hilarisch, die zich lelijk durft te maken, op de grond durft te vallen en van de wc durft te komen met de rok in haar panty, zo'n vrouw vind ik fantastisch. Iedereen zou z'n hele leven dat soort dingen moeten durven doen. Zo'n Helen Fielding van de boeken over Bridget Jones, dat is het soort dames met een energie, vrolijkheid, humor en ironie, waarvoor ik val. Prachtig.

Verliefd op een jong meisje? Ach, misschien eens een oppervlakkige erotische vonk, omdat ze zo mooi is, maar uiteindelijk interesseert me dat niks. Wat mij aantrekt in een vrouw is de prestatie die ze levert, haar kunst, wat ze doet. Ik heb lieve vriendinnen van mijn eigen leeftijd, ik wil geen seks, ik wil lachen, ik wil erotiek en ik wil me behaaglijk bij hen voelen. Deborah Wolf, Johanna Mulder, Maud Keus, Sonja Barend, dat zijn al jarenlang vriendinnen met wie te lachen valt. Debbie heeft me geleerd hoe het echt moet met de wc-bril: vanaf m'n twaalfde zette ik die keurig omhoog, zodat vrouwen niet op een natte bril hoeven zitten, maar Debbie leerde me dat ik hem daarna ook weer naar beneden moet doen, anders moeten jullie nog met je handen aan dat ding zitten.'

Zou jij als Barbara zou overlijden op zoek gaan naar een nieuwe vrouw?

'Nee, dat denk ik niet. Dat kun je niet meer invullen. Wat wil je, wij zijn nu 32 jaar getrouwd, hoe haal je dat ooit in met een nieuwe vrouw? Ik zou de hele dag over Barbara praten, haar foto's laten zien om haar maar terug te halen, dat neemt een nieuwe vrouw toch niet? Die zegt: we hebben misschien nog tien jaar, gaan we het nu eens over mij hebben? En terecht, maar wat interesseert dat mens me nou, moet ik haar hele leven weer gaan teruglezen, aanhoren wat ze in haar jeugd deed, hoe haar ouders waren, daar kom je toch niet meer in, dat krijg je toch niet meer in je hoofd? Kijk, die hele boekenkast hier krijg ik niet meer uit, al word ik 120, dat lukt me niet meer, dus hoe kan ik een nieuwe vrouw nog uit krijgen of doorgronden? Nee, dat lijkt me niks, het blijft bij een wanhopig vastklampen en een laatste verliefdheid. Ik zal het dan moeten doen met mijn kinderen, kleinkinderen, hoop ik, en vrienden en vriendinnen.

Trouwens: mijn moeder is op haar tachtigste, toen mijn vader al jaren dood was, nog eens wanhopig verliefd geworden op ene Arthur, een joyeuze man, een bon vivant, beetje een oplichter, een kunstvervalser, die schilderijtjes maakte en verkocht. Een man van het grote gebaar, altijd een witte sjaal om en een vlotte babbel. Ik zag wel waarom mijn moeder op hem viel. Zo'n type dat De Posthoorn in Den Haag binnenkomt en de blik van menige jonge vrouw naar zich toe trekt. Mijn moeder was zo verliefd als een jong meisje, aandoenlijk en ontroerend om te zien. Hij zat veel bij haar thuis, at eens een schnitzeltje mee en haalde heel lief een potje yoghurt voor haar uit de keuken; als hij langs haar liep, gaf ze hem een aai.

Later ging het mis met Arthur, want hij had wel erg veel belangstelling voor het bedrag op haar giro. Op een dag was het opeens: nee, Arthur hoefde ze nooit meer te zien. Ik vroeg: hoe dat zo? Er waren heel vervelende dingen gebeurd, mompelde ze met een rood hoofd. Ik heb niet doorgevraagd. Misschien heeft hij seksueel iets van haar gewild, dat hoop ik eigenlijk, maar ik vrees dat het met geld te maken had, dat hij haar geld wilde en haar huis, bij haar intrekken misschien, hij woonde zelf niet zo prettig en mijn moeder had een groot huis. Ik heb niet doorgevraagd want ik zag dat het haar pijn deed, dat ze verblind door verliefdheid ergens in was getrapt.'

Je moeder Annie is nu anderhalf jaar dood.

'En ik mis haar elke dag. Net als mijn vader. Op mijn werkkamer hangen hun foto's. Ik ga de deur niet uit of ik zoen die. En praat even tegen ze. Vind je dat gek? Op die manier zorg ik voor hun reïncarnatie. Bestaan is waargenomen worden en nabestaan is dat je wordt nageleefd, nagevoeld en nagedacht. Mijn ouders bestaan nog steeds omdat ik aan hen denk, hen als referentie heb voor mijn doen en laten. Ze maken nog steeds een belangrijk deel uit van mijn kijk op het leven. Misschien zijn je ouders er na hun dood nog wel meer dan toen ze leefden. En wat zeker is: je houdt pas onbekommerd van ze als ze er niet meer zijn, dan hoef je niet meer bang te zijn dat ze worden opgelicht of zich verloren voelen in de moderne wereld, die de hunne niet meer is.

Mijn moeder was net in een verzorgingshuis opgenomen toen het fout ging: een hersenbloeding, een lelijke val, gebroken ribben, halfzijdig verlamd en dementerend. Ze liep al vijfentwintig jaar met een euthanasieverklaring in haar tas en nog eens een speciaal kaartje in de portemonnee. Ze had het ons al honderd keer verteld, ze had erover geschreven in haar gedichtjes, het was overduidelijk. Ik heb het allemaal in *Annie* beschreven; dat boek was mijn monument voor al die negentigjarige dames die proberen in hun eentje door te leven in een wereld die ze niet meer kunnen bijbenen.

Mijn zus en ik hebben op een gegeven ogenblik besloten: nu is het zover, Annie wilde het, nu moeten wij onze belofte nakomen. Daar zit je dan, als een *master of the universe*, heer en meester over leven en dood. Want zo is het toch in het geval van euthanasie: jíj besluit dat er geen vloeibaar voedsel meer gegeven zal worden, jíj zegt dat ze de morfine maar moeten opvoeren. En dan is het onomkeerbaar: de eerste spuit, je gaat even de kamer uit om een luchtje te scheppen maar je komt in looppas terug omdat je hoopt dat ze er nog is.

Het zijn rare pieken en dalen in je emoties, je weet dat je moeder het zo wilde, dus je doet het en je lult maar door, maar nu, anderhalf jaar later, denk ik: godverdomme, ik had het niet moeten doen, ik had haar als een plant moeten laten zitten, want dan had ik nog een moeder gehad, dan had ik haar nog kunnen zien.'

Meen je dat?

'Nee, wacht even, dat is geen liefde, dat is egoïsme, waar ik mezelf steeds op betrap. Maar ik bedoel ermee te zeggen: je bent er niet vanaf, ik ben er niet vanaf. Natuurlijk, we hebben het goed gedaan, rationeel gezien: zij wilde het, het was zover, ik zou het weer doen. Maar wat zou ik er niet voor geven om af en toe naar Den Haag te kunnen rijden om haar ergens te zien zitten. In een stoel voor het raam, als een plant, ze kan verder niks, maar ze wordt goed verzorgd en ik kan zeggen: dag Annie, dag lieverd, daar ben ik weer.'

Je hebt daarover geschreven, zoals over vrijwel alles in je gezins- en familieleven. Toch altijd met een lichte toon. Columnist Theodor Holman noemde dat ooit: *'Kees van Kooten schrijft en leeft tussen aanhalingstekens.'*

'Die uitspraak ken ik niet. Wat zou hij daarmee bedoelen? Dat ik altijd ironisch ben? Onecht? Nooit mezelf? Als ik autobiografisch schrijf, ben ik altijd in gevecht met mezelf om een juiste mix te krijgen: leest het lekker, kom ik er niet te charmant uit, niet te koket, niet overdreven lullig? Al schrijvend probeer ik zo dicht mogelijk bij mezelf te komen, maar ik ben natuurlijk ook een komediant, dus die vergroot zichzelf uit of verkleint zichzelf, omdat dat leuker is. Kijk naar Woody Allen. Bedoelt Holman dat met tussen aanhalingstekens leven? Misschien doe ik dat wel, ja. In ieder geval heb ik dat gedaan.

Ik probeer steeds meer mijn masker af te zetten. Ik probeer die koketterie, waardoor je altijd wat vermoeider, vervelder of onhandiger doet omdat dat applaus oplevert, kwijt te raken. Zodat ik steeds verder in mezelf neerdaal, om een beeldspraak van Komrij te gebruiken. Dat doet me denken aan die mimescène van Marcel Marceau, die probeert zijn masker af te zetten, maar dat lukt niet meer. Voor mij geldt, zoals voor de meeste mensen, dat je altijd met z'n tweeën bent: je ene ik kijkt naar je andere ik. Je ziet jezelf lopen, schrijven, lachen, vrijen. Zodra je bij je volle verstandelijke vermogens bent, kun je niet anders dan jezelf mede waarnemen. Uiteindelijk is het streven in jezelf neer te dalen en als een geheel te sterven, zoals Komrij dat noemt.

Dat steeds weer afstand nemen wat ik doe: ik wil best huilen, maar er moet daarna onmiddellijk weer gelachen worden, ik wil niet grübeln, schrijven dat alles gruwelijk en ellendig is. Zo ben ik niet, ik ben een lachebekje, ik houd van alles en iedereen, zeker van het leven en van de lach. En ach, mevrouw, ik ben een kleine zelfstandige, geen groot kunstenaar en daarmee ook geen groot mens.

Het is mijn beroepsdeformatie dat ik altijd met dat derde oog kijk: zit hier een scène in, kan ik hierover schrijven. In het sociale verkeer is die houding een nadeel. Dwangmatige ironici zoals ik zijn vaak de pineut in het onderlinge menselijke contact. Je staat er krampachtig bij terwijl je bidt dat de ander niet zal vragen: "Meen je dat nou?" of: "Maak je nu een grapje?" Ik kan dan moeilijk zeggen: "Ja, natuurlijk ben ik nu echt helemaal mezelf." Dat klinkt ongeloofwaardig, terwijl het dat niet is. Ik voel me daar heel ongemakkelijk bij. Maar godzijdank kom je er wel doorheen bij bepaalde mensen: de gezond denkende, niet wantrouwende, niet stiekem op de bekende Nederlander jaloers zijnde mensen. Daar komt het altijd goed mee, daar kun je als de beste vrienden mee eindigen.

Weet je wat trouwens erge vrouwen zijn? Vrouwen aan wie ik een teringhekel heb? Van die types, lid van het organiserend comité, die in de pauze van je voorleessessie achter je komen staan, hun handen op je schouders leggen en zeggen: wat ben je toch gespannen, Kees. Dood moeten ze. Zoiets heeft een man me nog nooit geflikt. Waarom doen ze dat? Om daarmee een intimiteit met mij te suggereren, denk je? Ik vind het vreselijk, het is zo kleinerend, zo brutaal, ik zou het liefst heel ordinair roepen: sodemieter op, maak dat je wegkomt, ga thuis je man pijpen, maar dat doe ik natuurlijk niet. Ik zeg een beetje sullig: valt wel mee, het is hier een beetje warm en druk. Jij vindt dat ook erge vrouwen? Heerlijk dat je het hierin met me eens bent.'

Als vader en echtgenoot lijk je een lot uit de loterij. Je bent dol op je kinderen en je vrouw en niet te beroerd om een klusje in huis op te knappen.

'Nou, zo'n ideale man ben ik nu ook weer niet, maar het vaderschap heb ik altijd heerlijk gevonden. Kinderen? Ik lust er wel pap van. Ik kijk tegenwoordig in elke kinderwagen die ik tegenkom, ik kan niet gauw genoeg opa worden. Ik snap er helemaal niks van dat er vaders zijn die liever golfen of naar Yab Yum gaan dan een balletje trappen met hun kinderen. Vaders die het niet heerlijk vinden een luier te verschonen of hun kind in bad te doen. Dat is toch het warmste wat er is? Ik had wel tien kinderen willen hebben, maar dat is er niet van gekomen. Mijn grootste geluk is dat mijn kinderen artistiek beter zijn dan ik, Kim als schrijfster en dramatisch actrice en Kasper als musicus en komisch acteur. Wat wil je als vader nog meer?

Dat huishouden van mij stelt niet zo veel voor. Koken kan ik niet, ben ik veel te nerveus voor, al die brandende pitten tegelijk. Schoenen poetsen vind ik wel fijn: met van die ouderwetse schoensmeer uit blikjes, een insmeerborsteltje, een uitpoetsborstel en een uitwrijfdoek. Ramen zemen met een druppeltje spiritus op de doek, moppen met groene zeep en afwassen met een Lola-borstel, mijn bureau in de meubelwas zetten, dat ruikt zo lekker. Allemaal leuk werk. Al die ouderwetse spullen zijn er tot mijn grote vreugde nog. Voor mij geen Glassex, Jif en Ajax. Wij hebben geen werkster, ach joh, dat doen we toch makkelijk samen en wij zijn niet kinderachtig, we schrikken niet van een stofje. Ik huishoud vanuit angst: pas de mop erover als er bezoek komt.'

Angst lijkt een constante in jouw leven, van jongs af.

'Ja, maar dat wordt gelukkig minder. De eerste vier jaar van mijn leven, dat was doodsangst, oorlog in Den Haag, ik voelde dat als kind. Toen kwam de school, de angst het niet te halen, straf te krijgen, woensdagsmiddags te moeten terugkomen, een jaar te moeten overdoen, de verkeerde kleren aan te hebben, te lang in een plusfour te lopen terwijl andere jongens al een lange broek aanhadden, de middelbare school nog erger, militaire dienst, waar je zomaar een weekend moest binnenblijven, nooit was ik vrij van angst. Waarvoor ik bang was? Mijn ouders teleur te stellen en in mijn vrijheid beknot te worden.

En toen kwam de liefde, weer een gebied met allerlei angsten omgeven. Verliefd worden op een meisje dat niets in jou zag. Even de gedachte te hebben dat je de vrijheid, die je alleen niet kon bereiken, met z'n tweeën kon binnenhalen. En dan ging zo'n verkering weer uit en stond je er weer alleen voor. De angst dat ik Barbara niet kon krijgen, die ik zo vreselijk graag wilde hebben. In mijn werk: de angst niet leuk genoeg te zijn, dat er te weinig om me gelachen zou worden, dat ik als schrijver niet serieus genomen zou worden omdat ik eigenlijk helemaal niet kan schrijven, dat mijn kinderen ziek zouden worden en mijn vader zou verongelukken, nou ja, *you name it* en het was wel een angst van mij.

Het wordt minder nu ik ouder word en zo veel gehad en gekregen heb, ook veel bewezen heb. Ik weet langzamerhand heel goed wat ik kan en wat ik waard ben. Dat geeft rust. Maar een slechte kritiek in de krant blijft altijd lullig, blijft veel langer hangen dan tien goede. En de allergrootste angst, die ik niet eens toelaat in mijn gedachten, is te eindigen zoals mijn moeder, dement. Dat ik in zo'n gangetje in een verpleeghuis sta met benen als bezemstelen in een pantalon met pisvlekken, mijn hoofd nog een beetje ophoudend,

in een laatste stuiptrekking van ijdelheid nog zo'n sprongetje ma-
kend als de vieze man, in zo'n flits van wat ik ooit was en kon. Laat
het voor mij eerder afgelopen zijn. In godsnaam.'
Maart 2001

EINDSCORE: +7

Commentaar

Barbara van Kooten (1945)

De reacties:
Kees had absoluut geen spijt van het interview. Waarom zou hij?
Bovendien is Kees goed getraind in het geven van interviews. Hij
laat nooit het achterste van zijn tong zien!
    Alle reacties die ik gekregen heb waren positief! Heerlijk, al die
stinkend jaloerse vrouwen!

Het fameuze cijfer (+7):
Hij was best blij met die +7. Hoewel hij liever een +8 had gekregen, heeft-ie me in een onbewaakt moment jaren later nog wel
eens toevertrouwd...
    Zelf vind ik het wel een beetje te laag trouwens, nu ik het stuk
nalees. Eigenlijk is het interview helemaal een pietsje gedateerd...
Kees is erg veranderd in die jaren! Die +8 die hij toen zelf graag had
willen hebben, zou ik hem nu zeker geven. Als het niet meer is.

Eigen mening:
Ik herkende mijn man in het interview, alsof ik het zelf geschreven
had. Hij was eerlijk en heeft zich niet mooier voorgedaan. Zo ís hij
nu eenmaal!
    Is dit bij nader inzien niet toch een 10? Of dan ten minste een 10-?

163

'Ik heb een vrouw nodig
die mij de goede richting wijst'
Erwin Kroll

Een goede detective zou hij nog wel eens willen schrijven, 'Over gewone mensen, zoals jij en ik, met een gewoon leven, in een heel gewone flat, maar ik betwijfel of ik dat kan'. Vrouwen hebben hem opgevoed, 'vooral mijn vrouw en twee dochters hebben mij emancipatoire ideeën bijgebracht, dat had ik echt nodig.' Want die vrolijke weerman-van-de-tv is niet de echte Kroll: 'Ik ben een moeilijk mens om mee samen te leven, mijn vrouw verdient een lintje voor die 32 jaar huwelijk.'
Weerman Erwin Kroll (1950)

Het weer van morgen interesseert hem niet. Of het nou regent of waait, hoeveel millimeter water er gaat vallen, of het nou plus zes of min zes is: het doet hem niets. Wat hem echt interesseert zijn de wolken en alles wat daarin gebeurt.

'Het weer is de manier waarop de aarde zichzelf leefbaar houdt, energie, warmte en vocht van de ene plek naar de andere weet te brengen, en dat zie je allemaal terug in de wolken. Dat zeg ik ook altijd in mijn lezingen: zonder het weer was deze aarde een dorre, kale boel, dan waren er alleen maar wat bacteriën en een paar muggen, meer leven was er niet. Dat is het waanzinnig mooie en interessante aan het weer, hoe het beweegt en verandert. Maar of het nou morgen wat kouder of warmer is, of we een paraplu of een zonnebril moeten meenemen, wat maakt mij dat nou uit?'

Jij bent dus vast blij met dat nieuwe onderdeel van jullie weerpraatje: het wolkenfilmpje.

'Ja, prachtig, je ziet precies hoe de wolken gaan, hoe het allemaal verandert in een paar jaar tijd. We hebben een camera op de Euromast in Rotterdam. Ik zou die beelden wel van vijfentwintig verschillende plaatsen in het land willen hebben, maar dat kan natuurlijk niet, we hebben de tijd niet om dat allemaal uit te zenden.'

Wat zie je daar nou aan, als je één wolk hebt gezien, heb je ze toch allemaal gezien?

'Och, och, och, wolken, dat is een eindeloze variatie, er zijn meer verschillende wolken dan mensen. Als jij naar buiten kijkt, denk je hoogstens: hé, wat een mooie wolk, die lijkt op een hond, en dan kijk je weer naar beneden, zoals we normaal altijd doen. Op dat filmpje zie je die wolk in dertig seconden veranderen, dat is toch fantastisch, hoe dat beweegt, danst en doet, dat is toch heerlijk?'

Ben jij iemand die een regenmeter in zijn achtertuin heeft staan?

'Welnee, ik ben niet van het meten, wegen en vergelijken, zoals de echte weeramateurs. Die kun je vragen welk weer het was in Tytsjerksteradiel op 3 april 1956 en dat vertellen ze je dan grif. Ik heb niets met die mensen, althans niet met hun manier van werken, en zij niet met mij. Ik ontmoet ze ook niet vaak. Toen ik nog op het KNMI werkte, heb ik wel eens een verzameling weeramateurs ontmoet bij een rondleiding. Allemaal mannen, geen vrouw bij te bekennen. Vrouwen zijn niet zo monomaan in hun hobby's, denk ik. Nederland telt trouwens heel wat mensen die intensief met het weer bezig zijn: wel zo'n 300.000. Voor hen zou ik graag 's avonds laat een extra weerprogramma maken, waarin ik veel dieper inga op alle hoge- en lagedrukgebieden, met veel meer meteorologische kaarten, fronten, lijnen en isobaren. Maar ja, dat zeg ik al jaren, daar moet de netmanager over beslissen.

Wat ik trouwens nog veel liever zou willen maken, is een populairwetenschappelijk programma, zoiets als het boekenprogramma van Boudewijn Büch, maar dan over de natuur. Bijvoorbeeld over een zonnestraal: waarom maakt die bepaalde lichtvlekjes in boombladeren, waarom zie je altijd een donkere schaduw met een grijs randje, waarom vallen de bladeren af in de herfst en waarom laten ooievaars en buizerds zich zo mooi drijven op de thermiek? Ik woon in de polder bij Lelystad, daar zie ik dat regelmatig: hoe buizerds foerageren met een groep, rondcirkelen, zich soms even laten zakken, als een soort zweefvliegtuig. Fantastisch, zo mooi. Die buizerds hebben me trouwens wel eens aangevallen, tot drie keer toe zelfs, waarschijnlijk omdat ik in de buurt van hun nest fietste. Met hun klauwen en scherpe snavel kan dat nog gevaarlijk zijn. Ik heb er gelukkig alleen maar een verstuikte pols aan overgehouden, omdat ik viel en onder mijn fiets terechtkwam.'

Heb je al eens met je bazen gesproken over zo'n natuurprogramma?

'Ik heb er bij de N C R V over gesproken, ze vonden het een prachtig idee, maar ja, er zijn zoveel prachtige ideeën, dat wil niet zeggen dat ze ten uitvoer gebracht worden.'

Het Journaal bestaat vijftig jaar; twintig jaar daarvan was jij er de weerman.

'En dat zal ik nog wel een tijdje blijven, neem ik aan. Misschien wel langer dan ik eigenlijk zou willen, want van Balkenende moeten we doorwerken tot ons vijfenzestigste. Niet tot mijn genoegen, ik zou graag op mijn zestigste stoppen om daarna te gaan schrijven en lezingen geven. Nog iets anders gaan doen in de laatste tien jaar voor mijn pensioen? Wat dan? Ik ben vijfenvijftig en kan niets anders. Trouwens: ik ben heel tevreden met mijn werk als weerman. Toen ik op de middelbare school zat, wilde ik leraar aardrijkskunde worden of sportleraar. Dat is me toen van alle kanten afgeraden: daar zit geen brood in, joh, niet doen. Ik ben natuurlijk een echte onderwijzer in mijn manier van doen. Maar dan wel een onderwijzer in de derde klas van een plattelands lagere school, waar je niet wordt tegengesproken. Want ik zou niet uit de voeten kunnen met al die assertieve, om niet te zeggen agressieve kinderen van deze tijd.'

Over assertiviteit gesproken: onlangs is een onderzoek gedaan naar de mening van de Nederlanders over het weerbericht: de helft was tevreden, de helft had kritiek: te veel aandacht voor het weer in het buitenland en het weer van gisteren.

'Als de kijkers dat zeggen, hebben ze gelijk, want de kijker heeft altijd gelijk. Maar als je het eens goed gaat bekijken: van de twee minuten die we hebben, gaat het hooguit twaalf tot vijftien seconden over het weer dat geweest is. En dat weer in het buitenland, tja, als we daar niets aan doen, is het ook weer niet goed. Hoogstens een derde van de tijd gaat over het buitenland, de rest gaat echt over

Nederland. Wij hebben ervoor gekozen ook aandacht aan het buitenland te besteden, want Nederlanders zitten tegenwoordig overal, in alle jaargetijden. Vroeger was je een hele Piet als je met vakantie naar Spanje of Griekenland ging en over die landen zeiden wij dan ook iets in ons weerpraatje, maar nu zitten Nederlanders het hele jaar door overal, echt waar, tot Lapland en IJsland toe. En als je dan een land overslaat, krijg je daar weer mails over. Als je mensen vraagt wat ze het belangrijkste onderdeel van het Journaal vinden, zeggen ze: het weerbericht. Tegelijkertijd is de grootste kritiek dat het weerbericht te lang duurt. Nou vraag ik je: twee hele minuten, langer is het echt niet. Ach, hoe en wat je ook doet, je krijgt er altijd kritiek op, daar heb ik me bij neergelegd.'

Is er verschil tussen jou en je medewerkster Marjon de Hond? Hebben weermannen een andere aanpak dan weervrouwen?

'Nu je het zegt, ik geloof dat Marjon het wat persoonlijker doet, alsof ze al voelt hoe het morgen zal zijn: lekker behaaglijk of koud en ongezellig. Marjon en ik zijn de enige vaste medewerkers in dienst bij de NOS. Gerrit Hiemstra en Marco Verhoeff worden regelmatig ingehuurd; zij werken bij andere, zelfstandige weerbureaus. We moeten wel meerdere mensen hebben want we bedienen de hele dag door Radio 1, de Wereldomroep en de verschillende NOS Journaals. En als er zoiets als een Katrina is, hebben we het extra druk, dan treden we namelijk ook op in het gewone Journaal, want dan is het weer echt nieuws, dat ook buiten ons weerpraatje behandeld wordt.'

Man of vrouw, jullie zeggen allemaal: er valt een spat regen of een klap onweer.

'Is dat zo? Hè, bah, dat wil ik helemaal niet. Dat heeft ex-weerman John Bernard ooit bedacht. Dat moeten wij niet klakkeloos overnemen. Ik zal er weer eens extra op letten.'

Je zei zojuist dat je graag meer zou gaan schrijven.

'Ja, heel graag. Maar schrijven is een asociale bezigheid, dat doe je echt in je eentje, in de rust van je studeerkamer. Ik ben voor mijn werk al veel weg, op onregelmatige tijden en dan geef ik ook nog geregeld lezingen, dus ik ben veel van huis. Nu onze twee dochters de deur uit zijn, zit mijn vrouw dus vaak alleen. Als ik dan thuis ben en ook nog eens de hele avond op mijn kamer achter de computer ga zitten, wordt het wel erg eenzaam voor haar. Ik heb pas een boekje over het weer en de natuur voor kinderen geschreven, hartstikke leuk, maar daar heb ik wel een jaar over gedaan. Daarom zou ik graag op mijn zestigste stoppen met werken. Het lijkt me niet dat je dan van 's ochtends halfacht tot 's avonds halftwaalf naast elkaar op de bank gaat zitten, dus dan is mijn vrouw maar wat blij dat ik eens even opkras naar mijn eigen kamer.

Wat ik wil schrijven? Over het klimaat, de natuur, ook wel iets over het menselijk gedrag, misschien over mezelf als niet al te gemakkelijk mens, of een goede detective. In detectives gaat het zo vaak over uitersten: over mensen aan de zelfkant van de maatschappij of juist het tegendeel: over heel deftige en geleerde types uit Oxford en Cambridge. Ik zou over heel gewone mensen willen schrijven, zoals jij en ik, in een heel gewone flat, mensen met wie iets vreselijks gebeurt, zoals in de boeken van Sjöwall en Wahlöö, daar is mijn liefde voor het genre mee begonnen. Maar ik betwijfel zeer of ik zoiets kan. Ik zou mijn manuscript in ieder geval niet onder mijn eigen naam naar een uitgeverij sturen. Pas als ze het hebben aangenomen vanwege de kwaliteit, zou ik zeggen: het is van Erwin Kroll en dan mag mijn eigen naam ook op de omslag.'

Je zei net: misschien een boek over menselijk gedrag, misschien iets over mezelf als niet zo gemakkelijk mens.

'Die vrolijke, opgewekte weerman die ik loop uit te hangen, is niet de echte Erwin Kroll. Tenminste: er is ook een heel andere Erwin Kroll een moeilijke man om mee samen te leven, een sombere, in zichzelf gekeerde, wat chagrijnige man, die zich afvraagt of hij toch niet beter onderwijzer had kunnen worden of een anonieme boswachter. Was het wel goed voor mij een bekende Nederlander te worden? Elke dag in de schijnwerpers te staan? Herkend te worden op straat en de camping? Ik ben ijdel, heb een enorme dadendrang en geldingsdrang, ik wil gezien worden, gehoord worden, dat is een diepe behoefte in mijn karakter. Als ik daaraan niet had toegegeven, was ik waarschijnlijk een psychopaat geworden, nou ja: een bitter, teleurgesteld en chagrijnig mens. Maar dit leven kost mij wel moeite.

Mijn moeder heeft mij met stevige hand opgevoed, ik moest een echte kerel zijn, terwijl ik eigenlijk een heel zachtmoedig kind was dat het liefst in de bossen rondzwierf. Tja. Het is allemaal nogal dubbel. Ik ben niet gemakkelijk voor mijn omgeving, ook niet voor mezelf, ik kan veel tobben en malen. Ook over het feit dat het volkomen de verkeerde kant op gaat in ons land, het is toch mensonterend wat er gebeurt. Als je kijkt naar zo'n kabinet, hoe dat met mensen en gevoelens omgaat, hoe zwakke mensen in deze samenleving verder de modder in worden getrapt, dat geloof je toch niet. Ik krijg daar steeds meer last van, veel meer dan vroeger.

Mijn vrouw heeft mij altijd heel erg moeten steunen, nog steeds. Ik denk dat ik haar vaak tekortdoe. Omdat ik haar heel erg heb opgeëist, heeft ze veel minder ruimte voor zichzelf gehad dan ze waarschijnlijk nodig had. Ik doe erg mijn best om daar nog wat aan te doen. Maar één ding is zeker: mijn vrouw heeft echt een lintje verdiend, omdat ze het 32 jaar met me heeft uitgehouden.

Nou ja, zo modderen wij door, net zolang tot het wat wordt.

En als dat lukt heeft dat alles te maken met de vrouwen in mijn leven, want ik ben gevormd en opgevoed door vrouwen, vooral door mijn echtgenote en twee dochters. En gelukkig zijn die drie, ondanks alles, gek op mij, dus ik moet toch wel wat hebben.'

Hoe zit dat met die opvoeding?

'Ik heb een vrouw nodig die mij de goede richting wijst, zeg ik altijd. Letterlijk en figuurlijk. Dat begon bij mijn moeder, die me de middelbare school heeft doorgesleept door steeds te vragen of ik mijn huiswerk al af had en zo nee: aan de slag dan. En ik moest thuis, net als mijn zus, huishoudelijk werk doen: afwassen en mijn kamer opruimen. Op de woensdagmiddag huurde mijn moeder me in, omdat ik zo goed kon poetsen. Daar betaalde ze me dan voor. Maar verder heeft ze me niet bepaald emancipatoire ideeën over man en vrouw bijgebracht; daar waren – later – mijn vrouw en dochters voor nodig. Ik heb twee dochters en volgens de bakerpraatjes ben je dan een dominante vent, die wat moet leren van die dochters. Dat is ook gebeurd en dus ben ik erachter gekomen dat vrouwen net zo waardevol zijn als mannen, dat je op basis van gelijkwaardigheid met elkaar moet omgaan en nooit voetstoots moet aannemen dat iets een typisch mannen- of vrouwending is. Ik stem ook bijna altijd op een vrouw, een linkse vrouw.'

Jij bent nu dus een echt geëmancipeerde man?

'Zo mooi is het nu ook weer niet. Als je bij mij de vinger op de zere plek zou moeten leggen, is het dat ik nogal gemakzuchtig van aard ben. Ik zit altijd vol goede bedoelingen, maar ik moet wel steeds op mijn taken en beloftes gewezen worden. De grootste kritiek van mijn vrouw is dan ook: je bent een goede hulp, maar ik kan niet van je op aan. En zo is het: ik doe in principe alles, maar het gaat erom of ik echt participeer en mijn eigen verantwoordelijkheid neem, zodat mijn vrouw daarop kan rekenen. En nee, dat is dus (nog) niet het geval. Wel maak ik elke ochtend het ontbijt klaar en breng haar dat op bed en ik kook in het weekeinde. Toch iets wat ik goed doe, hè? Trouwens nog even iets anders: mijn vrouw gaat altijd mee als we, tweemaal per jaar, nieuwe kleren kopen voor op de televisie. Ik ga dan met de styliste naar een herenmodezaak in Den Bosch. Die heeft er natuurlijk veel verstand van, maar als mijn vrouw zegt: "Niet doen, Erwin, dat staat je niet", luister ik daar onmiddellijk naar. Je eigen vrouw weet dat toch het beste. Zelf weiger ik alleen ruitjespakken en brede krijtstrepen, zoals Remkes die draagt. Dat vind ik Italiaanse maffia. Mag ik trouwens nog iets zeggen over de positie van de vrouw in ons land?'

Ga je gang.

'Toen ik pas die televisiebeelden zag van president Poetin tijdens een bijeenkomst met de Nederlandse *captains of industry*, wist ik niet wat ik zag. Geen vrouw te bekennen. Als je nou bedenkt dat we leven in een wereld die voor de helft uit mannen en voor de helft uit vrouwen bestaat, is dat toch idioot? Dat kan toch nooit goed gaan? Vrouwen zijn nodig, overal, want ze hebben een andere kijk op dingen. Dat zie ik thuis. Soms vind ik dat wel vervelend, want ik kan heel star zijn en heb graag gelijk. Mannen zijn meer van het directe nut, het economische voordeel, de snelle oplossing, vrouwen vragen vaker naar de intrinsieke waarde van iets en kijken hoe het op de lange termijn zal uitpakken. Wat wel jammer is, is dat je soms vrouwen ziet die zijn doorgestoten naar de top en dan staat daar zo'n verklede kerel, zo'n vrouw die zich manneneigenschappen heeft aangeleerd, zo'n Maggie Thatcher. Dat vond ik een echte vent en dan nog wel een extreme vent, zonder iets vrouwelijks, warms of moederlijks. Winnie Sorgdrager was voor mij een goed voorbeeld: iemand die een topfunctie bekleedde én vrouw was gebleven. Vaak denk ik: gooi die hele hap grijze mannen er toch uit en stel overal vrouwen en jonge mensen aan, die komen tenminste met nieuwe inzichten.'

Nog even iets over je passie voor de natuur, doe je daar tegenwoordig nog wat mee?

'Te weinig en alleen maar in mijn vrije tijd en de vakanties. Afgelopen jaar waren we drie weken in Spanje, in de Pyreneeën en het Picosgebergte. We zaten daar in een hotel, aan het eind van de bewoonde wereld, voor ons lag een weg recht omhoog, die uitkwam op een rotswand van negenhonderd meter. Indrukwekkend, hoewel op den duur ook wel wat benauwend, zo'n hoge muur voor je neus. Overdag deden mijn vrouwen ik samen dingen, 's avonds ging ik alleen wandelen. Dat was flink aanpoten, want het was een steile weg naar boven. Op een avond ging ik weer, het werd al wat schemerig, toen ik in het bos belandde. Het was bekend dat er in die bossen roofdieren zitten, zoals bruine beren. Ik liep daar en zag opeens een half opgegeten gems op de grond liggen. Dan loop je toch wat minder rustig, maar ik ging door. Op een gegeven ogenblik stonden er twee gemzen voor me, op zo'n vijfentwintig meter afstand.

Ik ben heel rustig op een steen gaan zitten, de ene ging ervandoor, de andere bleef stokstijf staan. Ik zat dus doodstil op die steen en zo keken die gems en ik elkaar aan, zeker vijf minuten hebben we naar elkaar gekeken. Prachtig, zo mooi, zo ontroerend. Als ik bij die dode gems bang was omgekeerd, had ik dit niet meegemaakt. Een mooie metafoor voor mijn leven: ik doe dingen die ik eigenlijk niet durf, maar ik doe ze toch. En kijk eens hoe groot de beloning dan is! De volgende avond ging ik weer wandelen, in datzelfde bos en zag twee dode gemzen liggen. Toen ben ik omgedraaid. Je moet je geluk niet te veel op de proef stellen.'

Januari 2006

EINDSCORE: +5

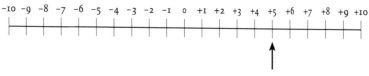

Commentaar

Barbara van der Ende (1952)

De reacties:
De interviews die Erwin altijd geeft gaan over 'het weer', maar nooit over persoonlijke dingen. In eerste instantie was hij dan ook best een beetje geschrokken, maar met het interview zoals het in *Opzij* heeft gestaan, is hij erg tevreden. Hij is er regelmatig op aangesproken, steeds door mensen die het een mooi interview vonden. Ik alleen door onze dochters (29 en 31). Die vonden het erg leuk dat hij zo oprecht was geweest, want zij hadden natuurlijk ook nog nooit een dergelijk openhartig interview met hun vader gelezen.

Het fameuze cijfer (+5):
Dat cijfer zei hem nou echt helemaal niks. Hij, en ik trouwens ook, begrijpen helemaal niet hoe dat cijfer tot stand komt. Bovendien zijn er mannen die helemaal geen cijfer zouden mogen krijgen. Die zouden uitgesloten moeten worden. Neem nou zo'n iemand als Mark Rutte. Die mag toch geen cijfer krijgen. Dat kan helemaal niet. Die man huurt zijn moeder in om zijn overhemden te strijken. Dat kan echt niet als je zo oud bent.

Eigen mening:
Het was een eerlijk en oprecht interview, waarin hij zich echt niet mooier voordeed dan hij is.

Uit principe spreekt Erwin zich in interviews niet uit over zichzelf, want hij vindt dat de buitenwacht niets te maken heeft met zijn privéleven. Maar de verhalen over het weer ken ik nu wel, het is juist zo leuk als er iets persoonlijks te lezen valt.

'Linkse mensen zijn soms zo zuur'
Jan Marijnissen

*Het feminisme vond hij maar een vreemde beweging, 'vooral in de begin-
tijd: monomane, elitaire types in plissérok en parelketting, die zich niets
aantrokken van de arbeidersvrouwen'. De normen- en waardediscussie
kan wat hem betreft zo beginnen, zonder speciale commissie: 'ik zit er klaar
voor, al vijftien jaar.' Van moraalridderij moet hij niets hebben: 'Linkse
mensen zijn soms wel erg zuur, ik vind het belangrijker mensen fatsoenlijk
te behandelen, dan je hele huis vol spaarlampen te hebben en zonder auto
of vlees te leven.'*
SP-fractieleider Jan Marijnissen (1952)

Dat hij nog in de Tweede Kamer zit, is vooral te danken aan Pim Fortuyn. Drie jaar geleden was hij het spuugzat, zei tegen z'n collega's
en de partijleiding dat ze een nieuwe fractieleider moesten zoeken,
hij wilde de Kamer uit. 'Ik had het echt helemaal gehad, dat ge-
zeik en gelul, dat niks willen doen, dat saboteren van de debatten,
wel steeds tegen je zeggen: 'Ik ben het helemaal met je eens,' maar
daarna toch tegen je moties stemmen, dat soort ongein. Intellectueel was het ook helemaal geen uitdaging meer. Toen Bolkestein
er nog zat, was het leuk, tegen hem kon je fulmineren, hij daagde
je uit, het ging ergens over, maar tijdens Paars II was het absoluut
niks meer. Alles zat dichtgetimmerd, alles werd in achterkamer-
tjes geregeld. Ik dacht: ik ga schrijven, schilderen of reizen, wat
dan ook, maar ik moet iets anders gaan doen, ik verpieter hier.'
   Toch zit je er nog.
   'Jazeker en tot m'n genoegen. Dat komt, vreemd genoeg, vooral

door Pim Fortuyn. En door nog een paar andere omstandigheden. Bij rondvraag om me heen bleek dat de partij mij nog niet kwijt wilde als leider. En er was ook geen enkele collega die stiekem hoopte op mijn vertrek. Verder heb ik met een aantal mensen, voor wie ik veel respect heb, de stichting Stop de Uitverkoop van de Beschaving opgericht, waarin het ook gaat over normen en waarden. Een leuke club, goeie gesprekken. En toen verscheen Pim Fortuyn aan het firmament. Dat vond ik een heel interessante ontwikkeling, waardoor er veel is gebeurd in de politiek. Daardoor kreeg ik er weer ontzettend veel zin in.'

Hoe dat zo?

'Hij maakte iets manifest van de onvrede onder de mensen, waarmee ikzelf ook al heel lang worstelde, maar waarmee de politiek zich geen raad wist. Hij heeft weliswaar vaak heel andere oplossingen aangedragen dan waar ik voor sta, maar z'n weerzin tegen wat Paars op tal van terreinen had opgeleverd, deelde ik helemaal. Dus het werd weer interessant, ik zag het al helemaal voor me: een nieuwe regering met CDA, PvdA en GroenLinks en hij over rechts en ik over links dat kabinet attaqueren vanuit de Kamer. Dat had een interessante politieke strijd kunnen opleveren.'

Volgens mij was jij de enige fractieleider die ontspannen met Fortuyn omging.

'Dat is het goeie woord, inderdaad: ontspannen. Ja, hoe kwam dat? Het gekke was dat hij niet met mij wilde discussiëren, althans niet officieel in de aanloop naar de verkiezingen. Hij zei daarover: 'Het is niet in Jans en mijn electorale belang, dat wij met elkaar in discussie gaan.' Ha, ha. Maar we hebben elkaar wel vaak en langdurig gesproken, in of na afloop van televisieprogramma's. Op de een of andere manier lagen we elkaar, net zoals ik vroeger ook goed overweg kon met Bolkestein. Dat heeft te maken met een bepaalde stijl, niet conventioneel, non-conformistisch, oorspronkelijk. Ik wil niet zeggen dat ik dat allemaal ben, maar Fortuyn in ieder geval wel. Daar hou ik van. Ik hou niet van voorspelbare politici met voorspelbare praatjes. Ik doe zelf altijd ontzettend mijn best om m'n eigen boodschap steeds in andere woorden te brengen, dat ben je aan je gehoor verplicht, ook als dat de Tweede Kamer is. Er zijn zelden vergaderingen waar ik bij ben, waar niks gebeurt. Ik kan absoluut niet tegen saaiheid, er moet iets gebeuren, laten we anders thuisblijven of leuke dingen gaan doen. Haal eruit wat erin zit.'

Waarom ging het zo mis tussen Fortuyn en Melkert, Dijkstal en Rosenmöller?

'Ik heb dat nooit helemaal begrepen. Melkert hoorde ik onlangs in zo'n lang interview voor de radio. Vol zelfbeklag, iedereen had schuld, Paul Witteman had het fout gedaan in dat lijsttrekkersdebat, hij was de slechtste interviewer ooit... Nou ja, dat is toch onvoorstelbaar, dat slaat toch nergens op. Zo ging dat hele interview door, drie uur lang. Als je wilt weten waarom hij zo verkrampt omging met Fortuyn: nou daarom, omdat-ie geen fatsoenlijk interview kan geven, omdat hij altijd anderen de schuld geeft, geen enkele vorm van zelfkritiek heeft, hij is gewoon een flapdrol.

Die arme Dijkstal deed het aanvankelijk heel ontspannen, maar toen begon zijn eigen partijvoorzitter aan z'n poten te zagen door te zeggen dat hij eenvoudige Jip en Janneke-taal moest spreken. Dat kun je net gebruiken op zo'n moment, dat je eigen voorzitter je zelfvertrouwen aantast. Vreselijk. Rosenmöllers grootste fout was z'n gretigheid; hij heeft niet de wijsheid en de flexibiliteit kunnen opbrengen om, als Fortuyn de vinger op een zere plek legde en dat correct deed, daarbij te kunnen aansluiten en te zeggen: "Je hebt gelijk." Hij had steeds maar een antwoord: "Het deugt niet, u deugt niet, dit is extreem rechts." Tja, dan kom je er niet uit.'

Het was wel een erg mannengezelschap. Zou een vrouw iets gescheeld hebben?

'Ja, dat was inderdaad heel slecht. Dat was ook een van de redenen waarom ik dacht dat de SP wel een nieuwe lijsttrekker zou kunnen gebruiken: eindelijk eens een vrouw. Agnes Kant zou dan als eerste im Frage zijn gekomen. Het klopte niet dat er allemaal mannen zaten. De PvdA heeft nu Jeltje van Nieuwenhoven. Ik ben er erg voor dat zij blijft en niet wordt vervangen door Wouter Bos. Frisse jongen, daar niet van, maar zij stamt uit de sociaal-democratische traditie en Bos is een nieuwlichter, die ideologisch niet de bagage heeft van Jeltje en juist ideologie is iets wat bij de PvdA eens flink moet worden opgepoetst.'

En als ze Bos kiezen vanwege z'n jeugd en aantrekkingskracht op jongeren?

'Hij is achtendertig of zo, is dat jeugd? Ja, hij ziet er leuk uit, maar als dat soort criteria een rol gaat spelen... Ik word een beetje kriegelig van dat gezeur over verjonging en vernieuwing. Met die slogans zijn we al decennialang bedrogen door de wasmiddelenindustrie. Met het politiek leiderschap wordt in Nederland veel te onzorgvuldig omgegaan. Al dat gedoe over maar twee of drie termijnen mogen zitten. Tuurlijk, de Kamer moet rouleren, maar als je ziet hoeveel nieuwelingen er nu zitten, dan denk ik: dat is gewoon belachelijk. Het hele historische besef en het gemeenschappelijke bewustzijn van de Kamer gaan totaal verloren. In een normaal debat moet je kunnen refereren aan eerdere discussies: weet u nog wel, toen is dit gezegd of dat beloofd. Maar dat werkt niet meer als er allemaal mensen zitten zonder enige geschiedenis of herinnering.'

Maar we hadden het net over vrouwen in de politiek.

'Helaas zitten er weer minder vrouwen in de Kamer. Dat ligt overigens niet aan de SP, wij hebben er vier, van de negen. Ik heb er hard aan meegewerkt dat de SP, vroeger een volstrekte mannenpartij, ook een vrouwenpartij geworden is. Ben ik wel trots op. Maar goed, vrouwen in de politiek dus. Ze moeten er zitten, sowieso, maar maakt het verschil? In het algemeen niet, ik zie het niet, echt niet. Helaas zijn vrouwen vaak net zulke grijze muizen als mannen. Jammer, maar dat vind ik echt. Misschien verwacht jij te veel van vrouwen, Cisca, misschien zelfs iets onmogelijks. Trouwens: vind je het niet raar dat tot nu toe alleen mannen zich expliciet hebben uitgesproken over dat geweld tegen allochtone vrouwen? Waar zijn de vrouwen? Nou gaat het echt over mensen die lijden en dan hoor je ze niet. Nog even terug naar het gedaalde aantal vrouwen in de Kamer. Ik vind dat ze daar ook zelf verantwoordelijk voor zijn. We hebben het bij de SP nu goed geregeld, maar vier jaar geleden hadden we er grote problemen mee vrouwen voor onze lijst te vinden. Het is nu eenmaal zo dat in de Kamer zitten z'n prijs heeft, die moet je willen betalen. Je kunt niet én een gezellig sociaal leven én een gezin en dit én dat hebben en dan ook nog in de Kamer zitten, dat gaat gewoon fysiek niet. Een keus voor de Kamer heeft tot gevolg dat je je een hoop andere dingen moet ontzeggen. En daarom haken vrouwen eerder af dan mannen, merk ik.

En dan nu ook nog een mannelijke staatssecretaris van emancipatie. Als ik Balkenende was, had ik die man geweigerd, een alcohollobbyist notabene.'

Je noemde net de mishandeling van allochtone vrouwen. Het is LPF-minister Nawijn die gezegd heeft dat deze vrouwen een eigen verblijfsvergunning moeten krijgen en dat hun man het land uitgezet zou moeten worden.

'Met het een ben ik het eens, het andere is onmogelijk. Ik heb onmiddellijk gezegd dat ik het eens ben met een strenge aanpak van mishandelende mannen, allochtoon of autochtoon. Die eigen verblijfsvergunning voor mishandelde allochtone vrouwen, die willen scheiden, vind ik prima, maar hun man zomaar het land uitzetten, kan niet.'

Over allochtonen gesproken: wat vind je van de nieuwe integratie-ideeën, vooral afkomstig van de LPF: geen subsidie meer voor organisaties tot behoud van de eigen cultuur, folders in de eigen taal et cetera?

'Ben ik het helemaal mee eens. Zeiden wij bij de SP vijftien jaar geleden al. Daar zijn we nog vreselijk voor uitgescholden. Cryptofascisten en racisten waren we, toen we zeiden dat het veel beter was buitenlanders te spreiden over de wijken, geen geld te besteden aan het onderwijs in de eigen cultuur, maar wel aan Nederlandse taallessen, geen geld te geven voor aparte zwemclubjes, maar wel voor gemengde met Nederlandse vrouwen. De aanvallen op ons liepen toen zo hoog op, dat we besloten hebben tot een tactische terugtocht, dat was gewoon nodig om de partij te redden. We hebben dat onderwerp toen een aantal jaren onbesproken gelaten. Eind jaren tachtig hebben we het weer opgepakt. Nu horen we onze geluiden van toen terug uit de monden van vrijwel alle politici, ook van hen die ons toen op een schandalige manier hebben behandeld. Dat maakt mij nog steeds woest.'

Hoe staan jullie nu tegenover de integratie?

'Een van de belangrijkste dingen is voor ons nu om allochtonen in het eigen land, voordat ze naar Nederland komen, de taal te leren en op de hoogte te brengen van de Nederlandse rechten en plichten. Verplichte inburgerings- en taalcursussen in Marokko, Turkije, noem maar op. De ambassades zouden dat moeten organiseren en deels financieren. De mensen zouden er zelf natuurlijk ook aan moeten meebetalen. We zijn op het ogenblik bezig hierover een plan uit te werken.'

Normen en waarden: daar staan de politiek en de media bol van dezer dagen.

'Prima. Ik ben klaar voor de discussie, al vijftien jaar. Echt waar. Zonder speciale commissie. Maar goed, als die er dan toch moet komen, dan een zonder politici. Maar met wetenschappers, mensen zoals Herman Vuijsje, en gewone burgers, die ervaring hebben met het handhaven van fatsoenlijk gedrag. Zoals tante Truus uit Nijmegen, die bij de voetbalclub N EC vandalistische supporters in het gareel weet te houden. Die heeft zoveel autoriteit dat ze maar op zo'n clubje raddraaiers hoeft af te stappen en te zeggen: "Zeg, weet jij wel, dat je vader heeft meebetaald aan dit voetbalveld?" waarna de orde hersteld is. Dat soort mensen dus. Het belangrijkste onderdeel van dat Normen en Waardedebat is, wat mij betreft, het politieke aspect. Ik vind het nogal laf om je alleen bezig te houden met spugen in de tram of het bekladden van bushokjes en niet je eigen politieke handel en wandel tegen het licht te houden. Zodra de overheid zich zelf schuldig maakt aan asociaal beleid, door te bezuinigen op de AOW of mensen te laten verpieteren in verpleeghuizen omdat er te weinig personeel is, geeft ze daarmee aan hoe er gedacht wordt over het erfgoed van die mensen en hun verdiensten voor ons land. Dat is onbehoorlijk. En als politici elkaar baantjes toeschuiven, moet je niet raar opkijken als zoiets ook in de bouwwereld gebeurt. Dan is het wel heel goedkoop om, zoals Balkenende doet, te zeggen: "Nee hoor, het gaat niet over de overheid, wij willen niet betuttelen, het gaat om de burgers." Dat is de ellende met zo'n discussie: het gaat altijd over de buurman, nooit over jezelf. Als je al die verontruste mensen hoort, denk je toch dat we met zestien miljoen keurige types te maken hebben; wie zijn dan eigenlijk de onbeschoften, voor wie de discussie bedoeld is?'

Waar wij het ook nog over moeten hebben is jouw visie op het feminisme.

'Hoe bedoel je? Ik ben het helemaal eens met jullie aanpak van de problemen van vrouwen.'

En die S P-nota Arbeidersvrouw en feminisme dan, waarin de feministische opvattingen worden afgedaan als 'gedachtekronkels' van elitaire dames en waarin over Anja Meulenbelt wordt gezegd: 'We moeten geen enkel kind zo'n moeder gunnen. Wanneer dit soort vrouwen abortus wil, dan kunnen ze het van ons krijgen en dan nog liever vandaag dan morgen.'

'Dat was uit een brochure van twintig jaar geleden, het ging toen hard tegen hard. In het licht van die tijd wel begrijpelijk. Maar deze uitspraak is natuurlijk over de grens. Ik ben dan ook blij dat hij niet van mij is. Anja Meulenbelt was trouwens onlangs als spreekster op ons fractieweekeinde, dus je ziet: geen hard feelings meer, over en weer.'

Kan wel zijn, maar dit is toch vreselijke taal.

'Nogmaals: het dateert uit de tijd dat we nog met het radicale feminisme te maken hadden, met vrouwen die het steeds hadden over De Vrouw tegenover De Man, een ongenuanceerde tegenstelling die ik totaal onzinnig vond en vind. Die vorm van feminisme is, volgens mij, allang passé. Inderdaad, toen vond ik het een beweging die uit monomane, elitaire, kleinburgerlijke vrouwen bestond, die totaal geen oog hadden voor de echte noden van de arbeidersvrouwen.'

Nou zeg, waar heb je het over? Toch niet over Joke Smit, Anja Meulenbelt of mijzelf, mag ik hopen? Het kenmerk van het feminisme is juist de belangenbehartiging van vrouwen die het slecht hebben, thuis, op het werk of elders in de maatschappij.

'Dat heb ik in mijn woonplaats Oss dan nooit mogen zien. De Rooie Vrouwen daar, ik heb nog nooit zo'n stelletje kakmevrouwen bij elkaar gezien. Zo elitair als de neten. Ze hadden geen ruk met de gewone mensen. Ze organiseerden vrouwendagen en daar kwamen ze aan in hun plissérokjes en met een parelketting. Ja, ik zie dat jij er nu ook een om hebt. Mag hoor, je ziet er goed mee uit.

Maar die Rooie Vrouwen van toen waren mensen met een monomane manier van denken, een doorgeschoten radicalisme, verstoken van iedere nuancering, elke man was verdacht, onderdrukkers waren het, zonder uitzondering. Hun identificatie met die miljoenen gewone vrouwen was nihil. Fysiek waren ze er nooit bij als er wat uit te vechten viel. Ik heb het niet over Joke Smit en om nog verder terug te gaan, over Aletta Jacobs en Suze Groeneweg, die deugden allemaal. Ik weet inmiddels ook wel dat in alle emancipatiebewegingen de midden- en de hogere klasse het voortouw hebben genomen. Nou ja, mijn irritatie had met twee dingen te maken: ik voelde me gepikeerd dat ik, ongeacht wat ik dacht of deed, als onderdrukker werd weggezet, terwijl ik juist wilde meedoen. Ik heb nota bene nog aan de oprichting van Dolle Mina in Oss meegewerkt, maar ik werd toch tot die verdomde onderdrukkers gerekend. En verder kan ik het niet verdragen als de waarheid versimpeld wordt en er geen enkele discussie mogelijk is. En dat trof ik bij de toenmalige feministen heel erg aan. Zoals ik nu weer zo'n vervelende tendens van moraalridderij zie bij sommige linkse mensen. Die kunnen zo verschrikkelijk zuur zijn.'

Wat nu weer?

'Voor die mensen deug je pas als je vegetariër bent, je hele huis vol hebt met spaarlampen, altijd in het openbaar vervoer zit, geen auto hebt, nooit vliegt, noem maar op. Mijn dochter van zeventien is al acht jaar vegetariër, die wrijft ons elk biefstukje aardig in: "Zo daar is weer een koe voor jullie om zeep geholpen." Natuurlijk heeft ze gelijk. Maar ik heb een hekel aan mensen, die zich ver boven jou verheven voelen omdat ze geen vlees eten of spaarlampen hebben. Ga toch weg, dat zijn verzuurde mensen met sterk masochistische trekjes. Inderdaad, moraalridders. Dat doet me denken aan die CPN'er die ergens een spreekbeurt kwam houden. De plaatselijke afdeling stond hem op te wachten op het station, zien ze hem uit de eerste klas stappen. Wat nu, hun strijdmakker in de eerste klas? "Ja, kameraden, voor de arbeider is het beste nog niet goed genoeg." Zo is het maar net. Ik vind het veel belangrijker om fatsoenlijk met mensen om te gaan, geen vijanden te maken. Dat overstijgt iedere spaarlamp. Trouwens: die dingen waren vroeger intens lelijk, heel groot. Niks voor mij, want ik ben thuis de man van de gezellige lampjes, kaarsen en waxinelichtjes. Zodra ik thuiskom, doe ik alle lichtjes aan. Ik ben overal de maker van de gezelligheid, ook op onze fractieweekeinden. Die bereid ik intensief voor, ze moeten vooral niet in foute hotels of lelijke zalen worden gehouden, maar in een vriendelijke, prettige omgeving.'

Ik las laatst iets over 'werkplicht' in een interview met jou.

'Dat komt uit ons Handvest 2000. Dat ging toen over mensen

met een uitkering, die zeiden: "Ik hoef niet te werken, dat doen anderen voor me, ik heb recht op die uitkering, de rest kan me de rug op." Dat vind ik een mentaliteit die niet deugt. Werken is toch een deel van je vrijheid inleveren, je verhuurt jezelf. Dat moeten we allemaal, willen wij iets van dit land maken. Zo is het hier nu eenmaal georganiseerd. Bijstandsmoeders? Ja, die moeten ook werken, alleen zou ik hen het liefst willen ontzien tot hun kinderen zestien zijn.'

Zestien???

'Ja. Maar ik ben een realist en weet dat dat niet haalbaar is. Dus dan maar vier jaar, de leeftijd die er nu staat voor de sollicitatieplicht van bijstandsvrouwen. En dan het liefst deeltijdwerk. Ik vind dat alleenstaande moeders in de bijstand ook een keuze moeten hebben. Te allen tijde dient het belang van het kind voorop te staan. Daar komt bij dat ik de Nederlandse crèches uit pedagogisch oogpunt gewoon slecht vind. Ze hebben vaak geen deugdelijk schoolplan, er is te veel verloop onder het personeel, er is geen continuïteit. Wij besteden in Nederland te weinig aandacht aan kwaliteit van kinderopvang.'

Zelf zat je als kind van elf, na de dood van je vader, drie jaar op een kostschool. Je zegt altijd dat die vreselijke ervaring je leven gekleurd heeft.

'Ach, die kostschool was niet het ergst, het was de dood van mijn vader en daarna de voortdurende angst dat ook mijn moeder dood zou gaan. Dat we alleen zouden achterblijven, mijn twee zusjes, m'n mongoloïde broertje en ik. Wat een angsten heb ik toen uitgestaan, genoeg voor de rest van mijn leven. Mijn vader was van de een op de andere minuut weg, hartinfarct. Ik besefte laatst dat ik helemaal geen foto heb waar wij samen op staan: vader en zoon. Ach, je maakte vroeger niet zoveel foto's en als hij er eens eentje maakte, met zo'n ouderwetse vierkante Kodak, dan was het altijd van Het Gezin, daar stond hij nooit zelf op. Ik heb geen herinneringen meer aan zijn gezicht, ook niet aan zijn stem. Ik heb niet zozeer hem gemist, als wel een vaderfiguur. Een substituut voor hem heb ik nooit gehad. Op mijn computer heb ik als screensaver een schilderij van Rembrandt: zijn zoon Titus als monnik. Ik heb nooit geweten waarom dat nou juist mijn lievelingsschilderij is. Maar pas flitste het door me heen: ik ben zo gek op dat schilderij omdat het een afbeelding is van een zoon gemaakt door z'n vader. Rembrandt heeft heel lang en liefdevol naar z'n zoon gekeken om dat schilderij te kunnen maken. Dat is wat mij erin aantrekt. Dat is ook waarop ik jaloers ben.'

Oktober 2002

EINDSCORE: +1

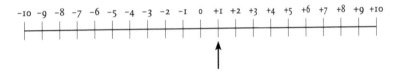

Commentaar

Mari-Anne Marijnissen (1951)

De reacties:
Jan had beslist geen spijt van het interview. Hij is altijd heel spontaan en neemt geen blad voor de mond zoals ook in dit interview te lezen is. Hij vond het een heerlijk gesprek.

Ik ben niet vaak op het interview aangesproken, maar de enkele keer dat het wel gebeurde, kreeg ik reacties in de trant van '*die Jan van jou*', '*Gelijk heeft-ie*' en '*Opzij is in de loop der jaren wel wat veranderd*'.

Het cijfer (+1):
Wat we van het cijfer vonden? Is geheel ter beoordeling van de redactie. Ieder denkt er het zijne van. Als je onder de meetlat wilt, moet je niet piepen. Het is gewoon een leuk *format*.

Eigen mening:
Het was Jan ten voeten uit. Zo eerlijk als goud. Hij verbloemt of verhult nooit wat hij denkt. Wie er ook tegenover hem staat (gelet op zijn uitspraak over het parelkettinkje van Cisca Dresselhuys). Overigens windt hij zich nog steeds op over die tijd. De tijd van het doorgeslagen feminisme (ik zat zelf bij de Dolle Mina's, veel min-

der elitair. Anja Meulenbelt is nu trouwens sp senator in de Eerste Kamer). De tijd van Fortuyn en de manier waarop Fortuyn door de andere politieke partijen werd bejegend. De tijd van de 'gastarbeiders', waarin de sp ver voor de troepen uit liep met haar mening over het allochtonenbeleid. Al met al dus allemaal nog zeer actueel!

'Ik ben een oppervlakkige verdringer'
Jan Mulder

Mannen en vrouwen zijn volstrekt gelijk, 'elk onderzoek dat erop gericht is verschillen te ontdekken, moet verboden worden'. Seks is als een gebakje: 'Dat eet je toch ook weleens met een ander? Nou dan.' Verpolitieken is een ramp, 'een beetje opstandige en originele geesten worden in Den Haag weggemanoeuvreerd, heel jammer'. Soms vliegt hij bij Barend & Van Dorp uit de bocht, 'ik heb daar een moeilijke taak, ben er de zogenaamde inbreker terwijl ik eigenlijk kampioen niet-praten ben'. Pim Fortuyn had hij graag als minister-president gezien: 'Een verademing, die man; hij sprak normaal, niet ingekapseld in belangetjes, spontaan boos en verontwaardigd, veel theater, maar ja, weinig klasse'.
Ex-voetballer/schrijver/televisiepresentator Jan Mulder (1943)

Het is oppassen met hem. Wat hij het ene ogenblik met een ernstig gezicht beweert, haalt hij even later onderuit. Want wat is waarheid? Een mens moet zichzelf niet te serieus nemen; zonder ironie en relativering kan hij niet leven. Hij wil vooral geen burgerman zijn, maar is hij dat misschien toch, met z'n angst om in de supermarkt achter een hoog opgetast karretje te lopen? Oud worden is vreselijk, maar doodgaan wil hij pas op z'n zeshonderdste. Z'n drukke leven vindt hij fantastisch, maar misschien zou het toch beter zijn in zijn huis in Nieuwolda te wonen en rustig vanaf een bankje de tuin in te staren? Hij is een trouwe huisvader, maar ook een man van buitenechtelijke relaties. Kortom, een vat vol tegenstrijdigheden.

'Zonder ironie en relativering kan een mens toch niet leven? Het

184

heeft iets beperkends dogmatisch te denken, zelfs over heel eenvoudige dingen. Van alle dingen kun je ook precies het tegenovergestelde beweren. Als ik me laat interviewen, wil ik vooral leuk zijn, niet voorspelbaar. Ik geef een antwoord en haal dat direct weer onderuit. Soms leidt dat tot slappe grappigheid, tot kinderlijk recalcitrant gedrag, maar alles beter dan saaiheid.'

Zo kun je jezelf ook totaal wegrelativeren.

'Maar dat doe ik niet, vooral niet in m'n stukjes. Ik heb inderdaad de naam altijd te relativeren, maar ik ben geëngageerd, ik hou van rechtvaardigheid, wind me op over bedrog en slap gepraat, vooral in de politiek. Ik relativeer iets nooit helemaal weg. Mensen die niet kunnen lezen, denken dat. Maar ja, als je op de reacties van mensen moet afgaan... Moet je eens zien wat voor post ik krijg, reacties op mijn televisieoptreden, alles wat ik zeg slikken ze voor zoete koek, nergens zien ze de dubbele bodem of de ironie, dat is dan hun schuld, daar kan ik me niet aan storen.'

Beschrijf jezelf eens.

'Ga weg. Ik ben geen man van introspectie, daar ben ik thuis in Winschoten niet mee opgevoed. Wij zijn nuchtere mensen, doeners, niet van die diepe denkers, geen vorsers in de eigen ziel. Ik ben een vrij oppervlakkig iemand, een verdringer, als ik akelige dingen op de tv zie, zap ik gauw weg. Hoewel: ik betrap me erop dat ik de laatste tijd vaak naar krokodillen zit te kijken op Discovery of National Geographic. Niet bepaald leuke beesten, die enge dingen doen, wat zou dat nou betekenen, mevrouw Dresselhuys?'

Even serieus.

'Ik schrok laatst van iets wat ik over mezelf las. Een oud-klasgenoot zei dat ik op de hbs zo'n vervelende leerling was. Hij trad verder niet in details. Raar, ik dacht dat ik een middle-of-the-road-kind was, niet bijzonder lastig. Meer een klassieke muurbloem, verlegen, bezig met naïeve dingen: dromen over een toekomst als voetballer of de aanschaf van een mooi jasje. Ik keek enorm op tegen jongens die altijd een standpunt innamen of iets organiseerden, een schoolkrant opzetten of met de meiden bezig waren.

Eigenlijk was ik vooral een dromer. Mijn vader was schoenmaker, ik heb nog alle voetbalschoenen die hij eigenhandig voor me gemaakt heeft, van kalfsleer, met mooie witte strepen erop. De bekende voetballer Puskas had dat soort schoenen, die wilde ik dus ook. En mijn lieve vader maakte ze, compleet met die strepen. Wij waren thuis niet van die vertroetelaars, ik werd niet eindeloos voorgelezen en m'n moeder zat niet met me aan de keukentafel met kleurpotloden. Een beetje afstandelijk allemaal, Gronings. Mijn vader leeft niet meer, plotseling overleden op z'n negenenveertigste. Mijn moeder is nu 79, in prima conditie, druk met cursussen, haar zangkoor en tot vorig jaar haar pedicurepraktijk, waar ze voor een behandeling nog steeds vier gulden per keer vroeg. "Gooi er toch eens een gulden op, mam, dat kan best, ik betaal de loodgieter al tachtig gulden per uur," zei ik vaak. Maar nee, hoor. Ach, dat hou je toch. Ik denk weleens: mijn hele leven en streven zijn te verklaren uit het feit dat wij thuis geen ligbad hadden.'

Ga nog eens even door over jezelf.

'Ik ben de vleesgeworden CDA-gedachte. Jan-Peter Balkenende kan me zo in de etalage zetten: kijk eens, mensen, zo hoort het, liefhebbende man en vader, dol op z'n gezinnetje, het tuintje keurig aangeharkt, betaalt z'n belastingen op tijd, een echt gezinshoofd, een trouwe kostwinner, houdt van lezen en de Ardennen.'

Dat klinkt als een contactadvertentie. Nooit eens sombere gedachten?

'Ouder worden, de gedachte daaraan kan me soms benauwen. Ik ben nu 57, prachtige leeftijd, ik voel me prima, zo mag het nog jaren blijven. Ik haat ouder worden, maar doodgaan is nog erger. Ik zou wel zeshonderd willen worden, maar dan met het lijf en de gezondheid van nu. De tijd vliegt als je zo druk bent als ik. Soms denk ik: ik ga de tijd stilzetten. Dat kan. Echt waar. Maar dan moet ik een heel ander leven leiden. Dan moet ik in Nieuwolda gaan wonen, in het geboortehuis van mijn vrouw Johanna. Op een bankje tegen de muur gaan zitten en over de weilanden kijken. Dan gaat de tijd heel langzaam. Oud worden, pas zei Cri Stellweg daar nog iets moois over: het probleem van oud worden, is dat je jong blijft. Zo is het, ik voel me nog zeventien. Laten we gelijk even korte metten maken met de mythe dat oudere vrouwen erotisch niet meer aantrekkelijk zijn. Onzin, ze moeten veel meer gebruikmaken van hun ervaring en wijsheid en zich op jonge mannen storten, die vinden dat heerlijk. Zo, weer een probleem opgelost. Overigens hebben vrouwen lichamelijk wel meer last van ouder worden dan mannen: de overgang. Echt oneerlijk, wat een getob, zeg. Ik zie het aan Johanna, 's nachts een paar keer het bed uit vanwege de opvliegers. Geen lolletje. Nog iets ergs: de roze seniorenpas. Over Henk Hofland las ik pas dat hij zo'n ding tevoorschijn haalde in de tram. Rot op, zeg, een seniorenpas. Die moeten ze mij niet sturen, ik verscheur hem in het openbaar. Ik betaal nog liever kapitalen dan zo'n ding te gebruiken. Soms verzink ik in droef gepeins over oud en ziek worden. Daar kan ik me dan helemaal aan overgeven, maar gelukkig gebeurt er dan meestal wel iets: ik moet mijn column schrijven, naar de tv kijken of er belt een kind op.'

Of je moet naar Barend & Van Dorp, ook een goeie afleiding, vijf avonden per week.

'Ja, dat is fijn. Ik geniet er nog steeds van, begin september is het weer zover. Nu helemaal leuk met al die nieuwe politici. Mijn avonden zijn sowieso goed gevuld: driemaal per week schrijf ik een column voor *de Volkskrant*, dat doe ik om zes uur. Kost een uurtje of anderhalf. Aan onderwerpen geen gebrek als je de kranten en teletekst leest, naar 2 *Vandaag* en het *Vragenuurtje van de Tweede Kamer* kijkt. Daarna eten en dan in alle rust naar Hilversum voor de live-uitzending van halfelf.'

Jouw rol in dat programma: de ontregelaar, de schreeuwer van de zijlijn, bevalt dat nog steeds?

'Soms zit ik wel met mezelf in de maag. Ik bedoel: ik haat mezelf meer dan anderen dat doen. Ik zie mezelf uitvallen tegen dat Kamerlid Albayrak of imam Haselhoef. Niet dat ik ongelijk had, maar met die boze Groningse kop en mijn manier van doen... Maar ja, ik heb mezelf ook niet gemaakt. Ik heb daar natuurlijk ook een moeilijke taak. Ik kom nauwelijks aan het woord, moet altijd inbreken en als ik dan niet meteen mijn territorium afbaken, ben ik mijn beurt zo weer kwijt. Frits en Henk zijn de twee interviewers, ik ben de zogenaamde inbreker, zo is het geregeld. Weet je wat de pest is? Ik ben eigenlijk kampioen niet-praten, ik hou me het liefst stil, kijk en luister. Maar daar word ik natuurlijk niet voor betaald. Ik zou wel willen dat ik mijn eigen punt eens zou mogen maken, zelf scoren. Ik geef een voorzet en dan moet ik me weer terugtrekken. Ik zou een discussie weleens willen afmaken. Maar het systeem zit zo in elkaar dat ik het woord weer afsta aan Frits en Henk. En dus zien de mensen mij alleen maar even redekavelen.

Sommigen vinden dat wel charmant, anderen irriteert het.'

Ik word gek van dat door elkaar heen schreeuwen van jullie.

'Heb je gelijk in, dat is niet goed. Maar ja, we zitten daar met drie presentatoren en twee of drie gasten, hou dat maar eens in het gareel. Als ik soms een programma terugzie, denk ik ook weleens: hou nou eens even je bek, zodat ik kan verstaan wat er gezegd wordt.'

Hoe verklaar je dat politici tegenwoordig liever bij jullie dan bij Nova zitten?

'Men wil geslagen worden, het zijn allemaal masochisten in Den Haag. Soms zeggen ze bij het weggaan: jullie hadden me wel wat harder mogen aanpakken. En er kijken heel veel mensen naar, zo'n 700.000, dus dat is mooi meegenomen. Vergis je niet: de sympathie van de kijkers gaat meestal uit naar de mensen die worden afgebekt, niet naar degenen die afbekken. Daardoor gaat er eigenlijk nooit iemand af, ik ga eerder af dan de politicus die ik aanval.'

Nova moet nu ook anders, pittiger, om met Barend & Van Dorp te kunnen concurreren.

'Bespottelijk. Onzin. Moeten ze vooral niet doen. Alles vanwege de kijkcijfers. Maar daar hebben we toch juist de publieke omroep voor: om dingen te maken die niet gedicteerd worden door de kijkcijfers? Ik vind dat echt niet deugen. Ik kijk met plezier naar *Buitenhof*, vroeger naar *Het Capitool*. Laten daar nu eens 100.000 mensen naar kijken en 140.000 naar Hanneke Groenteman op de zondagmiddag. Ik ben blij dat die programma's er zijn. Ze moeten vooral zo blijven, laat de iets smeuïger aanpak maar aan ons over.'

Jij hebt in jullie programma speciaal iets met of tegen politici.

'Ik ben een geëngageerd mens, altijd al geïnteresseerd in politiek, van kinds af. Niet omdat ik politiek zo'n fraaie levensvulling vind, maar omdat daar belangrijke beslissingen genomen worden. Dus die wereld moet kritisch gevolgd worden. Als ik politici tegenover me heb, heb ik de neiging door te vragen; ik ben totaal onafhankelijk in tegenstelling tot veel parlementaire journalisten, ik vertegenwoordig alleen mezelf. Zodra ik foute redeneringen of onbegrijpelijke taal hoor, val ik aan. Dat voel ik als mijn verantwoordelijkheid. Wat je in Den Haag met de meeste politici ziet gebeuren, is dat ze verpolitieken. Het gebeurt waar je bij staat. Kijk naar zo'n jongen als Camiel Eurlings van het CDA of die PvdA'ster Albayrak, je ziet hoe ze zich conformeren aan de politieke mores, je ziet het opstijgen vanuit hun pak of truitje. Ik haat dat, ik wil het voorkomen, in de kiem smoren. Ik vraag: hoe oud ben je, je bent toch nog geen tachtig, lul toch niet met de goegemeente mee, laat een eigen geluid horen. Albayrak liet haar collega Rob van Gijzel, die een eigen koers probeerde te varen in de bouwfraudezaak, als een baksteen vallen. Vreselijk. Een beetje opstandige en originele geesten worden weggemanoeuvreerd omdat ze zich niet aanpassen. Dat is in de politiek veel sterker dan elders. Benieuwd hoe dat wordt met onze nieuwe regering. Schande trouwens dat er maar één vrouwelijke minister in zit. Zal ik eens een vrouwenkabinet bedenken? Nelleke Noordervliet als minister-president, want dat vind ik een heel verstandige vrouw. Als ministers: Elsbeth Etty, Jessica Durlacher, Bettine Vriesekoop, Sylvia Tóth, Annet Malherbe, Corry Brokken, Mieke van der Weij, Hella Voûte, Femke Halserna, Agnes Kant, Krista van Velzen, nou, ik schiet al lekker op, hè?'

Nog even over Nebahat Albayrak, je ging wel heel erg tegen haar tekeer.

'Ik had me voorgenomen daar niet meer over te praten. Ik heb haar later nog eens gesproken, toen vond ik haar sympathiek, maar ik had geen medelijden toen ze haar collega Van Gijzel liet vallen en zich slaafs achter Melkert opstelde. Dat moest worden afgestraft. Een van de aantrekkelijkste kanten van Pim Fortuyn was zijn taalgebruik. Hij sprak normaal, niet ingekapseld in belangetjes, spontaan boos of verontwaardigd, een verademing die man, sympathiek ook, maar ja, weinig klasse. Ik had hem graag als minister-president gezien, ook al heb ik niet op hem gestemd; dat was nog eens fijn theater geworden. Ik had echt een zwak voor hem. Fout aan hem was dat hij zo snel het woord buitenlander in de mond nam. Maar daar was z'n aanhang veel enger in dan hijzelf, hij had absoluut geen buitenlanderhaat, maar bij zijn achterban ligt dat anders, die is veel gevaarlijker op dat punt.'

Wat vond je van Wim Kok?

'Ik zal mezelf geen socialist noemen, wel een links mens. Ik stemde vroeger altijd PSP, nu Jan Marijnissen, een van de weinige politici die zichzelf zijn gebleven. Die heb ik nog nooit kunnen betrappen op aanstellerij of wollig taalgebruik. Hij is in de loop van al die jaren in de Kamer niet veranderd. Maar Wim Kok dus. Ik heb daar iets dubbels mee. Met m'n hart ben ik voor Wim Kok, een fatsoenlijk mens, hij heeft mij in het buitenland altijd goed gerepresenteerd; ik hoefde me niet voor hem te schamen. Maar daar staat tegenover dat hij de PvdA-beginselen hier en daar, ik wil niet zeggen aan z'n laars heeft gelapt, maar wel een beetje verlaten. Erg dat hij zo achter die weerzinwekkende Bush aan huppelde in diens behoefte aan oorlogvoering. Onbegrijpelijk dat Kok zich zo met die man vereenzelvigde, daar schoot-ie, wat mij betreft, tekort.

Ik had hem overigens een grootser afscheid gegund, maar ja, hij heeft het ook wel wat aan zichzelf te wijten. Trots zijn op het oplossen van de zaak-Máxima. Waar heb je het nou helemaal over, alsof dat een crisis was. Ik zou zoiets van me aftrappen, geen grandeur, hè. Dat stelde toch helemaal niks voor? Hij had trots moeten willen zijn op zijn aanpak van de WAO of de kwestie-Srebrenica, zes jaar geleden, dat ging over echt belangrijke dingen.'

Zie je een verschil tussen mannen en vrouwen in de politiek?

'Nee, totaal niet. Ze zitten er allebei om dezelfde redenen. Met dezelfde idealen of weet ik wat, in ieder geval is er geen verschil. Nee, niks eigen vrouwelijk geluid. Houd onmiddellijk op, Cisca, je discrimineert je eigen soort. Straks kom je nog met de vrouwelijke intuïtie aan. Ga weg, niet doen, vergeet dat voor altijd, zoiets bestaat niet.'

Wat is ertegen om te denken dat vrouwen een eigen inbreng zouden kunnen hebben? Als ze precies hetzelfde zeggen en doen als mannen kunnen ze toch net zo goed thuisblijven?

'Onzin. Wat jij nou ongeveer zegt, is dat de vrouw de koffie moet zetten. Gevaarlijke taal uit jouw mond. Een verwerpelijke instelling. Vrouwelijk inzicht, vrouwelijke inbreng... jij wilt ze terugsturen naar het aanrecht, mens, terwijl ik de meest geëmancipeerde man van Nederland ben, want ik aanvaard geen enkel verschil tussen man en vrouw. Vrouwen zijn, afgezien van hun lichaam, volstrekt gelijk aan mannen. Moet ik jou dat nou nog leren?'

Wij hebben een tolk nodig, Jan, jij draait de zaken fantastisch om. Maar

goed, mannen en vrouwen zijn helemaal gelijk, zeg jij. Als onderzoek ver-
schillen aantoont, is dat dan erg?

'Niet doen, verbieden dat soort onderzoek, volstrekt verbieden. Geen gepeuter in de hersenen, dat leidt maar tot geknutsel in de genen en aanverwante gebieden. Levensgevaarlijk allemaal. Heel enge gedachten houd jij erop na, zeg, daar komen allemaal maar verkeerde conlusies uit voort.'

Hoezo? Als hersenonderzoek aantoont dat vrouwen meer taalgevoel en minder ruimtelijk inzicht hebben dan mannen, is dat dan gevaarlijk? Dat is toch interessant? Behalve als je er de conclusie aan zou verbinden dat elke vrouw lerares Nederlands en nooit architect moet worden.

'Nee, Cisca, zulk onderzoek gaat mij veel te ver. Waar is het voor nodig? Zulke dingen wil ik helemaal niet weten. Niemand moet ze willen weten. Het zijn waanideeën allemaal, angstaanjagend.'

Jij wilt wetenschappelijk onderzoek dus op een laag pitje zetten?

'Op dit gebied ben ik voor een totaal verbod. Ik wil volstrekte gelijkheid tussen man en vrouw, punt uit. Niks geen gemanipuleer en gedoe. Ik ben voor de jonge aardappeltjes op 3 juni, niet eerder door geknoei.'

Nou haal je alles door elkaar: hersen- en genenonderzoek, gewasveredeling, toe maar. Hersenonderzoek is toch heel belangrijk, bijvoorbeeld om de ziekte van Alzheimer te kunnen begrijpen en eventueel te genezen?

'Zeker via het martelen van dieren, hè? Want dat is natuurlijk altijd nodig om ziekten te voorkomen. Ja hoor, martel maar raak. Ik ben ertegen. De grens op dat gebied is allang overschreden en toch gaat het maar door. Ik zeg het duidelijk: ik ben tegen het martelen van dieren, zelfs als het voor geneesmiddelenonderzoek is. Ik zit met smart te wachten op een pil die mij zeshonderd jaar laat worden, maar niet via dierenmarteling. Die begeerte van mensen naar steeds hogere leeftijden, steeds meer gezondheid. Je moet tenslotte ergens aan doodgaan en ik heb heel leuke dementen gezien.'

Zeker niet je moeder.

'Nee. Nou ja, goed, het is allemaal heel triest. Het hele bestaan is triest, het systeem deugt niet. Maar dat weegt niet op tegen het martelen van dieren. We houden het beschaafd. Zo beschaafd en zo rechtvaardig mogelijk leven, is mijn devies. En in dit geval geef ik de voorkeur aan het dier.'

Zo beschaafd mogelijk leven, vertel eens, hoe doe je dat?

'Laat ik een voorbeeld uit mijn eigen leven geven: ik houd niet van opzien baren in de supermarkt. Nee zeg, je zult mij nooit met m'n gsm naar huis horen bellen, naar Johanna, dat de magere varkenslappen op zijn en wat ik nu moet nemen. Dan loop ik wel even naar de auto. Grapje. Ik ben mans genoeg om dan een vegetarisch tartaartje te kiezen. Ik heb al last genoeg in die winkels met m'n bekende kop. Ze kijken toch al in mijn karretje wat ik koop. Gut, die Jan Mulder is gek op mariakaakjes en augurken. Ik kijk zelf nooit in karretjes van anderen, dat vind ik een kwestie van privacy. Nou ja, soms kun je er niet onderuit, dan zie je zo'n kar met twaalf pakken chips, je ziet het gezin in kwestie voor je, met van die foute schilderijtjes aan de muur. Ik wil nooit met zo'n hoog opgetaste kar betrapt worden, daar schaam ik me voor. Vind ik decadent, zes stukken worst en acht soorten Franse kaas. Je hebt weleens een feestje en dan heb je grote hoeveelheden voedsel nodig. Dan ga ik liever twee of drie keer terug dan in één keer met zo'n volle kar langs de kassa. En dan nog zou ik er graag een sticker op plakken: "Dit is voor m'n kleinkind" of "we hebben morgen een feestje".'

Allemaal schaamte. Jij durft vast ook geen overgebleven eten mee te nemen uit een restaurant, voor de hond.

'Nee, no way. Dat vind ik geen schaamte, maar normaal gedrag. Zeker domme-Amerikaantje spelen met een doggy bag. Nee, ik zal van z'n leven niets meenemen uit een restaurant. Ik heb al moeite genoeg om een ober aan het verstand te brengen dat ik echt die hele fles wijn niet wil leegdrinken of meenemen als er een glas uit gedronken is, ook al is het een dure fles. En nee, een glas wijn bestellen doe ik ook niet. Ik ben voor het draaiend houden van de economie.'

Volgens mij ben je vooral bang om voor een burgerman te worden aangezien.

'Ik ben juist geen burgerman. Dat zijn mensen die een glas wijn bestellen in plaats van een fles. Aan de andere kant: als je onder een burgerman verstaat iemand die van z'n vrouw houdt, eeuwig bij haar blijft en z'n kinderen eigenlijk elke dag wil omhelzen, dan ben ik een burgermannetje in optima forma.'

Maar dan wel een met een vrije seksuele moraal. Je hebt het vaak over je vreemdgaan.

'Seks, mevrouw, alleen maar seks. Wat is dat nou? Dat is heel iets anders dan de eeuwigdurende liefde die ik voor Johanna voel. Ik zal haar nooit verlaten en zij mij niet. Als zij er niet meer zou zijn, zou ik er het liefst een eind aan maken. Maar ja, je komt soms iemand tegen en dan gebeuren er dingen. Seks is als een gebakje. Dat eet je toch ook weleens met iemand anders?'

Nou doe je het wel heel gemakkelijk af. Je hebt een paar langdurende relaties buiten je huwelijk gehad. Je schrijft erover in De vrouw als karretje. Over je jaloezie bijvoorbeeld, als je vriendin een ander blijkt te hebben, over het scheurende gevoel toen een van die relaties uitging. Dat gaat heel wat dieper dan een keertje seks.

'Ik heb inderdaad twee langdurende relaties gehad, een van tien en een van vijf jaar. Wat moet ik daarover zeggen? Ik heb het niet opgezocht, geloof me, ik ben niet iemand die achter de vrouwen aan jaagt. Maar het kan gebeuren. Het is eigenlijk een beetje absurd dat je je hele leven met één persoon leeft. Maar het kan heel pijnlijk zijn, laat ik eerlijk zijn: het was vaak heel pijnlijk. Voor Johanna en ook voor de vriendinnen, want die komen er uiteindelijk toch het meest bekaaid af. Je kunt je beter bij één partner houden, dat is een stuk overzichtelijker, maar daar heb je, ik in ieder geval, geen zeggenschap over. Soms raak je helemaal in de ban van iemand, ben je totaal betoverd. Zeg maar dat je dat moet tegenhouden, ik kon dat niet. Bij mij heeft altijd vooropgestaan dat ik Johanna nooit zou verlaten, zij was en is mijn grote liefde met wie ik oud wil worden. Zij wist altijd van mijn vriendinnen, ze heeft me er nooit van weerhouden, ze kon ermee leven. Ik ben overigens wel blij dat het op dat vlak nu rustiger is.'

Dat is jouw verhaal. Ik ben benieuwd naar Johanna's visie.

'Vraag het haar.'

Zal ik doen.

Johanna:

'Ik heb het met Jan altijd vreselijk leuk gehad, we kennen elkaar al vanaf de eerste klas van de hbs, het zat en zit goed tussen ons. Als je van een man houdt, lijd je voor hem. Natuurlijk zeiden vriendinnen weleens: je lijkt wel gek, ga van hem af, je bent toch geen masochist? Nee, dat ben ik niet en ik ben ook wel jaloers, maar toch heb ik er nooit over gepiekerd om te scheiden. Omdat het Jan was. Die er nooit een seconde twijfel over liet bestaan dat hij van mij en de jongens hield en dat hij het heel leuk vond hier thuis. Hij gaf me nooit het gevoel dat het bij zijn vriendin leuker was dan hier. Als dat wel het geval was geweest, was ik weggegaan. Trouwens: voor geen ander had ik dit gedaan. Zelf heb ik nooit een relatie buiten de deur gehad, soms een one-night-stand, maar meer niet. Misschien speelt mee dat ik enig kind ben en me heel goed alleen kan vermaken. Ik ben niet zo'n sociaal dier. Ik heb ervan geleerd dat je jaloezie kunt afleren, dat je dat wel moet, omdat je jezelf anders gek maakt. Toen we pas getrouwd waren en Jan alleen in Brussel woonde, zocht ik z'n kleren en kastjes na op briefjes van andere vrouwen. Ach ja, toen was ik achttien. Daar schiet je niks mee op, dat moet je overwinnen. Natuurlijk heb ik dingen moeten wegduwen, natuurlijk vond ik het vaak moeilijk, natuurlijk dacht ik weleens: hoe kan hij dat nou doen. Maar je kunt iemand toch niet echt veranderen en ook geen dingen verbieden. Ik heb het allemaal geweten, we hebben er vaak over gepraat en ik heb het uitgehouden omdat ik gek ben op Jan. En ik sta natuurlijk ver boven hem, dat is duidelijk.'

Jan: 'Dat is waar, ze staat ver boven mij.'

September 2002

EINDSCORE: +1

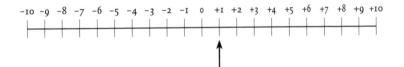

194

'Vriendschap met een vrouw ken ik niet'
Harry Mulisch

Dat er vrouwen zijn die zijn boeken niet willen lezen vanwege bepaalde machopassages, begrijpt hij wel: 'Ik heb dat zelf ook; als er in een boek dieren gekweld worden, gooi ik het weg.' Hij is dol op zijn teckel, 'van veel mensen vind ik de dood minder erg dan van een hond'. Het feminisme had het fout toen het zei dat mannen hun vrouwen onderdrukken: 'Integendeel: mannen worden onderdrukt, eerst door hun baas op kantoor en 's avonds thuis door hun vrouw als ze het hertje op de schoorsteenmantel verschuiven.' Hij heeft in zijn leven al veel prijzen gehad. 'De P.C. Hooftprijs en de Grote Prijs der Nederlandse Letteren waren echte mijlpalen, daar kan nu alleen de Nobelprijs nog overheen.'
Schrijver Harry Mulisch (1927)

Jarenlang had hij een boezemvriend, een aartsvriend zoals hij het zelf noemt, de schaker Jan Hein Donner. Deze vriendschap is het onderwerp van zijn boek *De ontdekking van de hemel*. 'Na zijn dood, in 1988, heb ik nooit meer zo'n vriend gehad. Journalist Boebie Brugsma was ook een goede vriend, ook al dood trouwens. Daar kon ik ook heerlijk mee kletsen, maar die had minder een orgaan voor wat ik schreef, ik weet niet eens of hij het wel las, daar hadden we het nooit over. De vriendschap met Hein was veel intellectueler, wij noemen ons dan ook homointellectuelen, hij las alles van me en heeft ook een paar boeken over mijn werk geschreven. Daardoor stond hij heel dicht bij me, want je werk, dat ben je zelf. We zijn dertig jaar vrienden geweest, tot aan zijn dood. Een boezemvriend is iemand aan wie je dingen over jezelf vertelt, die je nooit aan een ander zou vertellen. Niet een of ander groot geheim, maar meer schaamtevolle dingen. Zoals mijn nalatigheid om te reageren op een brief van een moeder, die me vroeg haar stervende zoon op te zoeken. Dat zou die jongen graag willen. Het was pure lulligheid dat ik dat niet gedaan heb, maar ik was nog jong, ergens in de dertig, ik kon het niet opbrengen. Nu zou ik zeker op zo'n brief reageren. Eerst even uitzoeken of het geen rotgrap was, want daar heb ik ook zo mijn ervaringen mee, maar als het serieus was, zou ik nu wel gaan. Dat soort dingen vertel je eigenlijk nooit aan iemand, maar wel aan je aartsvriend.'

Aan het eind van zijn leven zat Donner, zwaar gehandicapt na een hersenbloeding, in een verpleeghuis. Zocht u hem daar op?

'Natuurlijk. Dat heeft een jaar of vier, vijf geduurd. Onze vriendschap veranderde toen, hij werd een soort kind van me, een hulpbehoevende man. Kijk, daar staat een foto van hem. Toch nog met die leeuwenblik in dat ene oog, voor het andere moest hij een lapje dragen, anders zag hij alles dubbel. Vroeger was ons contact vooral intellectueel, toen werd het emotioneel. Ik had zoveel compassie met hem, ik had zo met hem te doen. Als er een nieuw boek van me uitkwam gaf ik hem dat wel, maar hij kon het niet meer echt lezen. Ik ging niet op ziekenbezoek, zo was het niet, ik ging naar een oude vriend met wie het slecht ging.'

Bestaat dat soort vriendschappen ook tussen mannen en vrouwen?

'Puur vriendschap met een vrouw ken ik niet. Tussen een man en een vrouw zit natuurlijk altijd een erotische component en dat wil ik kennelijk niet in mijn vriendschappen. Bij een mannelijke vriend heb ik dat niet, hoewel, daar zit natuurlijk ook een erotische kant aan, maar geen homo-erotische. Ik kan best praten met een vrouw, dat is het niet, ik praat nu toch ook met u? Maar elke week een keer met een vrouw uit eten en dan maar oeverloos ouwehoeren, nee, dat kan ik niet. Als het bij een vrouw in de eerste plaats gaat om het intellectuele, als ze om die reden met mij bevriend wil raken, werkt dat niet bij mij. Een vrouw met wie ik niet naar bed ga en met wie ik verder ook niks heb, alleen een contact op puur intellectuele basis, zoals vroeger in Frankrijk waar een madame een salon had met schrijvers en schilders, dat ken ik niet. Het is niet dat ik het niet wil, het lukt me gewoon niet. Trouwens: als ik met een vrouw een intellectueel gesprek voer, wordt het vaak een gevecht, het gaat niet meer tussen ons als individuen, ik word dan De Man en zij De Vrouw en daar heb ik helemaal geen zin in.'

Komt dat niet vooral omdat u Mulisch bent?

'Natuurlijk, dat komt er ook nog eens bij, dat valt niet los van elkaar te zien. Maar toen ik vroeger nog niet zozeer Mulisch was, had ik dat ook al. Hein had wel intellectuele vriendschappen met vrouwen. Hij was bijvoorbeeld goed bevriend met een vriendin van mij. Ik hield van haar, ze woonde bij me, maar Hein had een intellectuele vriendschap met haar. Nee, daar was ik niet jaloers op, ik vond het heerlijk. Dat verloste mij ervan zelf veel met haar te moeten praten, grapje.'

U ziet vrouwen dus niet als vrienden, maar vooral als object van seks en liefde?

'Ik denk het wel, ja. U weet trouwens wat Nietzsche ooit gezegd heeft, dat de meeste huwelijken niet kapotgaan aan te weinig liefde, maar aan te weinig vriendschap. Dat is ontzettend waar. Liefde heb je ook voor je hond, je werk en zo, maar vriendschap is echt een categorie apart.'

Hoger, lager, gelijk?

'Ik ben eigenlijk geneigd te zeggen: een categorie hoger. Vriendschap is een uitwisseling, liefde niet, dan ben je door elkaar gebiologeerd. Vriendschap heeft alles te maken met veel praten, liefde niet, die kenmerkt zich eerder door samen te kunnen zwijgen. Aan de andere kant: voor iemand van wie je houdt, offer je je op, maar doe je dat ook voor een vriend? Daar zou ik eens over moeten nadenken.'

U zit al jaren in de befaamde Herenclub, een groepje met onder anderen Marcel van Dam, Hans van Mierlo, Rudi Fuchs, dat een keer per week samen eet en praat.

'Die club hebben Hans van Mierlo en ik vijfentwintig jaar geleden opgezet. Het is per definitie een Herenclub, er zit geen enkele dame bij. En zo blijft het ook. We zijn nu met z'n negenen. Net mooi, want zo kunnen we met z'n allen aan een tafel. Die staat apart in het restaurant, zodat we niet afgeluisterd kunnen worden. De laatste die erbij gekomen is, is museumdirecteur Rudi Fuchs. Over zo iemand zijn we het dan allemaal eens. Iemand laat z'n naam vallen en alle anderen zeggen: ja, verdomd, goed idee. Het gaat ons niet om het eten, mij al helemaal niet. Ik ben niet zo'n eter, vooral niet nadat mijn maag is weggehaald vanwege kanker. Ik kan maar kleine beetjes eten. Het gaat om de gezelligheid, het oeverloze praten. Vrouwen kunnen dat niet. Die zijn veel concreter en aardser. Die zeggen om halftwaalf: kom, we moeten eens naar huis. Daar hebben ze ook groot gelijk in, want de kinderen moeten de volgende dag vroeg op, dus zij ook. Mannen vergeten dat soort zaken, die gaan gewoon door, tot de ochtend desnoods.'

Wordt het toch geen tijd voor een paar vrouwen bij uw club? Vrouwen kunnen tegenwoordig ook best over andere dingen praten dan kinderen en koken.

'Dan zouden dat toch excuusvrouwen worden. In de trant van: we zijn helemaal geen Herenclub, want deze haaibaaivrouw zit er ook bij. Want dan wordt het toch een soort kerel die we erbij zouden vragen. Nee, dat moeten we niet doen. We zijn allemaal met elkaar bevriend. Die mannen hebben allemaal vrouwen, die we aardig vinden, maar die komen er niet bij. Ja, het kan gebeuren dat er eens eentje mee-eet, als het zo uitkomt. Dan zeggen we heus niet: wegwezen jij. Maar wij zijn en blijven een jongensclub, zoiets als de bende van De Zwarte Hand. We praten over filosofie, politiek, literatuur, noem maar op. Nooit over zaken waarover mannen praten, zoals auto's, geld, voetballen en vrouwen. Wij zijn een ouderwets soort jongens.'

Zijn vrouwen voor u eigenlijk alleen maar seksuele wezens? U hebt er in de loop van uw leven heel wat versleten, elke dag een andere vriendin.

'Ja, dat was een tijdje zo, in de bloeiperiode van mijn leven, ik was een levenslustig type. En toch nog boeken schrijven en eindeloos hele nachten doorkletsen met Hein Donner. Achteraf vraag je je af: hoe kreeg je het allemaal voor elkaar, maar ja, daar was je dertig voor.'

Vonden die vrouwen dat ook leuk, denkt u?

'Wat had ik dan van tevoren moeten bedenken? Als ik met haar naar bed ga, wil ze misschien wel meer en dat is niet mijn bedoeling, dus ik ga maar niet met haar naar bed? Nou ja, dan ga je dus nooit met iemand naar bed. Deze ascetische houding zou mij misschien sieren, maar ik heb die niet. Oké, ik ben met al die vrouwen naar bed geweest en ik heb daar geen spijt van, want zo vreselijk vonden ze het ook niet, die ene keer. Het waren ook nogal losbollen.'

Zou uzelf als vrouw willen reïncarneren, mocht dat kunnen?

'Alleen als u erin slaagt een matriarchaat op te richten, waarin vrouwen het voor het zeggen hebben. Dan hoor ik weer bij de machthebbers. Anders toch maar liever als man. Ik kan me zo moeilijk voorstellen wat het is om een vrouw te zijn, ik ben als enig kind zonder meisjes om me heen opgegroeid.'

In uw meest recente boeken, De ontdekking van de hemel *en* De procedure *komen twee mannen voor die weglopen. Victor Werker, die verdwijnt als z'n vrouw moet bevallen van een dood kind en Onno, die zijn comateuze vrouw achterlaat. Zijn mannen zulke weglopers?*

'Mannen zijn veel kleinzeriger dan vrouwen. Vrouwen zijn flinker. Allicht. Ze baren kinderen, waardoor een vrouw een heel andere verhouding heeft tot pijn. Eerlijk gezegd is het mij niet zo opgevallen dat die mannen allemaal weglopen, het is dat u het zegt. Geen aardige karaktertrek, hè? Mannen zorgen voor het geld, ze zijn veel gekker en bedenken belangrijke dingen als de relativiteitstheorie, maar de rest moet de vrouw doen. Als een kind ziek is, de hele nacht naast zijn bed zitten bijvoorbeeld.'

Bent u ook zo'n wegloper?

'Nee, pff, als u mij vraagt of ik bang ben voor ziekte en dood, en dus wegloop, nee, absoluut niet. Als mijn vriendin ernstig ziek zou worden, zou ik voor de verzorging iets regelen, ook in haar belang, zodat ze niet is overgeleverd aan mijn niet-bestaande kookkunst en beddenverschoningskunst. Daarvoor zou ik toch liever een professional in huis nemen, maar voor de geestelijke ondersteuning zou ik er zijn. Daar zou ik heus geen psychiater voor aantrekken. In *De procedure* schrijft de hoofdpersoon brieven aan zijn doodgeboren kind. Ik heb veertig jaar geleden zelf ook zoiets gedaan. Een vriendin was zwanger van mij en ik schreef brieven aan dat ongeboren kind. Het werd een miskraam. Die brieven heb ik hier nog ergens liggen, ik heb er nooit iets mee gedaan. Maar het idee heb ik nu dus wel gebruikt.'

Vrouwen zijn flinker, zegt u, maar mannen hebben nog steeds de macht.

'Dat zegt u nu, maar ik ben het daar niet helemaal mee eens. Toen er in de begintijd van het feminisme gezegd werd dat alle mannen hun vrouwen onderdrukten, dacht ik: ja, maar die mannen worden eerst op kantoor door hun baas onderdrukt en dan komen ze 's avonds thuis en verschuiven het hertje op de schoorsteenmantel en dan zegt hun vrouw bars: laat daar staan. Want de vrouw is baas in huis. Dus die mannen worden juist onderdrukt, niet de vrouwen.'

Geldt dat ook voor de heer Mulisch?

'Nee, dat geldt niet voor de heer Mulisch, want die heeft geen baas die hem onderdrukken kan. Mijn uitgever kan mij niets bevelen. Als hij zegt dat ik een zin moet schrappen, doe ik dat niet. En als ik thuis iets verschuif, wordt dat niet rechtgezet of teruggezet. Maar ik ben een uitzondering, ik heb geen baas, geen betrekking en ik heb nog nooit iets gedaan waar ik geen zin in had.'

Er zijn nogal wat vrouwen die moeite hebben met uw boeken.

'Dat weet ik. Die denken: dat machogedrag, laat maar zitten die boeken. Dat is een categorie vrouwen die mijn humor, mijn speelse, plagerige manier van uitdrukken niet begrijpt. Want ik zeg natuurlijk vaak dingen om te provoceren, dat is mijn aard. Die vrouwen moeten mijn boeken maar niet lezen, ze hebben een ander gevoel voor humor dan ik.'

Vrouwen die uw boeken wel lezen, schrikken soms van bepaalde vrouwonvriendelijke passages. Bijvoorbeeld in De ontdekking van de hemel, waar een van de hoofdpersonen, Max, met zijn vriendin Ada ligt te vrijen als zijn vriend Onno aan de deur komt. Max springt uit bed, gaat met Onno weg en zegt tegen Ada: 'Maak jezelf maar verder klaar.'

'Gruwelijk, inderdaad. Ik had zoiets ergs nodig voor de constructie van het boek, ik moest iets bedenken waardoor Ada ervandoor zou gaan. Dan moet je dus iets ontzettend lullings nemen, wat een vrouw natuurlijk niet pikt. Ik kan me wel voorstellen dat vrouwen daarvan schrikken en het boek weggooien. Ik heb dat zelf als in een boek een dier gekweld wordt. Dan gooi ik het weg. Als jongen scheurde ik zelfs de bladzij waarop de hond werd geslagen, uit het boek. Misschien las ik daarna nog wel verder, maar die vreselijke bladzij moest eruit.'

U begrijpt die vrouwen dus wel?

'Ja, het is natuurlijk wel een beetje primitief, maar ik begrijp het wel, ik heb het zelf ook.'

Nog steeds?

'Jazeker. Als ik een lovende recensie lees, maar er staat dat in het boek een paard de ogen worden uitgestoken, lees ik dat boek niet. Voor geen goud.'

En als er zou staan dat een vrouw werd gemarteld?

'Ook niet prettig, ik houd niet van sadogedoe, maar van een vrouw vind ik het toch minder erg. Een dier is de totale onschuld, die vrouw zou nog een moordenares kunnen zijn, bij wijze van spreken. Ik bedoel: een mens is tot alles in staat, maar een paard niet.'

Om over teckels maar helemaal te zwijgen. Uw lievelingsdier. Hoeveel hebt u er in uw leven gehad?

'Bij elkaar een stuk of zes, zeven, denk ik. Ik ben nu aan de achtste teckel, Schloempie. Ik ken geen teckelloze tijd in mijn leven. Als er een overlijdt, moet je wel rouwen, niet direct een nieuwe nemen. Er zit dan een jaar of zo tussen de ene en de andere hond. De meeste schrijvers hebben meer met poezen dan met honden. Vooropgesteld dat ik allergisch ben voor poezen, moet ik ook zeggen dat ik me, alleen thuis met een poes, echt alleen voel, terwijl ik me met een teckel in huis nooit alleen voel. Een poes kijkt je aan en dan vraag ik me af: wat bedoelt-ie nou, terwijl ik bij een teckel precies weet wat hij wil: naar buiten, iets eten, ik moet met hem spelen, het is glashelder voor mij. In de oorlog is mijn tweede teckel doodgeschoten door een Duitse soldaat. Ik was er niet bij. Als dat wel zo geweest was, was ik die man aangevlogen, dat weet ik zeker. Toen werd ik pas echt anti-Duits. Daarvoor wist ik wel dat ze niet deugden, maar toen was de liefde helemaal voorbij. Teckels zijn hyperintelligente honden, veel slimmer dan herders. Hoewel, met zo'n uitspraak moet je oppassen, want van een herder kunnen ze een blindengeleidehond maken, met een teckel zou dat nooit lukken. Die doen altijd waar ze zin in hebben, dat vind ik leuk, dat strookt meer met mijn karakter. Daarom had Hitler ook geen teckel, maar een herder, dat klopt precies. Ik heb wel eens gezegd dat het enige wezen waarmee ik in mijn jeugd een emotionele band had, mijn teckel was. Dan kijken mensen meewarig: ach, die zielige jongen, hij had toch ouders. Nu was mijn ouderlijk huis een wat vreemde bedoening, zoals langzamerhand wel bekend is. Mijn vader, een Oostenrijkse ex-officier was ver voor de oorlog getrouwd met een veel jongere joodse vrouw. Dat huwelijk liep stuk. Ik bleef bij mijn vader en een huishoudster in Haarlem achter, mijn moeder vertrok naar Amsterdam. Ze was te jong, te levenslustig, te eigengereid voor die stille, introverte, door de Eerste Wereldoorlog getraumatiseerde man. Mijn vader werkte bij een bank die joodse bezittingen in beslag nam; hij was "fout", zoals dat heet. Maar toen mijn moeder werd opgepakt, slaagde mijn vader erin haar los te krijgen dankzij zijn Duitse connecties: zij werd gered door mijn "foute" vader. Ik had dus niet bepaald een doorsnee gezellig thuisfront. Mijn teckel was inderdaad de enige met wie ik een echt emotionele band had. En dan denken mensen: ach, gut, dat zielige jongetje kreeg geen affectie van zijn ouders en richtte zich maar op zo'n stomme hond, maar het kan natuurlijk ook omgekeerd zijn geweest, dat ik zo'n mooie band met die hond had, dat ik daardoor niet meer gevoelig was voor wat die ouders eventueel zouden willen. Ik weet niet of de hond bij mij alleen maar een surrogaat was. Dat soort dingen proberen psychiaters je aan te praten, daarom heb ik zo'n hekel aan psychiaters. Een feit is in ieder geval dat ik de dood van een hond erger vind dan de dood van heel wat mensen. En dan bedoel ik niet seriemoordenaars, Bosnische oorlogsmisdadigers of zo, nee, gewone mensen.'

Uw teckel gaat boven alles?

'Niet boven alles en iedereen. Stel: het huis staat in brand en daarin zitten Hein Donner en mijn hond en ik kan er maar een redden. Dan zou ik toch Hein redden. Maar ik moet erbij zeggen: mijn leven zou nooit meer zijn zoals het was, omdat mijn hond verbrand was. Maar het zou natuurlijk nog veel erger zijn wanneer ik de hond had gered en Hein had laten verbranden.'

Dit interview komt in een themanummer over Mijlpalen. Wat zijn de mijlpalen in uw leven?

'De scheiding van mijn ouders, de publicatie van mijn eerste verhaal, de dood van mijn vader, de geboorte van mijn kinderen, een aantal relaties die langer geduurd hebben dan 24 uur, een stuk of zeven, mijn huwelijk, het schrijven van *De ontdekking van de hemel*, een paar literaire prijzen, de P. C. Hooftprijs, de Grote Prijs der Nederlandse Letteren, dat soort dingen. Welke mijlpaal ik nu nog zou kunnen verwachten? De Nobelprijs natuurlijk. Ik reken daar niet op, hoor, maar ik reken er ook niet niet op, ik heb er de leeftijd voor tenslotte. Ik begeer deze prijs niet hevig, zoals ik ook al die andere prijzen niet begeerd heb. Wat je hebt, dat heb je in zekere zin niet. Ik bedoel: op een gegeven ogenblik krijg je zo'n prijs, die heb je dan gewoon, je verlangt er niet meer naar. Het begeren van iets is eigenlijk nog mooier dan het hebben ervan. Hein zei het zo: "Aan winnen wen je, aan verliezen nooit." En daar knoopte hij dan nog iets aan vast. Hij zei: "Bij verliezen gaat er veel meer door je heen dan bij winnen, daarom wil ik eigenlijk liever verliezen, dat is een heviger emotie." En zo is het.'

Uw moeder is in 1998 overleden. Had u nog veel contact met haar?

'De laatste acht jaar wel. Ik werd zelf ouder en dacht: we moesten de banden maar weer eens aantrekken. Zij woonde in Amerika, waarheen ze in 1951 was geëmigreerd. Waarom? Luister eens, een joodse vrouw, die al haar joodse vrienden kwijt was, allemaal vergast, haar moeder vergast, haar grootmoeder vergast, dus die had hier niks meer te zoeken. Nou ja, ik, hè, maar dat ik voor mezelf kon zorgen, wist ze wel. En omdat het hier altijd regent, ging ze naar San Francisco, waar het altijd mooi weer is. Daar heeft ze tot het eind van haar leven gewoond. Ze werkte daar bij de Nederlandse kamer van koophandel. Die vrouw sprak vloeiend Engels, Frans, Duits, Italiaans en Nederlands. Dan ben je een wonder in Amerika, waar ze maar één taal spreken. Ze kon dus altijd makkelijk werk krijgen. Ze is nooit hertrouwd, nadat ze op haar zevenentwintigste van mijn vader was gescheiden. Vrienden volop, want het was een levenslustige tante, ze rollebolde erop los. Maar nooit meer een vaste man, ook geen kinderen meer. Een moeilijke vrouw voor een man, ze konden niet tegen haar op. Echt een teckel, mijn moeder. Eens in het jaar ging ik naar haar toe. Tot haar vijfentachtigste was ze nog heel kwiek, op het laatst werd ze slechter. Toen kwam ze haar huis niet meer uit, hing maar zo'n beetje in haar bed. Geestelijk glashelder, volkomen bij de tijd, maar lichamelijk op. De laatste keer dat ik haar zag was in september 1997, ze heeft mijn zoontje ook nog gezien. Op 1 januari belde ik haar nog op om haar een goed nieuwjaar te wensen. De volgende dag was ze dood, gevonden in de badkamer. Een hartstilstand, denk ik. Geen lang ziekbed, geen pijn, geen rotzooi, benijdenswaardig eigenlijk wel.'

En uw vader?

'Die is in 1957 gestorven, op z'n vijfenzestigste. Een naar ziekbed. Longkanker. Heb ik ook een moeilijke relatie mee gehad. Na de oorlog belandde hij als collaborateur drie jaar in een strafkamp. Daarna was hij een gebroken man, had allerlei rare baantjes, bijvoorbeeld op het Haarlemse gemeentearchief. Daar ontcijferde hij gotische documenten uit de middeleeuwen, omdat hij dat handschrift kon lezen. En hij verhuurde kamers. Hij is helemaal vereenzaamd gestorven. Mijn moeder trouwens ook. Nee, dat zal mij niet overkomen. Daar heb ik wel voor gezorgd...'

Zocht u uw vader op in dat kamp?

'Natuurlijk. Een keer per maand mocht ik erheen, eerst in Amsterdam, later in Laren en nog later in Wezep, ergens bij Zwolle. Daar zaten we dan elk aan een kant van een tafel met een bewaker ernaast. Eigenaardig. Hij vroeg of ik al een baan had. Ik dacht: moet je kijken, hij zit zelf in het concentratiekamp en maakt zich zorgen over mijn leven. Of ik al een baan had, dus. Nou, ik schrijf tegenwoordig, vader. Kun je daarvan leven? Nee. Maar je moet toch leven, waar leef je dan van? Van mijn vriendin, die heeft wel een baan en vindt mij een genie en laat mij delen in haar salaris. Dat kan toch niet langer. Nou ja, dat soort gesprekken. Ik ben wel bij z'n sterfbed geweest. Ach, het is niet zo dat ik hem haatte, niet meer. Toen ik zestien was, wel. Heel hevig. Wat wil je? Een Oostenrijker en een militair, dat zijn twee rare eigenschappen. Hij kon zich niet uiten. We spraken wel over de sterren, over Goethe, over filosofie, literatuur, allemaal van dat soort intellectuele zaken. Ik heb veel van hem geleerd, maar over zichzelf heeft hij nooit iets verteld. Ik heb hem niet gekend, maar hij heeft mij ook nooit gekend.'

U hebt drie kinderen. Twee volwassen dochters en een zoontje van zeven. Wat voor vader bent u?

'Ik ben niet zo'n vader die je in de Ster-reclame ziet, die met z'n zoontje voetbalt en dan gezellig margarine gaat eten. Ik ben er. Dat hebt u net gezien, toen hij hier binnenliep. Ik ben vriendelijk, maar ik ben niet echt zijn opvoeder, dat is zijn moeder. Bij het eten probeer ik hem tafelmanieren bij te brengen en als hij wat vraagt, krijgt hij antwoord. Ik ga niet met hem wandelen of zo. Ik zou dat natuurlijk moeten doen, vind ik, maar ik doe het niet, ik kom er niet toe. Ik ben zo heilloos ingekapseld in mijn werk, dat ik daar echt uit moet breken om iets met hem te doen en dat wil ik meestal niet.'

U hebt wel eens gezegd: een kind leert z'n ouders pas kennen na z'n dertigste.

'Dat denk ik, ja. Het sloeg in ieder geval op mij en mijn vader. Wij hebben dat niet gehaald.'

Leert uw zoon Menzo van zeven u dan nog wel kennen?

'Jazeker, want die heeft nog drieëntwintig jaar de tijd, dan ben ik vijfennegentig, dus dat halen we nog best.'

Kantje boord.

'Ja, kantje boord. Ik kan natuurlijk ook morgen onder de tram komen, zo is het leven. Dan heeft hij mij nooit gekend, dan zal hij een kinderlijk en misschien geïdealiseerd beeld van mij bewaren. Dat is ook wel mooi. Al die mensen die mij zo kritisch bekijken, die mij een rotzak vinden. Dan is er tenminste een die een mooie herinnering aan mij heeft.'

Januari 2000

EINDSCORE: −3

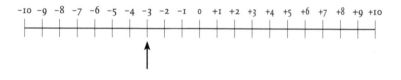

Commentaar

Kitty Saal (1956)

De reacties:
Harry heeft niet meer of minder gezegd dan hij zich had voorgenomen. Hij is inmiddels zo door de wol geverfd door al die interviews, dat hij precies weet wat hij wel en niet kwijt wil.

Ik kan niet met zekerheid zeggen of ik destijds reacties op het interview heb gehad. Het is zo lang geleden. In ieder geval niet iets wat me is bijgebleven. Daarbij komt dat ik niet echt mensen ken die Opzij lezen. Of misschien durfden mensen niet te reageren, omdat hij zo'n slecht cijfer had.

Het fameuze cijfer (-3):

Een laag cijfer had hij wel verwacht. Die −3 viel hem zelfs nog mee.

Toen ik hoorde dat hij hiervoor geïnterviewd zou worden, had ik wel het vermoeden dat hij niet hoog zou scoren. Maar ik til daar niet zwaar aan. Dat was misschien anders als er een duidelijke checklist was geweest. Dan kun je zeggen dat je het er niet mee eens bent, maar hiervan weet ik helemaal niet hoe het tot stand is gekomen. Tja, en als je dan het interview leest, kun je er niet onderuit. Het is allemaal niet erg feministisch wat Harry daar zegt. Of ik hem zelf een hoger cijfer had gegeven, weet ik niet. Ik beoordeel niet zo in cijfers.

Eigen mening:

Het is een heel amusant interview. Een beetje provocerend, maar zo is Harry. Dat begint al als hij hoort dat hij langs de feministische meetlat wordt gelegd. Dat woord is voldoende voor hem om een soort verzet te gaan plegen. Dan wordt hij toch een beetje baldadig en provocerend. Zo wekt hij in het interview de suggestie dat hij maar achter vrouwen aanhobbelt en geen normaal gesprek met ze kan voeren, maar zo is het gewoon niet. Het is meer een beeld dat hij van zichzelf heeft, want het is echt niet zo dat hij bij iedere rok die hij ziet, er achter aan moet. Misschien toen hij jonger was, maar nu niet meer.

Als Cisca Dresselhuys van het Joods Historisch Maandblad was geweest en dezelfde vragen had gesteld, had ze een ander interview gehad. Toch was hij eerlijk in het interview, het is meer de manier wáárop hij het zegt en waarschijnlijk ook hoe Cisca de vragen heeft gesteld.

'Waarom maak ik aan elke relatie een eind?'
Jeroen Pauw

Stoere laarzen zal hij waarschijnlijk altijd blijven dragen: 'Dat krijg je, als dat vroeger verboden was. "Slecht voor je voeten," zei mijn vader altijd.' Hij heeft graag vrouwelijke gasten in zijn programma's: 'Met een vrouw als eerste gast wordt het meestal gezelliger, vrouwen zijn niet zo pretentieus.' En het wordt hoog tijd dat hij in therapie gaat, 'want waarom kan ik geen langdurige relaties aangaan, waarom zet ik er altijd weer een streep onder?'
Radio- en televisiepresentator Jeroen Pauw (1960)

Hij is deze zomer 45 jaar geworden. Dus niet echt meer de jongen die hij zo lang was en eigenlijk nog steeds wil zijn: met dat warrige haar, die armbanden en die eeuwige laarzen. In zijn vak heeft hij de volwassen status inmiddels ruimschoots bereikt. Na zijn werk bij de jongerenprogramma's van B N N werd hij presentator van *Nova*, *Nova Politiek* en het nieuwe praatprogramma *Woestijnruiters*, waarin hij samenwerkt met gerespecteerde oudere collega's als Paul Witteman, Clairy Polak en Ferry Mingelen.

Voor Paul Witteman had je vroeger niet veel goede woorden over. 'Limonadedrinker van het jaar' noemde je hem.

'Ik heb me er heel lang tegen verzet dat iedereen altijd maar vond dat Witteman zo goed was. Ik zag dat ook wel, maar als iedereen zoiets zegt, word ik recalcitrant. En ik wilde ook zeggen dat er nog anderen waren, zoals Karel van de Graaf, die de minister-president vaak beter interviewt dan wie dan ook. Dat straalt Karel zelf ook wel uit, gezien de spreektijd die hij neemt. Hij legt Balkenende bij wijze van spreken aan zichzelf uit. Hoe dan ook: Karel is bij vlagen goed, terwijl Witteman eigenlijk constant een hoog niveau heeft. Maar ja, ik vond hem altijd zo netjes en braaf; vandaar die limonadedrinker.'

Heeft hij je daar weleens over onderhouden?

'Nee, nooit. Misschien heeft hij het wel nooit gelezen of er zijn schouders over opgehaald. Het ligt natuurlijk wel anders nu ik, ook in het openbaar, al een aantal malen mijn bewondering voor hem heb uitgesproken. Dat is een kwestie van ouder worden. Er is nu meer ruimte voor bewondering.'

Zou dat niet vooral komen doordat jij tegenwoordig ook nogal eens een compliment krijgt?

'Misschien heb je daar wel gelijk in en heb ik daardoor meer rust gekregen. Ik word trouwens ook veel vaker ontroerd dan vroeger. Vijf jaar geleden kreeg ik nooit tranen in mijn ogen bij het lezen van een boek of het luisteren naar muziek, nu heel vaak. En wat die bewondering – zeg maar die aardige kant van me – betreft, die komt er dus ook veel meer en makkelijker uit.

Vroeger dacht ik eerder: hoe kan ik iets naars over iemand zeggen of tenminste iets prikkelends? Misschien sloeg ik toen wel harder om me heen omdat het dan vooral niet over mezelf hoefde te gaan. Maar ik ben natuurlijk geen heilige geworden. Zo erg is het ook weer niet, het moet allemaal niet te zalvend worden.'

Hoe werkt dat bijvoorbeeld in Woestijnruiters en Nova Politiek? Hoe is de rolverdeling tussen jou en Witteman?

'Die is er niet. We doen het echt samen, zonder dat we van tevoren precies vastleggen: jij zegt dit en ik dat. Wat we wel afspreken, is wie er begint. Dat is alleen nodig voor de cameramensen, zodat die niet verrast worden. Je verzint vooraf natuurlijk ook wel een paar invalshoeken, soms een eerste vraag. Aan de nieuwe krijgsmachtchef Dick Berlijn stelde ik als eerste vraag: "Wie is tegenwoordig eigenlijk de vijand?" Welk antwoord je daar ook op krijgt, je kunt er altijd op doorgaan. Of er nu wel, geen of een onbekende vijand is, je hebt altijd een tweede vraag. Het maakt ook verschil in welk programma je iemand hebt: in *Nova Politiek* vragen we Henk Kamp andere dingen dan in *Woestijnruiters*. Daar vraag je hem bijvoorbeeld naar de overeenkomst tussen de kostschool waarop hij vroeger zat en het leger van nu.'

Woestijnruiters wordt wel vergeleken met Barend & Van Dorp. Jullie zouden het antwoord van de publieke omroep op dit commerciële programma zijn.

'Nee, dat zouden we hooguit kunnen zijn als we, net als zij, vijf dagen per week zouden uitzenden. Het leuke van *Barend & Van Dorp* is dat ze daardoor het gesprek van de dag kunnen herkauwen of soms zelf kunnen bepalen. Maar stel dat Paul en ik daar elke dag tegenover zouden zitten, dan zou er toch nog een groot verschil zijn. Wij zouden veel minder op sportgebied doen en we hebben natuurlijk geen Jan Mulder. Ik denk dat wij samen toch minder "mannen" zijn dan Frits, Henk en Jan.'

Met 'mannen' bedoel je macho's?

'Niet per se macho's. Henk vind ik echt geen macho. Misschien bedoel ik eerder van die ouderwetse mannen, zo'n echt clubje dat druk door elkaar heen praat. Dat komt natuurlijk vooral door Jan. Bij Frits, Jan en Henk kan die aanpak er nog weleens toe leiden dat er geen correctie meer is; er zijn afleveringen genoeg te zien geweest waarin ze door en over elkaar heen schreeuwen. Dat doen mannen, inclusief ikzelf, heel makkelijk. Zo'n mannenclubje jut elkaar op en wordt dan wel een heel erg mannenclubje, wat misschien ook wel weer hun aantrekkelijkheid bepaalt. Dat hebben meneer Witteman en ik zeker niet. Zelfs als we er een derde of vierde presentator bij zouden hebben, werden we dat nog niet. Zulke types zijn wij niet, althans niet in onze combinatie. Als je kijkt naar de gasten van *Barend & Van Dorp* en van ons: natuurlijk willen we allemaal Claudia Melchers en haar vader of Samir A.; in dat opzicht verschillen we niet. Maar wij kunnen de lat iets hoger leggen omdat we niet gedwongen zijn elke dag een programma te maken. Dan moet je weleens mensen nemen die, op z'n zachtst gezegd, niet erg bijzonder zijn.'

Over gasten gesproken: we zien nog altijd een veelvoud van mannen tegenover een handjevol vrouwen.

'Dat klopt, vrouwen zijn eigenlijk altijd een probleem. Het is veel gemakkelijker vijftig leuke mannen te bedenken die je nog wilt hebben dan vijftig vrouwen, want er zijn natuurlijk veel meer leuke mannen dan leuke vrouwen.'

Dank u.

'Nou ja, er zijn genoeg leuke vrouwen, maar die zijn onbekend. Hoe dat komt? Doordat vrouwen nog niet echt zijn doorgedrongen tot de status van Ietwat Bekende Nederlander. Kijk naar de sport: er zijn veel meer bekende mannelijke sporters dan vrouwen, al was het maar omdat het vrouwenvoetbal nog niet is doorgedrongen tot onze huiskamer. Ik kan zo tien leuke voetballers opnoemen. Kun jij één leuke vrouwelijke voetballer noemen? Ikke niet.'

Nou ja, voetballer, daar noem je ook wat. Jullie doen bij Woestijnruiters toch niet aan voetbal?

'Ik zou Louis van Gaal en Dick Advocaat daar heel graag hebben. En die zou ik dan van alles weten te vragen, ook buiten het voetbal om. Maar terug naar de vrouwen: Annemarie Jorritsma was en is altijd een heel leuke gaste. Altijd gezellig, zeker geen domme vrouw, dus je zit niet een beetje flauw ge-Gordon met haar te doen. Het is ook nog serieus. Maria van der Hoeven? Nee, die is toch altijd de minister. Femke Halsema zit op de rand: soms leuk, soms heel erg de formele politica. Weet je wie me laatst zo verraste, wie ik echt een leuke vrouw vond? Onze minister van Ontwikkelingssamenwerking, Agnes van Ardenne. Die kwam leuk los, praatte met passie over haar werk en klapte ook nog eens uit de school over de ministerraad. Maar het vervelende is: dat doet zo iemand een paar keer, ze wordt erop aangesproken en de derde keer denkt ze: ik doe het toch maar niet meer. Dat geldt voor allerlei mensen: je bent openhartig en ziet het later terug in de roddelbladen, helemaal uit z'n verband gerukt. Dan denk je: laat maar. Zo wordt het je onmogelijk gemaakt om dicht bij jezelf en dus geloofwaardig te blijven. Het eerste wat mensen dan inruilen is hun openbare optreden: ze worden weer de functionaris.'

Wat vind jij een leuke gast?

'Iemand die niet formalistisch is. Eerlijk gezegd zijn dat vaker vrouwen dan mannen. Vrouwen zijn veel minder pretentieus, met een vrouw in je programma wordt het meestal gezellig. Wat ik echt leuk vind, is een vrouw aan het lachen maken. Ik vind dat tekort aan vrouwelijke gasten dus echt jammer, want ik heb in z'n algemeenheid leukere gesprekken met vrouwen dan met manen. Daarom probeer ik m'n radioprogramma bij B N altijd met een meisje te beginnen.

Dat is meteen gezellig en dat horen de andere gasten terwijl ze op hun beurt zitten te wachten. Die denken: het is hier een vrolijke boel, en zo is de toon gezet. Net als bij een stoplicht: als dat op groen springt en de eerste automobilist trekt snel op, volgt de rest ook in een stevig tempo.

De redactrice van *Woestijnruiters* zei pas: weet je hoe het komt dat er zo weinig vrouwelijke televisiepresentatoren zijn en zoveel redactrices op de achtergrond? Vrouwen zijn veel meer bereid zich ondergeschikt te maken, zich dienstbaar op te stellen. Ze vinden het leuk om iets goed te regelen voor de presentator. Mannen hebben dat talent voor ondergeschiktheid niet, die willen zelf presentator of verslaggever zijn. Jammer, als dat waar is.'

Jij was onlangs uitverkoren om Máxima te interviewen voor Nova.

'Ik vond haar veel leuker dan ik had gedacht. Ons voorgesprek verliep overigens heel chaotisch. Ik kon er toen geen grip op krijgen. Het was 2 november 2004, de dag dat Theo van Gogh werd vermoord. Ik hoorde in de auto op weg naar haar toe van die schietpartij. Eerst heeft zoiets nog een hoog "pijl-en-boog"-gehalte, maar het werd al snel ernstiger. Toen ik hoorde dat Theo erbij betrokken zou zijn, heb ik hem gebeld. Raar idee dat z'n mobiele telefoon overging, op dat dode lichaam in de Linnaeusstraat. Toen het later zeker was dat het om hem ging, ben ik letterlijk de weg kwijtgeraakt. Ik heb de auto aan de kant van de weg gezet. Maar ja, ik moest toch verder, want die afspraak lag er. Wat aan Máxima toen wel leuk was, was dat ze zo'n apparaatje had waarmee ze de mensen in haar huis kon oproepen, maar ze was daar erg onhandig mee. En dus kwam er een lakei met de jassen in plaats van een met een kopje thee omdat ze op het verkeerde knopje had gedrukt. Vertederend.'

Kon je vragen wat je wilde?

'Nee. Je kunt natuurlijk nooit een volwaardig interview hebben met Máxima, Willem-Alexander of koningin Beatrix. Dat weet je. Je hebt je beperkingen. Geen vragen over haar vader bijvoorbeeld. Ik had wel zo'n soort vraag ingediend, want alle gespreksthema's moesten vooraf worden doorgegeven. Ik had het wat omzichtig geformuleerd in de trant van: kunt u zich, nu u Nederland hebt leren kennen, beter voorstellen hoe Nederland zich tegen uw vader heeft verzet? Maar die vraag werd geschrapt. Ik heb wel voorgesteld om redelijk vrijuit te praten en dan achteraf te schrappen, want anders moest Máxima voortdurend op eieren lopen, ook omdat haar Nederlands nog niet zo soepel is. Dat vond men goed. Ik dacht een mooie openingszin te hebben, omdat ze heel spontaan reageerde op een pot Argentijnse chocopasta die ik had meegenomen. "Ik houd van je," riep ze toen ze die pot zag. Maar we hadden de apparaten helaas nog niet aan staan. Trouwens: die hele aanbieding van de chocopasta is eruit gehaald. Dat vond de RVD toch iets te jolig.'

Je bent deze zomer 45 jaar geworden. Een man van middelbare leeftijd dus.

'Ja, wrijf het me maar eens goed in. De vraag is: wanneer komt mijn kantelpunt? Wanneer ben ik niet meer die jeugdige man maar een oudere heer? Misschien denk ik wel dat die jasjes van mij nog best kunnen, terwijl het publiek denkt: een iets minder jeugdige cowboy-outfit zou nu wel op zijn plaats zijn. Ik voel dat kantelpunt nog niet, maar vaak ben je zelf de laatste die zoiets merkt. Fysiek merk ik in ieder geval nog niets, maar ik krijg wel grijze bakkebaarden. Nee, daar doe ik niets aan. Niet stiekem verven, zoals Gerhard Schröder, en het dan ontkennen. Hoe komt die man zo stom om te liegen over zoiets kleins? Je kunt toch heel makkelijk zeggen: ik heb een leuke jonge vrouw en ook voor u, beste kiezers, wil ik graag jong blijven. Van mij zullen ze het allemaal onmiddellijk te weten komen als ik iets met mijn haar ga doen. En dat zou ik zeker doen als ik kaal dreig te worden. Ik zag deze week een advertentie: achtduizend haartjes in een keer laten laseren.

Implanteren, zal je bedoelen. Zo makkelijk kom je niet aan nieuw haar.

'Nou ja, hoe dan ook. Over dat haar hoor ik mijn hele leven al gezeur, maar dat blijft zoals het is. Qua coupe, bedoel ik. En die laarzen? Waarom denk je dat ik die draag? Omdat ik dat mijn hele jeugd niet mocht. "Slecht voor je voeten," zei mijn vader streng. En dus kreeg ik altijd saaie schoenen. Op m'n negentiende kocht ik mijn eerste paar laarzen, toen had niemand er meer iets over te zeggen. Niemand! Toen ik in 1989 bij de televisie kwam, zei ik: alles prima, maar jullie gaan niet over mijn haar zeuren of over mijn laarzen of wat dan ook. Dat heb ik mijn hele leven al gehoord. Zelf dacht ik:

ach, die laarzen, dat waait na een paar jaar wel over. Maar ik ben nu 45, waaraan jij mij fijntjes herinnerde, en het is nog steeds niet overgewaaid. Oké dan, ik doe er toch niemand kwaad mee?'

Natuurlijk niet, houd die laarzen vooral aan. Maar heb je nog altijd iets uit te vechten met je vader?

'Waarschijnlijk wel. En daarom zou ik eigenlijk in therapie moeten. Want ik heb ook met mijn moeder, en eigenlijk met het hele gezin, iets uit te zoeken. Waarom kan ik geen allianties in de liefde aangaan? Waarom loop ik altijd weg als het allemaal te dichtbij komt? Waarom heb ik steeds nieuwe vrouwen met wie het prachtig begint, maar met wie het uiteindelijk toch afloopt? En vrijwel altijd ben ik degene die een streep onder de relatie zet. Een vriendin zei pas eens tegen me: misschien moet je accepteren dat jij iemand bent die geen mooie roman kan schrijven, maar wel prachtige korte verhalen. Nou ben ik toevallig dol op korte verhalen. En ik heb al doende natuurlijk een paar fantastische vrouwen ontmoet. Maar toch: is dit wat ik wil? Tot aan mijn dood steeds nieuwe vrouwen?

En hoe komt het dat ik zo anders ben dan mijn vrienden, dan de meeste mannen van mijn leeftijd? Waarom word ik bang als ik denk aan een lange relatie en waarom wil ik die toch eigenlijk wel? Waarom die eeuwige spagaat? Dat moet toch wel iets te maken hebben met mijn afkomst, met mijn ouderlijk huis. Het wordt hoog tijd dat ik dat eens ga onderzoeken. Maar ja, terwijl ik dat zeg, denk ik: hè, nee het heeft toch iets potsierlijks om als 45-jarige man nog naar mijn jeugd te wijzen en mijn ouders de schuld te geven van het feit dat ik moeite heb met het aangaan van langere relaties en met het feit dat ik geen kinderen wil. Toen mijn vriendin Manuëla (Manuëla Kemp, CD) jaren geleden zwanger was van mij en me dat over de telefoon vertelde – ik zat in Amerika – schrok ik erg. We wilden eigenlijk allebei geen kinderen. Maar toen het toch zover was, waren we allebei ook wel blij. Ik vroeg heel stom: wordt het een jongen of een meisje? Alsof je dat weet als je een paar weken over tijd bent. Maar ik kocht in Las Vegas wel een bordje met Vegaskids erop. Kort daarna kreeg Manuela een miskraam, hoewel ik niet weet of ik dat grote woord mag gebruiken. Wat er gezeten had, verdween gewoon in de wc. Ik heb daar wel eens iets vergelijkbaars over gezegd en dat is me vreselijk kwalijk genomen: een ongevoelige hufter vonden ze me. Maar het was zo. We wilden eigenlijk allebei geen kinderen. Toen er toch een leek te komen, vonden we dat wel fijn, maar toen het weer voorbij was, was dat geen groot trauma. Maar nu, jaren later, heb ik toch ergens nog de droom van een huis met een vrouw en een kind. En de gedachte: het kan nog altijd, ik ben er nog jong genoeg voor. Tegelijkertijd bezorgt die gedachte me ook de vreselijkste kriebel. Ik wil dus eindelijk weleens weten hoe dat komt. Ik ben een voorstander van de gedachte dat je het na je achttiende een beetje op eigen kracht rooit. Mensen die eeuwig naar hun jeugd blijven wijzen, vind ik sneu. Maar toch...'

Maar toch?

'Ik denk toch dat het slechte huwelijk van m'n ouders, de akelige, koude, gespannen en ruzieachtige sfeer thuis, iets, misschien wel veel, te maken heeft met mijn angst voor relaties, voor een gezin. Bij een gezin kan ik me echt niks leuks voorstellen. Mijn vader, die al bijna vijftien jaar geleden overleden is, was een autoritaire man. Hij dronk, laat ik eerlijk zijn: hij was alcoholist. Waarom? Misschien om dat vreselijke huwelijk met mijn moeder aan te kunnen. Mijn moeder werd verbitterd en zuur. Zij was de tweede vrouw van mijn vader en dat huwelijk had niet de instemming van haar ouders. Dus waren wij geen gewenste gasten op nieuwjaarsdag, zoals de andere kinderen en kleinkinderen. Mijn zusjes en ik zaten een beetje apart en kregen van mijn oma een bonbon in de hand gedrukt met de woorden: "Niet tegen je opa zeggen."

Mijn vader is bij mij op mijn woonboot in Loenen gestorven. Hij was 72, had longemfyseem en was er eigenlijk al lang veel slechter aan toe dan ik dacht. Op een dag in maart zou hij me komen opzoeken. We hadden de open haard flink opgestookt, want we wilden het een beetje lekker warm maken voor de oude man. Toen hij eraan kwam, riep ik dus: schiet een beetje op, anders gaat alle warmte naar buiten. Hij stapte achter mij de trap af, keek over mijn schouder het ruim in en zei: "Wat mooi, wat ben ik blij dat ik dit nog heb gezien." En dat waren zijn laatste woorden. Hij zakte in elkaar. Natuurlijk hebben we nog van alles gedaan: reanimatie, ambulance gebeld, met gillende sirenes naar het ziekenhuis, maar hij heeft het niet gehaald. Maandenlang heb ik zijn schoenen laten staan op de plaats waar we die hadden neergezet toen we hem probeerden te reanimeren ik liep er steeds omheen. Ze stonden lelijk in de weg, maar ze moesten daar blijven staan. Waarom? Ik weet het niet. Pas maanden later heb ik ze op een ochtend zomaar, hup, in de prullenbak gegooid. Klaarblijkelijk was het er toen de tijd voor.

Waarom heb ik er zo'n moeite mee aan haar bed te gaan zitten? Waarom denk ik elke ochtend: ik moet gaan, maar ben ik nog steeds niet geweest? Omdat ze vroeger altijd zo boos en afwijzend was over mijn vrienden en vriendinnen, die nooit deugden? Maar waarom kan ik daar, nu ze aan het eind van haar leven is, niet overheen stappen en gewoon haar hand vasthouden? Ze was ook de vrouw die ooit een fotoalbum van mij maakte waarin ze schreef: "Lief jongetje, wat hebben we toch lang op jou moeten wachten."

Dat soort dingen wil ik nu wel eens uitzoeken. Dat mag toch eindelijk weleens, op mijn 45ste?'

November 2005

EINDSCORE: +1

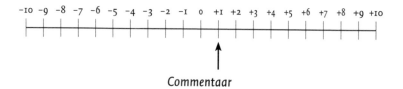

Commentaar

Manuëla Kemp (1963), presentatrice

De reacties:
Ik heb geen flauw idee of Jeroen spijt had van het interview. We hebben het nooit over publicaties. Hij had een +1, hè? Jeroen heeft zelden een +1 in zijn leven, dus misschien heeft hij wel spijt gehad, maar dat is een gok.

Ik word door vriendinnen altijd aangesproken op de interviews die Jeroen geeft. Dat zal ongetwijfeld ook met dit interview zo geweest zijn, maar ik kan me dat niet meer herinneren. Het zullen zeker positieve reacties geweest zijn, want Jeroen zegt nooit nare dingen over mij. Wij zijn niet bezig elkaar het leven zuur te maken en we gaan nog steeds goed met elkaar om. Natuurlijk is er ook veel verdriet geweest, maar je weet waarom je van iemand hebt gehouden en dat gaat eigenlijk nooit over.

Het fameuze cijfer (+1):
Op de feministische meetlat kan hij natuurlijk nooit hoog scoren. Het is een ongelooflijk leuke man, maar wel een feministische lapzwans. Lager dan een –1 kan bijna niet in zijn geval. Het gaat van –10 tot +10? Dan is het best nog een hoog cijfer. Eigenlijk heeft hij een soort van 5½ gehaald en is hij net geslaagd. Het is iemand die heel zelfstandig is als er geen vrouw om heen is, maar zodra die vrouw er is, verdwijnt dat helemaal. Dan moet hij wel, maar dan kan hij het ook heel goed.

Eigen mening:
Ik herkende hem zeker. Jeroen is altijd heel eerlijk in interviews en heel openhartig. Bijna op het naïeve af. Dat je soms wel eens denkt: nou, nou, nou, dat hoeft nu ook weer niet allemaal gezegd te worden en in het openbaar te komen. Maar dat is wel Jeroen. Altijd heel eerlijk.

'Ik wil geen schuwe aap zijn'
Alexander Pechtold

Hij heeft een goed gevoel voor publiciteit. 'Als nieuwe burgemeester in Wageningen ging ik bij de mensen thuis eten: een stunt, maar ook een middel om mensen te leren kennen.' Hij houdt meer van (ex-)katholieken dan van gereformeerden. 'Ze zijn gezelliger dan die rechtlijnige calvinisten. Je moet een beetje kunnen schmieren, ritselen en regelen.' Als hij emancipatie in z'n portefeuille had, werd kinderopvang een basisvoorziening en zou er meer aandacht komen voor de vierdaagse werkweek. 'Drie dagen werken betekent geld verdienen; vier dagen betekent carrière maken.'
Alexander Pechtold (1965), minister voor Bestuurlijke Vernieuwing en Koninkrijksrelaties

Niet van dat schuwe apengedrag, zei zijn vader vroeger. Als je ergens binnenkwam moest je mensen aankijken, een hand geven, laten zien dat je iemand was. Dat heeft hij goed in zijn oren geknoopt, want in zijn nog korte Haagse bestaan heeft hij al veel van zich laten horen. Hij had het over de aanpak van softdrugs, de Haagse politiek, zijn collega's, het integratiebeleid en – niet te vergeten – de Nederlandse missie naar Afghanistan. Hij is niet bang om zich ook over beleidsterreinen van collega's uit te laten en afwijkende standpunten in te nemen. Immers: niet van dat schuwe apengedrag. En bestuurlijke vernieuwing betekent wat hem betreft ook dat je de boel wat opschudt. 'Het mag allemaal wel wat duidelijker, wat harder, zoals in Engeland en België. Vroeger, onder Den Uyl, gebeurde dat hier ook veel meer. Kijk naar Jan Pronk, een dwarsligger die vaak openlijk afweek van de standpunten van zijn collega-ministers.

Tegenwoordig doen wij maar steeds of de ministerraad een gezellig vriendenclubje is. Dat moet ik zwaar ontkennen, nee, nee, nee. Dat is ook helemaal niet nodig, want je zit daar met heel verschillende opdrachten. Er worden daar keiharde belangen uitgevochten, maar naar buiten toe komt het veel te veel over als een ouwejongenskrentenbroodhandel. Het publiek snapt het niet: wat zijn nu eigenlijk de verschillen? Terwijl die er wel degelijk zijn. Zoals over die belangrijke zaak: gaan we wel of niet naar Afghanistan? Een zaak van leven en dood. Ik vind dat je elkaar daarin veel kritischer mag aanspreken. Daarvoor ben je professional, daar moet je tegen kunnen. Het moet niet zo'n kleffe sfeer zijn van: we moeten toch met z'n allen door één deur kunnen. Want ondertussen zijn we vreselijker dan wie dan ook. Achter elkaars rug om. Ach, ach, ach, het is allemaal veel vuiler en vunziger dan mensen denken. Ik heb het dan niet over de Afghanistan-affaire, maar over de Haagse politiek in het algemeen.'

Dat zijn akelige woorden: 'vuil' en 'vunzig'. Wat gebeurt er dan?

'Machinaties, machtsspelletjes, persoonlijke belangen, partijbelangen die meespelen bij de benoeming van personen of het nemen van besluiten. Laat maar eens zien hoe de lijnen lopen, hoe besluiten tot stand komen, wat er allemaal meespeelt. Dat wordt naar mijn gevoel veel te weinig blootgelegd. Er wordt in Nederland veel onthuld, maar dát nooit. Wij blijven altijd gezellig, maar ondertussen is het erg onduidelijk hoe het allemaal werkt in die Haagse brij.'

Nou, vertel dan eens hoe het gaat, bijvoorbeeld in de zaak-Afghanistan.

'Nee, laat ik dat nou niet doen. Ik kan en wil nu geen voorbeelden noemen, want dat is dan weer aanleiding tot veel gedoe. Laat de journalisten maar eens blootleggen hoe het allemaal werkt; dat is hun functie. Als ík iets zeg over de Haagse mores, krijg ik gelijk weer collega's op mijn dak, zoals Kamp en Hoogervorst die dan zeggen: 'Het grootste probleem van Pechtold is Pechtold' en 'Heeft die vent soms niks te doen?' Dat zijn op de persoon gerichte reacties, terwijl ik het niet over personen heb maar over de manier waarop wij werken. Ik vind het een probleem dat het moet lijken alsof zestien ministers zestien keer hetzelfde denken en doen, vier jaar lang. Wat mij betreft mag daar echt wel wat verschil tussen zitten.'

Een van uw eerste aanvaringen was met minister Donner. Op dezelfde dag op bezoek in Limburg gaf u totaal tegengestelde oplossingen voor het softdrugsprobleem. 'Streng aanpakken', zei Donner , 'legaliseren', zei u.

'Het softdrugsdossier is een mooi voorbeeld: daarover zullen we vast een krachtmeting krijgen tussen parlement en kabinet. Het kabinet heeft zich, onder druk van het CDA, moeten neerleggen bij een zeer terughoudende vorm van vernieuwing. Het is gewoon een kwestie van tijd, denk ik. In het buitenland volgen ze al heel vaak de Nederlandse gedoogaanpak, ook al zeggen ze dat niet hardop. Nederland is op dit gebied echt een gidsland. Ik ben ervoor de gedoogpolitiek, die we toepassen op de verkoop in coffeeshops, ook te gaan hanteren voor de teelt en de handel, in samenspraak met de rest van Europa. Het is toch te gek dat je de drugs wel mag verkopen, maar dat je strafbaar bent bij de teelt en de handel erin. Dat is je reinste hypocrisie. De Kamer doet het slim. Die zegt niet: wij gaan de handel aan de achterdeur legaliseren. Nee, die vraagt om een experiment waarbij je sommige kwekers gaat gedogen en hen ongestraft laat handelen. De Kamer zal het kabinet op dit punt in de houdgreep nemen, denk ik.'

Maar hoe ging dat die dag nou tussen u en Donner?

'Mijn verhaal zat in het NOS Journaal van acht uur. Direct na afloop daarvan ging de telefoon: Donner aan de lijn. 'Wat doe je nu?' zei hij. 'Nou,' zei ik, 'me bemoeien met een onderwerp waarover ik, volgens mijzelf, wel iets zinnigs kan zeggen.' Hij zei: 'Daarover hebben we als kabinet anders zus en zo afgesproken.' Toen zei ik: 'Volgens mij zit er best ruimte om ook een andere kant te laten zien.'

Nou ja, het blijft toch een soort aftasten. Heeft de ander het bewust gedaan, gaat-ie snel door de knieën of is het toch een krachtmeting ? Nee, het was geen beginnersfout van me. Ik was wel een beginner, maar het was geen fout, het was bewust.'

Kunt u een beetje uit de voeten met die rechtlijnige calvinisten als Balkenende en Donner?

'Vind ik soms moeilijk, maar dat is vast wederzijds. Zij staan voor mij ver van de vrijheden die ik als individu wil hebben. Ook ver van de lol, de humor en de zelfverantwoordelijkheid, een beetje durven ritselen en regelen. Ik ben meer van de gezellige katholieken, of nog beter: de ex-katholieken. Kijk alleen maar eens naar hun kerken: die van de katholieken zijn prachtig versierd, met veel beelden en schilderijen. Er is veel te zien. De gereformeerde kerken zijn streng, witgesausd, qua aankleding niks te beleven. Ik houd meer van het gezellige van de katholieken, hun joie de vivre, hun leven-met-een-knipoog. Een beetje schmieren, meer lachen, meer genieten, minder rechtlijnigheid.

De oplossing die we in eerste instantie voor het Afghanistan-probleem gevonden hadden – de regering neemt geen besluit, maar spreekt een voornemen uit – was typisch een katholieke oplossing, zei minister Bot. Ik zou het eerder een galante oplossing noemen. We gaven de Kamer eerder dan anders de kans om over dit moeilijke vraagstuk te discussiëren en we hebben daardoor ook voorkomen dat de zaak op scherp kwam te staan binnen het kabinet. Na een paar weken gesteggel is de uitkomst dat we – eindelijk – de discussie met de Kamer aangaan over de pro's en contra's van deze missie. Prima, dat was steeds de opzet van D66. Overigens zitten er in de ministerraad veel meer twijfelaars dan alleen de twee D66-ministers, laat ik u dat zeggen.'

U krijgt nogal vaak kritiek over u heen. Bijvoorbeeld van Volkskrant-columnist Ronald Plasterk: u wilt alleen maar vernieuwing om de vernieuwing, ongeacht de consequenties. Als voorbeeld geeft hij de gespreide raadsverkiezingen – uw ideaal – die een teruggang van twintig procent in opkomst te zien zouden geven.

'Plasterk is een grote frustraat. Die had zijn stoel op het ministerie van VWS al klaar staan. Hij dacht minister van volksgezondheid te worden, maar dat is mislukt omdat het kabinet Balkenende-II er is gekomen, zonder de PvdA. Ik vind het een vooruitgang dat er plaatselijk gestemd wordt op het ogenblik dat daar een aanleiding voor is, bijvoorbeeld een herindeling en fusie van gemeenten. Dan speelt er iets in de lokale politiek waarover mensen zich willen uitspreken, wat op den duur zeker zal leiden tot een opleving van de interesse in de plaatselijke politiek. Want het is toch volstrekt oneerlijk dat een plaatselijke lijsttrekker wordt afgerekend op de gedragingen van zijn partijgenoten in Den Haag?

Neem mijn eigen geval: ik was in 2002 lijsttrekker voor D66 in Leiden. Landelijk stond de partij op een fiks verlies. Volgens de peilingen zouden we in Leiden van vier naar twee zetels terugvallen. Maar we zijn geëindigd op vijf zetels. Dankzij lokaal beleid, lokale mensen, lokale issues.'

Dankzij Pechtold, begrijp ik.

'Nee, niet door mij, maar door een heel sterke afdeling. Dan gaan mensen op zo'n partij stemmen, ook als die landelijk slecht scoort. Verder valt het mij op dat het conservatisme wat betreft bestuurlijke vernieuwing tegenwoordig op links zit. Het was ook de PvdA die uiteindelijk tegen de gekozen burgemeester stemde.'

Over burgemeesters gesproken: in uw vorige leven was u burgemeester van Wageningen. En een opvallende.

'Ik ben dat maar kort geweest omdat ik onverwacht minister werd, als opvolger van de afgetreden Thom de Graaf. Opvallend zegt u?'

U zette een advertentie in de krant dat u als burgemeester-zonder-gezin – want dat woonde toen nog in Leiden – graag bij burgers thuis wilde eten.

'Oh, dat. Ja, ik heb toen bij 37 Wageningers thuis gegeten, een soort Man bijt hond, dat televisieprogramma waarin ze elke avond ergens anders aanschuiven om de dag door te nemen. Ik kon natuurlijk steeds in een restaurant gaan eten, maar dat heb je gauw gezien. Bovendien ben ik iemand die graag mensen om zich heen heeft om mee te praten. Ik ben geen man-alleen. Ik vind het vreselijk om alleen thuis te zijn, zelfs om alleen in de auto te zitten. Dus ik dacht: we slaan twee vliegen in een klap. Ik hoef niet alleen te eten en ik leer tegelijk mensen kennen.'

En het is mooie publiciteit.

'Dat ook. Maar het was niet alléén een stunt. Ik heb op die manier in betrekkelijk korte tijd veel mensen leren kennen. Ik heb gegeten in een studentenhuis, bij een geloofsgemeenschap, bij een gepensioneerd stel, bij leden van een wijkbestuur, noem maar op. Elke keer nam de burgemeester een bloemetje of een flesje mee. Ja hoor, daar dacht ik goed aan.'

En al die mensen maar opgefokt in de keuken staan: de burgemeester schotel je geen gehaktbal voor.

'Welnee, het was echt de bedoeling dat ik gewoon aanschoof. De meesten hadden wel een extra servetje neergelegd en een kaarsje aangestoken, maar als toetje kwam er ook gewoon een pak yoghurt, vla of een sinaasappel op tafel. Het leuke van twee uur met mensen eten, is dat je na een kwartiertje aftasten toch over allerlei zaken gaat praten: wat die mensen goed en niet goed vinden in hun wijk en woonplaats. En ja hoor, ik heb ook wel eens aangeboden om te helpen bij de afwas, maar meestal zeiden ze: nee, dat hoeft niet.

U vraagt: waarom doet u zoiets en kondigt u het zelfs per advertentie aan in de krant, wat natuurlijk journalisten aantrekt? Op zo'n moment ben je met twee dingen bezig: de mensen leren kennen en jezelf bekendmaken. Je bent tenslotte ook een politicus die zichzelf moet verkopen. Het product Pechtold, zeg maar. Je wilt het liefst aan alle 35.000 inwoners van je gemeente laten zien wie je bent en wat je wilt.'

Hoe ziet uw toekomst eruit? Nog een keer minister worden of lijsttrekker bij de volgende verkiezingen?

'Wie het weet, mag het zeggen. Ik heb mijn huis in Wageningen nog niet verkocht. Dat houden we in ieder geval aan tot na de verkiezingen van 2007, wat veel op en neer reizen betekent voor mijn vrouw – die net als ik in Den Haag werkt – de kinderen en mijzelf. Ik ben wel "in" voor een vervolg in de Haagse politiek, maar als wat? Ik ben mij nu aan het verbreden door bijvoorbeeld het financieel, economisch en sociaal beleid te bestuderen. Minister van Jeugd en Integratie zou ik heel mooi vinden. Lijsttrekker? Ik praat daar op het ogenblik veel over met Boris Dittrich. Ik ga me in ieder geval wel kandidaat stellen voor de Tweede Kamerlijst, wat inhoudt dat ik ook Kamerlid zou willen worden. Kandidaten voor het lijsttrekkerschap moeten zich voor de zomer aanmelden. We zullen zien of ik dat doe. En dan zijn het de leden die dit najaar de lijsttrekker kiezen.

Ik ben niet meer zo van de zekerheden als vroeger. Op mijn twintigste was ik erg op zoek naar zekerheid. Ik studeerde kunstgeschiedenis en was als de dood nooit een baan te zullen vinden. Maar dat is allemaal keurig gelukt. Het enige echt vaste in mijn leven is op dit moment mijn tien jaar lopende hypotheek. Daar wil ik wel zekerheid in, ook al betekent dat een hogere rente. Dat ik soepeler ben geworden, heeft veel te maken met de dood van een paar zeer geliefde mensen. Een neef die op zijn 28ste aan leukemie overleed. Mijn vader, die zes jaar geleden stierf, niet lang na zijn pensioen. Hij had nog van alles op zijn verlanglijstje staan: zeilen, nog eens terug naar Indonesië, waar hij als soldaat was geweest. Allemaal niets van gekomen. Daar leer je van: maak er op de korte termijn wat van: in je werk, in je relatie, met je kinderen en met je vrienden.'

Uw vader is lang ziek geweest.

'Hij had botkanker. Zes jaar. Dat hij nog zo lang geleefd heeft, is mede te danken aan mijn moeder die hem fantastisch verzorgd heeft, hoewel ze zelf aan leukemie lijdt. Als hij na de zoveelste kuur weer eens helemaal vermagerd en ellendig uit het ziekenhuis kwam, mestte ze hem gewoon vet. Mijn vader had een enorme levenswil. Toen hij zijn rechterhand brak, leerde hij links schrijven. Toen die ook brak, kwam er een plastic koker omheen, waardoor hij bleef schrijven. Toen dat niet meer ging, heeft hij met de mond leren schrijven. Bij deze vorm van kanker breekt langzamerhand elke bot in je lijf. Mijn vader verlegde zijn grenzen steeds, daarvan heb ik veel geleerd. Eerst zei hij: 'In een rolstoel hoeft het voor mij niet meer.' Maar hij kwam in een rolstoel terecht en wilde verder leven.

Uiteindelijk, na zes jaar vechten, was het genoeg. Hij en mijn moeder hadden de euthanasiekwestie goed geregeld. En dan komt de dag waarop die euthanasie zal plaatsvinden. Het was op een zondagmiddag om zes uur. Je wordt die ochtend wakker en weet: vandaag is de dag. En je denkt: moeten we er vanochtend al heen gaan of vanmiddag pas? Mijn vader was bij bewustzijn en helder; hij had opzettelijk minder morfine gekregen. Hij heeft rustig en goed afscheid genomen. "Dag jongens." De tweede injectie was niet eens nodig. Zo wilskrachtig als hij geleefd had en tegen zijn ziekte gevochten, zo graag wilde hij nu dood.

Als kind heb ik mijn vader heel weinig gezien. Hij werkte keihard en kwam elke avond laat thuis. Als tiener hadden we meer contact. Hij was er altijd op het juiste ogenblik, als je heel blij of erg terneergeslagen was. Toen hij dood ging, hadden we niets meer uit te spreken. Er zat niets onaangenaams meer tussen ons.'

Wat is een goede vader?

'Een die er altijd is als het nodig is, die aanspreekbaar is of zelfs actief als dat nodig is.'

Bent u zo'n vader?

'Ik hoop het.'

Kun je dat zijn als minister met twee kinderen van twee en één jaar oud?

'Op het ogenblik ben ik er te weinig, dat is zo. We hebben het suboptimaal geregeld. Mijn vrouw werkt vier dagen per week op het ministerie van Landbouw, deels in den Haag, deels in een dependance in Ede. De kinderen zitten een dag in de crèche in Wageningen, oma past een dag op en donderdags en vrijdags zitten ze in Den Haag in de crèche. Op woensdag verscheept mijn vrouw de hele handel van Wageningen naar Den Haag, waar ik van overheidswege een flat heb. In het weekend gaan we dan weer met z'n allen terug naar Wageningen.'

Lieve hemel, wat een logistieke operatie elke keer. Ik word al moe als ik het hoor.

'Tja, wat wilt u dan? Mijn vrouw wil graag haar baan houden bij het ministerie. En niet alleen maar een baan, ze wil graag carrière maken. Dat is precies het verschil tussen drie en vier dagen werken. Ik zeg altijd: drie dagen is voor het geld, vier dagen voor de carrière. Daar zou de overheid veel beter op moeten inspringen: laat je vrouwen een beetje werken of wil je ze echt carrièremogelijkheden bieden? Bij dat laatste moet je je veel meer concentreren op de vierdaagse werkweek. En natuurlijk zou kinderopvang een basisvoorziening moeten zijn. Dat zou een van de eerste dingen zijn die ik zou regelen als ik emancipatieminister zou zijn. Flexibele opvang. Niet dat kinderen daar 24 uur moeten zitten, maar ze moeten er wel op verschillende tijden terechtkunnen, vooral nu we nog met die idiote schooltijden zitten. Om drie uur komt het grut thuis. Een heel goed idee van Van Aartsen en Bos om de overheid te verplichten dan in ieder geval voor opvang te zorgen.

Maar om terug te komen op die wekelijkse expedities van ons: zo zie ik mijn vrouw en kinderen tenminste veel vaker. Anders zat ik maar zielsalleen in dat flatje met Ikea-meubelen. En ik heb al gezegd: ik ben geen type om alleen te zijn.'

Veel huishoudelijke bezigheden zult u dus wel niet verrichten?

'Ho, ho, ho, de tuin en alle bakken zijn mijn taak. De vuilnisbakken en de kattenbakken. En ik ruim elke keer de dode muizen op, of wat daarvan over is: de bijdrage van onze katten aan het huishouden. Verder strijk ik altijd mijn overhemden zelf: elke ochtend een vers wit, katoenen exemplaar. Ik heb in mijn leven vaker een blouse voor mijn vrouw gestreken dan zij een overhemd voor mij. En toen ons zoontje, die met problemen aan zijn voetjes geboren is, moest worden geopereerd, was ik degene die steeds meeging naar de dokter en het ziekenhuis.'

Een andere taak in de huishouding is vast het onderhoud van al dat mooie antieke zilver dat hier staat?

'Daar komt inderdaad niemand anders aan. Zilver is mijn passie, een uit de hand gelopen hobby. Ik verzamel zilveren geboortelepels uit Friesland en antiek Leids zilver. Zal ik u eens iets vreselijks opbiechten? Ik heb weleens meer dan een maandsalaris besteed aan een mooie, oude beker. Een bruto-maandsalaris zelfs: 11.000 euro. Erg, hè? Op een gegeven ogenblik zag ik in een veilingscatalogus een bepaalde beker uit 1629. Ik wist van het bestaan van die beker, dus de verrassing was enorm dat die te koop werd aangeboden. De spanning die je dan bevangt, kan ik met geen pen beschrijven. Zal ik hem kopen, durf ik dat, geef ik daar zoveel geld aan uit? Mijn vrouw zei: "Ben je helemaal gek," maar was wel zo lief me het geld te lenen. Zij is een veel spaarzamer type dan ik. Dus mijn plan stond vast. Ik zou hem kopen, maar ik zou niet hoger gaan dan 11.000 euro. Op de bewuste veiling bood iemand anders, telefonisch, steeds tegen mij op. Die wens je dan een hartinfarct toe. Toen de prijs bij 11.000 euro stokte, was ik dolgelukkig. Met die beker in mijn hand kan ik uren stilzitten. Alleen. Nadenken over de geschiedenis ervan: wie hebben hem allemaal in de hand gehad, wat heeft hij meegemaakt? Dat probeer ik allemaal uit te zoeken. En als je dat allemaal weet en je zit dan met die beker in je hand... dat is genieten, mevrouw, puur genieten'

Februari 2006

EINDSCORE: +5

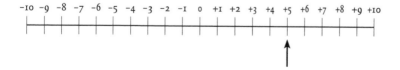

Commentaar

Froukje Idema (1970)

De reacties:
Wat Alexander van het interview vond, kunt u beter aan hem vragen. Zelf vond ik het een eerlijk verhaal waarin ik veel van mijn echtgenoot herkende. Bijvoorbeeld dat zijn hart uitgaat naar direct contact met burger; dat is typisch Alexander. Ook de manier waarop hij over zijn ouders en de euthanasie van zijn vader sprak, was veelzeggend en authentiek. Jezelf zijn en je daarin kwetsbaar durven op te stellen, is iets wat ik waardeer in hem. Overigens niet alleen in mijn echtgenoot.

Ik heb veel positieve reacties van mijn collega's en kennissen gekregen. Ook willekeurige mensen op straat die ons in het voorbijgaan melden de ophef flauwekul te vinden. 'Hij zegt waar het op staat!' klonk het dan. Men vindt dat Alexander weliswaar een andere woordkeuze had kunnen gebruiken, maar waardeert dat hij zichzelf is gebleven en zich niet heeft verlaagd tot het geven van sociaal-wenselijke antwoorden. De negatieve reacties die ik heb gehoord, zijn vooral afkomstig uit Den Haag zelf.

Het fameuze cijfer (+5):
Ik zou echt niet weten wat Alexander van het cijfer vond, we hebben het er namelijk nauwelijks over gehad.

Had hij niet een 6 of iets in die trant? Ik zou het moeten opzoeken. Zoals u merkt, een cijfer voor geëmancipeerd gedrag verkregen op basis van een interview interesseert me niet bijzonder. Emancipatie kan je niet afmeten aan de hoeveelheid overhemden die een man strijkt. Ik ben veel trotser op zijn visie op 'flexibele kinderopvang als basisvoorziening voor iedereen' en de steun die ik van hem krijg voor mijn eigen loopbaan.

Eigen mening:
Voor een antwoord hierop verwijs ik naar mijn antwoord op de eerste vraag.

'Zwarte Piet? Je reinste racisme!'
Jörgen Raymann

Als tante Es durft hij veel meer te vragen. 'Tante Es is ongecensureerd, Jörgen heeft een zekere mate van gêne jegens mensen.' Vrouwen lachen makkelijker, hebben meer zelfspot. 'Ik zou ervoor tekenen elke dag van het jaar een zaal met vrouwen te hebben.' Gifspuitende imams moeten onmiddellijk het land worden uitgezet en zwarte Piet moet worden afgeschaft. 'Het is een traditie, ja. Dat is vrouwenbesnijdenis ook, maar daarom deugt het nog niet.'
Cabaretier Jörgen Raymann (1966)

Hij dacht het allemaal zo goed voor elkaar te hebben. Z'n carrière gaat fantastisch, een mooi huis, twee gezonde en slimme dochters, vrouw en moeder werken mee in zijn bedrijfje, financieel geen vuiltje aan de lucht, de armoe en het grote 'struggelen' zijn verleden tijd. En toch was er iets. Z'n vrouw Sheila kwakkelde al een tijd: steeds weer kwalen en pijntjes, maar lichamelijk onderzoek leverde niets op. Totdat een bevriende arts na een gesprek ontdekte wat er aan de hand was. Sheila wilde een eigen leven.

'Ik ben daar echt van geschrokken. Niet omdat ze iets voor zichzelf wil, maar meer omdat ik dat niet gemerkt heb, dat er een buitenstaander aan te pas moest komen om me de ogen te openen. Sheila doet mijn hele administratie, dat is een enorme klus: alle theaterbonnen, mijn inkopen en alle uitbetalingen verwerken. Ze krijgt daar een maandsalaris voor, dus financieel is ze onafhankelijk. Maar dat was het punt helemaal niet. Pas toen we erover gingen praten, drong het tot me door. Het is eigenlijk te gek voor woorden dat haar hele wereld bestaat uit mij, mij en nog eens mij. Een artiest is natuurlijk een egofiel. Onze hele wereld, onze hele huishouding, draait steeds om mij. Als ze met die bonnen bezig is, zijn het mijn bonnen. Zij zit maar te wachten tot ik thuiskom. In een huwelijk moet de basis gelijkwaardigheid zijn en als het allemaal steeds om mij draait, is het niet leuk meer. Dan hebben we geen huwelijk, dan hebben we Jörgen met de rest die daaromheen draait.'

Dat was een pijnlijke ontdekking, hoe gaan jullie dat oplossen?

'Ik schrok er echt van dat ik het niet zelf ontdekt heb. Want Sheila en ik hebben een heel goede relatie, waarin we er helemaal voor elkaar zijn. Al zo'n achttien jaar. Geen van tweeën doen we bewust dingen die de ander zouden kunnen kwetsen. Ik zou het vreselijk vinden als Sheila zou vreemdgaan en daarom zal ik dat zelf ook nooit doen, want de pijn is aan beide kanten even zwaar. Ik zeg altijd: wat je niet wilt dat je moeder of zus wordt aangedaan in een relatie, doe dat ook je vrouw niet aan. Ik maakte me de laatste tijd veel zorgen om haar gezondheid, maar ik begreep niet dat het om iets heel anders ging. Ik ben blij dat we het nu ontdekt hebben. Voor hetzelfde geld was ze diep ongelukkig op een gegeven moment bij me weggelopen omdat ze het allemaal niet meer aankon. Raar eigenlijk dat we er samen niet eerder over gepraat hebben, maar het ging ons materieel zo goed dat we dachten: nu hebben we het bereikt, nu zijn de zorgen voorbij. Sheila is ooit voor mij gestopt met haar studie rechten, omdat we naar Suriname teruggingen. Nu gaat ze een nieuwe opleiding volgen, waarvoor ze twee dagen per week naar school moet. De ene dag past mijn moeder op de kinderen, want dat is de dag dat we *Raymann is laat* opnemen. De andere dag, dinsdag, neem ik vrij. Ik heb tegen mijn agent gezegd: vanaf september niks meer op dinsdag aannemen. Dinsdag wordt mijn huishouddag.

Ik verheug me daarop: kinderen naar school brengen, beetje rommelen in huis, boodschappen doen, koken. Laat mij maar schuiven. Voor mijzelf ook goed, want ik werk berehard en dat gaat mij opbreken. Ik merk dat ik moet oppassen voor een burn-out. Ik word chagrijniger, kan minder incasseren, ben gauwer kwaad. Dat moeten we allemaal niet hebben.'

Ben je zo'n workaholic?

'Ik werk zo'n zes tot zeven dagen per week. Naast m'n televisie-show sta ik nog overal in het land in het theater. Ik treed op voor besloten gezelschappen, heb een wekelijkse column in *De Telegraaf*, ben bezig met een eigen kledinglijn en ga ook nog eens twee tot drie keer per jaar naar Suriname, waar ik m'n liefdadigheidsinstel-ling PIET heb, ter ondersteuning van talentvolle kinderen. Ik heb m'n hele leven keihard gewerkt, terwijl ik eigenlijk lui ben. Maar ik ben ook een onrustig mens, kan niet lang stilzitten. Na tien, twaalf dagen vakantie heb ik het wel gezien, en dan heb ik heus meer gedaan dan op het strand liggen. Er is gesnorkeld en gevaren en ik ben met vrienden op stap geweest. Ik ben bezig me te trai-nen het rustiger aan te doen: een mens leeft niet om te werken, zeg ik tegen mezelf. "Kijk naar je vader," zeg ik er steeds bij. Die man heeft zich als accountant in Suriname kapot gewerkt, was nooit een avond thuis. Toen kreeg hij, ergens in de veertig, een hersen-bloeding waardoor hij helemaal afhankelijk werd van m'n moeder. Net toen hij weer wat opkrabbelde, werd er kanker geconstateerd. Daar heeft hij nog anderhalf jaar tegen gevochten en toen was het afgelopen. Op z'n vijfenvijftigste is hij overleden. Dat zou toch een waarschuwing moeten zijn.'

Wij kennen je vooral van je televisieshow Raymann is laat. *Speciaal van je alter ego, tante Es.*

'Als tante Esselien, afgekort tot tante Es, ben ik een heel ander mens. In die vrouwenkleren ontvang ik mijn gasten heel anders dan ik doe als Jörgen Raymann. Tante Es is ongecensureerd, Jör-gen is gecensureerd. Tante Es is een combinatie van alle vrouwen uit mijn leven: m'n oma, m'n moeder, m'n tantes en de vriendin-nen van mijn moeder en oma. Als je hoort en ziet hoe Surinaamse vrouwen dingen uit andere mensen halen, wat ze vragen, het moe-derlijke dat ze hebben. Ze zijn openhartig en niet beledigend, maar zetten soms wel met een vileine opmerking mensen even op hun plaats. Dat heb ik van mezelf helemaal niet, maar als tante Es wel. Mijn gasten accepteren dat van haar, terwijl ze dat van Jörgen niet zouden pikken. Ik hoor mezelf aan Linda de Mol vragen hoe pijn-lijk haar bevallingen waren en aan Annemarie Jorritsma of ze als kind al zulke "boobies" – borsten – had. Nou ja, ik heb Annemarie daar later nog excuus voor aangeboden maar die vond het geen enkel punt. Jörgen zou er niet over piekeren zulke dingen te vragen. Die is veel gereserveerder en heeft een zekere gêne tegenover mensen.

Voor de balans in het programma is tante Es een zegen, met haar kan ik het vrouwelijke tot het maximale uitbuiten. Ik heb iets vrouwelijks in me, m'n hele leven al. Ik praat vrouwelijk. Als kind had ik altijd vriendinnen, vond ik het altijd leuk met meiden te kletsen. Daarom dachten ze vroeger vaak dat ik homoseksueel was.'

Dat zou nu niemand meer denken, wel dat je een rokkenjager bent.

'Dat hoort er allemaal bij, flirten met de meiden in de zaal. Daar heeft Sheila erg aan moeten wennen, want ze is jaloers. Net als ik trouwens. Oe, oe, wat was ik jaloers. Ik ben het nog wel, dat raak je nooit kwijt. Maar ik spreek mezelf toe als het weer opvlamt: Jörgen, houd op, het is allemaal onzekerheid. Je bent bang dat iemand anders jouw liefde zou kunnen schaken, maar door zulk gedrag zet je jezelf alleen maar schaakmat. Sheila heeft niemand anders en als ze voor de gezelligheid eens met een jongen zit te chatten, houd je je daarbuiten. Geef haar de ruimte. Want ik heb wel geleerd dat je iemand doodongelukkig maakt wanneer je steeds bezitterig wordt en iemands vrijheid gaat beknotten.

Ik heb me eens een keer zomaar met een cybervriendje van haar bemoeid. Ik las z'n chattekst, die me veel te flirterig was. Ik tikte driftig in of hij onmiddellijk wilde ophouden met mijn vrouw te chatten. Nou ja, zeg, Sheila schaamde zich dood. Ze kende die hele jongen niet. Dat heb ik dus afgeleerd. Ik kijk nooit meer in haar computer noch in haar agenda. Dat flirten van mij is alleen maar pose. Het hoort bij mijn imago, maar in het echt ben ik een vreselijk monogaam mens. Ik kom gewoon elke avond thuis, besteed al mijn vrije tijd aan Sheila en de kinderen. Goed, ik zou vlinders in mijn buik krijgen als ik Hale Berry over de markt in Almere zag lopen, maar zelfs dan... vlinders, oké, maar verder niks. Want wat ik met Sheila heb, zou ik nooit met Hale Berry kunnen hebben.'

In je televisieshow zit vooral veel allochtoon publiek.

'Klopt, ik ben zelf natuurlijk ook een allochtoon, dat trekt andere allochtonen aan. Daardoor doe ik, op mijn manier, veel aan integratie. Via "Quintus integreert", de nieuwsgierige blik van een nieuwkomer op Nederland. Via de "Nederlander van de Week", wat altijd iemand met een buitenlandse achtergrond is. Via mijn vlaggetjesonderdeel, waarin Nederlanders getoetst worden op (voor)oordelen. In de "vlaggetjes" zit meestal een politicus, advocaat, burgemeester of een ander serieus persoon uit de actualiteit. Bij tante Es komen vooral mensen uit de showwereld, waar wat smeuïgs aan zit, zal ik maar zeggen. Want dat scheelt onmiddellijk in de kijkcijfers. Zo is het nu eenmaal. Die mensen moeten vlot en goedgebekt zijn om mee te kunnen met tante Es. Ik heb Bram Peper daar een keer gehad, die sloeg helemaal dood. Jamai onlangs ook. Nou ja, die dingen gebeuren en we knippen ze er niet uit, hoewel dat zou kunnen. Want *Raymann is laat* is niet live, het wordt daags tevoren opgenomen. Maar juist omdat je een live-uitstraling wilt, laat je ook de minder geslaagde onderdelen erin zitten. Misschien knip je er een minuutje extra uit, maar helemaal verdwijnen doen ze niet.

Wie ik heel graag nog eens bij tante Es zou hebben? Balkenende, maar dat lukt niet, dat hebben ze hem afgeraden. Ook Guus Hiddink, maar die heeft me zelf gezegd zoiets nooit te doen. Verder Maxime Verhagen, maar die wil alleen in de "vlaggetjes". En Johan Cruijff, André van Duin, Gerrit Zalm en Sean Connery. Wel komt binnenkort Ivo Niehe. En Willeke Alberti die samen met tante Es "Spiegelbeeld" gaat zingen. Dan houden we het niet droog, denk ik. Ruud Gullit? Nee, die heb ik vaak gevraagd, daar houd ik mee op, die wil alleen Surinamer zijn als het hem uitkomt. Paul de Leeuw? Die heeft al duizend keer gezegd te komen en doet het dan toch niet, terwijl hij mij wel vraagt in zijn programma. Zo zijn we niet getrouwd, hij moet eerst bij mij komen. Conny Breukhoven wil niet omdat ik weleens grappen over haar heb gemaakt. Niet eens van die gemene, want ik ben niet van de gemene grappen. Het had te maken met botox. Paul de Leeuw vind ik wel iemand van akelige grappen, zodat je niet meer over straat durft; die gaat soms als een olifant door de porseleinkast. Toen met Anneke Grönloh en haar vermeende drankgebruik en pas weer met die kale actrice (Josine van Dalsum – C D) die hij vroeg een Beatrix-pruik op te zetten. Daar houd ik niet van.'

Zijn er ook mensen die je per se niet wilt hebben?

'Ja, alle mensen die extreem zijn in hun denken, zoals Geert Wilders, Ayaan Hirsi Ali, Filip Dewinter, Michiel Smit en Theo van Gogh. Allemaal mensen voor een discussieprogramma als *Knevel op Zaterdag* of *Barend & Van Dorp*, niet voor mijn amusementsprogramma. Ik heb Theo ooit geïnterviewd. Een van de mooiste gesprekken die ik heb gedaan. Hij kreeg de volledige vijftien minuten en de rest hebben we op onze website gezet, maar dat was vóór 11 september, voor de grote etnische verdeeldheid en de radicalisering in ons land. Ik zou dat nu nooit meer doen.

Over radicalisering gesproken: als er in ons land haatzaaiende en gifspuitende imams aan het werk zijn, moeten die zonder pardon het land worden uitgezet. Daar ben ik heel makkelijk in. Haat zaaien? Weg ermee. En als dat niet kan omdat ze de Nederlandse nationaliteit hebben, moet het hun verboden worden nog te preken. Net zoals dat zou moeten gebeuren met priesters of dominees die haat zaaien. Maar die doen dat geloof ik niet meer, die tijd hebben we achter ons. Je zou die groepen ook kunnen straffen door hun subsidie af te pakken, want op de een of andere manier krijgen ze vast geld van de overheid: voor hun kerkgebouwen of weet ik veel. Het is vreselijk jonge mensen te infiltreren met de gedachte dat ze hier gediscrimineerd worden omdat ze moslim zijn. Of ze te vertellen dat ze zich met wapens moeten verzetten tegen de verdorven westerse mentaliteit hier. Als ze het hier zo erg vinden, moeten ze maar gauw terug naar hun land van herkomst zou ik zeggen.'

Je zendt niet alles uit wat wordt opgenomen. Wat knip je bijvoorbeeld?

'Een keer iets uit een aflevering met Albert Verlinde, die bij tante Es heel open vertelde over zijn partner. Er zaten een paar Marokkaanse jongens in de zaal, die "gedverderrie" en "boe" begonnen te roepen. Toen ben ik gestopt. Ik heb gezegd: verdomme, nu moeten jullie ophouden, want jullie willen geaccepteerd worden in Nederland, maar jullie accepteren zelf anderen niet om hun seksuele geaardheid. Dat kan dus niet. Als het je hier niet bevalt, rot je maar op. Die jongens hebben later een excuus gestuurd dat we meteen aan Albert Verlinde hebben doorgemaild.'

Waarom heb je dat onderdeel eruit geknipt?

'Misschien wel jammer dat we het eruit hebben gehaald, maar het zou er wellicht ingestudeerd hebben uitgezien. Of je had de reactie van het COC kunnen krijgen: zie je wel, Marokkanen zijn allemaal potenrammers. En dat vind ik nou ook weer niet nodig.'

Het is opvallend dat de vrouwen in je publiek altijd zo hard lachen.

'Vrouwen zijn een heerlijk publiek. Dat zullen alle cabaretiers je vertellen. Ze hebben meer humor, meer zelfspot. Mannen zijn veel kwetsbaarder. Die voelen zich sneller bedreigd, zijn veel minder zelfverzekerd als het eropaan komt. Met vrouwen kun je grappen maken over orgasmes die niet echt waren. Als je het met mannen over impotentie wilt hebben, moet je erg oppassen. Dan moet je jezelf erbij betrekken en het allemaal onschuldig maken. Ik zou er graag voor tekenen: een heel jaar lang elke dag optreden voor een zaal met vrouwen. Ik heb een grap waarin ik zeg dat vrouwen tien gelakte nagels aan je doodskist zijn. Oe, oe, zie je mannen dan denken, maar vrouwen lachen er hard om. Mannen moeten altijd erg lachen om grappen over vrouwen die niet achteruit kunnen inparkeren. Het is erg, maar het is zo.'

Waarover maak je geen grappen?

'Niet over de moord op Theo van Gogh, niet over Mohammed B., wel weer over de tasjesdief Ali el B.'

Waar kunnen Nederlanders slecht tegen?

'Laat ik vooropstellen dat Nederlanders meer zelfspot hebben dan je zou denken. Misschien komt dat wel voort uit hun zelfverzekerdheid. Als je van jezelf overtuigd bent, kun je een trap tegen je schenen wel accepteren. Waar ze niet tegen kunnen, is mijn kritiek op Sinterklaas, beter gezegd op zwarte Piet. Kijk nou toch naar die kwijlende, rondbuitelende, zwartgemaakte mannetjes. Dat is toch je reinste racisme. In Amerika zou je zoiets volstrekt niet kunnen maken. Lionel Richie was hier een keer voor televisieopnamen. Dat bleek net op 5 december te zijn en daar verschenen ook Sint en zijn Pieten in de studio. Ze hebben hemel en aarde moeten bewegen en z'n contract erbij halen om te voorkomen dat Richie wegging. Zijn die zwarte Pieten Italiaanse schoorsteenvegers die zwart geworden zijn van hun reis door de schoorsteen? Hoe zijn ze on-

derweg dan opeens aan dikke lippen, een kroeskop en een spraak-
gebrek gekomen? Ga toch weg. Het zijn gewoon zwarte slaven. Als
ex-koloniaal land moet je toch echt oppassen met zoiets. Het is alleen maar een gezellige traditie, leuk voor de kinderen, zeggen ze.
Ja, vrouwenbesnijdenis is ook een traditie en deugt dat? Ik dacht
het niet. Vind ik dat zwarte Piet moet worden afgeschaft? Ja, dat
vind ik. Laten we de Pieten vervangen door flamboyante homo's.
Die vinden dat vast leuk.'

Nog even over je eigen bedrijf: daarin werkt je moeder ook mee.

'Zij is de vrouw die de kleren van tante Es verzorgt. Ze heeft ze
gemaakt en onderhoudt ze, wast, stijft en strijkt ze. Ze helpt me
achter de coulissen met omkleden, alsof ik een kleine jongen ben.
Als ik netjes ben aangekleed, zegt ze: ga maar weer spelen. En met
een klapje op de billen stuurt ze me het podium op. Eigenlijk ben
ik een verwend kreng. Mijn moeder bracht me vroeger in Suriname vaak naar school en heeft zich de handen kapot gewerkt om het
geld bijeen te schrapen voor m'n mislukte studie. Toen m'n vader
door zijn hersenbloeding invalide werd, kwam de zorg voor het gezin op haar neer: ze heeft genaaid, bloemen geschikt, noem maar
op. Haar leven is niet gemakkelijk geweest, want behalve haar man
overleed ook haar enige dochter, mijn zusje, toen ze drieëntwintig was. Aan een niet herkende longembolie die tot een hartinfarct
leidde.

Mijn ouders zijn naar Nederland gekomen omdat mijn vader
hier door een goede revalidatie meer kans zou hebben op een beter
leven. Toen dat eindelijk leek te lukken, kreeg hij kanker. Al met al
heeft m'n moeder elf jaar voor hem gezorgd. Zou een man zoiets
kunnen opbrengen? Zou ik het kunnen opbrengen voor Sheila? Ik
zou het heel graag willen. Ik zou het ook proberen, maar ik ben
bang dat het me niet zou lukken. Daarom ben ik zo blij dat mijn
moeder op haar zesenzestigste nu een fijn leven heeft, zonder financiële zorgen. Ze geniet van haar kleinkinderen en van haar contact met mijn crew, die ze tijdens mijn optredens van warm eten
voorziet dat zij of Sheila heeft gekookt. Eigenlijk zijn we op het
ogenblik heel gelukkig met elkaar, gelukkiger dan ooit tevoren. Ik
heb voor mijn moeder maar één wens: dat ik niet voor haar dood-
ga. Ik wil haar niet aandoen dat ze na haar man, haar dochter, haar

moeder en drie zusters mij ook nog eens zou moeten begraven. Dat mag niet gebeuren, dat zou te veel zijn.'

Mei 2005

EINDSCORE: +6 $^1/_2$

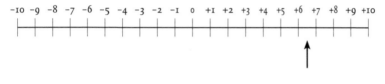

Commentaar

Sheila Raymann (1967)

De reacties:
Jörgen had geen spijt van het interview. Ik heb ook niet de indruk dat hij meer gezegd heeft dan hij zich had voorgenomen. De paar reacties die ik heb gekregen, waren van goede vrienden van ons en kwamen allemaal ongeveer op hetzelfde neer: *'Wat heeft Jörgen toch mooi over je gesproken!'* Ik moet bekennen dat me dat zeer goed stemde!!

Het fameuze cijfer (+6½):
Jörgen was verrast over het cijfer, hij dacht dat hij een stuk lager zou eindigen, dus volgens mij was hij wel tevreden. Ik ook trouwens. Achteraf kan ik niet zeggen dat het te laag of te hoog was, maar ik had verwacht dat de *Opzij*-lezeressen het gedeelte over zwarte Piet niet zouden waarderen, omdat hij hierover in het verleden heel negatieve reacties heeft gehad.

Eigen mening:
Jörgen was heel herkenbaar in het interview en hij was echt eerlijk. Zo is hij gewoon. Hoewel ik niet had gedacht dat hij zo openlijk over mij zou praten. Dat heeft me behoorlijk geraakt, maar daarom ben ik ook zo trots op hem. De lezeressen hebben absoluut een stukje van de echte Jörgen Raymann leren kennen.

'Sprekers zijn haantjes'
Maarten van Rossem

Hij was een doodverlegen ventje. 'Toen ik op m'n zestiende m'n opa en oma moest toespreken, riep een nichtje "dat is niks" en nam het van me over.' Eenmaal per week onder de douche is meer dan genoeg. 'Ik heb een enorme hekel aan die schoonheids- en frisheidsmanie.' Spreken is z'n lust en z'n leven. 'Het is heerlijk een zaal met mensen iets te leren, aan het lachen te krijgen of boos te maken.'
Historicus en schrijver Maarten van Rossem (1943)

Hij is een van de meest gevraagde sprekers van Nederland. Alleen Midas Dekkers wordt nog vaker gevraagd bij de Speakers Academy, waarbij ze beiden zijn aangesloten. Zo'n 35 keer per jaar treedt hij op in zalen en zaaltjes in alle uithoeken van het land. Voeg daarbij z'n talloze televisie- en radio-optredens – vaak over zaken die Amerika betreffen – en het is duidelijk waar zijn status van Bekende Nederlander vandaan komt.

'Niets is leuker dan spreken in het openbaar. In een zaaltje, oog in oog met je publiek. Veel leuker dan een televisieoptreden, want dan weet je niet tegen wie je het hebt. Zo was ik pas nog in Wapenveld bij de plaatselijke Rotary. Je had het moeten zien: zo'n zaaltje in het dorpshuis, uniek door z'n lelijkheid, echt iets om op de Monumentenlijst te zetten want het soort dreigt uit te sterven. Van die tafeltjes met een namaak-Perzisch kleedje, plastic hangplanten in mandjes en een zo ongunstig mogelijke neonverlichting.

Maar ook hier dreigt de vernieuwing: er kwam een verbouwing aan, werd mij trots gemeld. Een paar van dit soort zaaltjes moet bewaard blijven, vind ik. Bij binnenkomst waan je je direct zeker zo'n veertig jaar terug in de tijd.

Bij de Rotary krijg je dan eerst een maaltijd. Laat ik me niet al te laatdunkend uitlaten over dat eten, maar generaliserend zou ik willen zeggen dat het onbegrijpelijk is dat er nog Rotary-leden in leven zijn in Nederland, gezien de abominabele kwaliteit van de maaltijden die zij hun leden aanbieden. Zuurkool met spek en worst was het ditmaal. Voor Rotary-begrippen viel het nog wel mee. Toen ik voorzichtig iets over de kwaliteit van het eten opmerkte tegen de lokale voorzitter, zei hij dat als je de prijs van de maaltijden met een euro zou verhogen, waardoor er een toefje peterselie aan de gerechten zou kunnen worden toegevoegd, dit zou leiden tot een opstand onder de leden. Wat des te vreemder is als je het wagenpark buiten ziet staan.'

Wat is er zo leuk aan het houden van lezingen?

'Spreken is mijn grootste liefhebberij, mijn lust en mijn leven. Het is leuk om een zaal met mensen iets te leren, aan het lachen te krijgen of boos te maken. Als er tijdens het uur dat mijn lezing duurt niet gelachen wordt, word ik daar enorm nerveus van. Dan is er iets grondig misgegaan met mijn voordracht. Heel soms overkomt je dat, zoals ooit in Sittard. Een zaal waar helemaal niks gebeurde, waar ik niks mee kon. Pas na de pauze, toen er vragen werden gesteld, ontdooiden ze een beetje. Vreselijk is dat. In je wanhoop maak je het dan soms nog erger. Omdat je per se wilt dat ze lachen, doe je dingen die je niet zou moeten doen. Je gaat je enorm uitsloven, en dan kom je in een neerwaartse spiraal terecht. Na afloop sprak ik met de organisator. Die zei: "Ze zijn hier nog steeds bang voor meneer pastoor en u bent een deftige spreker uit het westen. Dan durven ze niet te lachen." Misschien schrikken ze ook van mijn ironische uitlatingen of van de losse manier waarop ik over het opperwezen spreek.

Nee, ik pas me niet aan, ik houd er nooit rekening mee voor wie ik spreek. Nou ben ik nog nooit gevraagd voor een zwaar-christelijk gezelschap. Die kijken wel link uit. Ik ben er nooit op uit om de mensen eens fijn te gaan kwetsen, hoewel ik van religieuze groeperingen weleens het verwijt heb gekregen dat ik godslasterlijke uitspraken deed op de televisie. Ik spreek nogal losjes over het opperwezen omdat ik er niet in geloof, en dat is voor veel mensen moeilijk. Het is heel leuk als je tijdens je lezing van die mannen in het publiek ziet zitten die langzaam vollopen met woede. Bij vrouwen zie je dat eigenlijk nooit, maar er zit altijd wel ergens zo'n man onder je gehoor. Die kan bijna niet wachten op de discussie. Dat zijn van die mannen die eigenlijk vinden dat zij die lezing beter hadden kunnen geven. Die beginnen hun vraag met een langdurig statement over wat zij zoal van de wereld denken. En dan moet ik het natuurlijk ontgelden. Ik vind dat wel amusant, vooral omdat je het hebt zien aankomen, dat vat hebt zien volstromen met irritatie. Hun hele motoriek drukt al een halfuur uit dat ze zich zitten te ergeren.'

Hoeveel soorten lezingen heb je?

'Zo'n tien à vijftien, die echter nooit hetzelfde klinken. Ik heb een paar vaste punten, een soort ruggengraat, maar het verhaal wordt sterk beïnvloed door de actualiteit en de manier waarop de zaal reageert. Als ze leuk reageren op een bepaald grapje, borduur ik daar nog even op door. Soms vind je een running gag, alles is mogelijk in relatie met die bepaalde zaal. Ik spreek ze ook weleens streng toe, bijvoorbeeld als ik buiten een groot aantal van die malle imponeerauto's heb gezien. Dan zeg ik: "Hopelijk zijn die dingen de volgende keer ingeruild voor fatsoenlijke auto's." Te laat komen, met elkaar zitten praten, afgaande mobieltjes... ik straf het allemaal streng af. Op dat punt ben ik veel assertiever geworden.'

En als mensen in slaap vallen?

'Tegen slapers doe ik niks, ik laat ze rustig slapen. Het is een bekend fenomeen dat ergens in je gehoor, liefst in je directe blikveld, iemand in slaap valt. Daar raak je aan gewend, hoewel het wel altijd een lichte schok is dat iemand bij zo'n boeiende voordracht in slaap is gesukkeld. Maar ja, het is een illusie dat je het iedereen naar de zin kunt maken. Bij mijn inaugurele rede keek ik na een minuut of drie schuin naar beneden en zag ik dat een van mijn collega's in diepe slaap geraakt was. Nee, ik noem geen namen. Ik heb me er verder maar niet veel van aangetrokken.'

Word je betaald voor je lezingen?

'Tegenwoordig wel. Voor de meeste lezingen tenminste. Natuurlijk blijven er ook dingen die je voor niks doet of voor een flesje zure wijn of een boekenbon. Studentengezelschappen hebben meestal geen cent te makken. Maar wanneer ik gevraagd word door de Rabobank, ABN Amro, de Nederlandsche Heidemaatschappij of IBM verwijs ik tegenwoordig naar mijn agent. Die rekent voor mij 2275 euro per lezing, het moderne equivalent van vijfduizend gulden. Vroeger durfde ik nooit geld te vragen. Ik vond het al een hele eer dat ze me wilden hebben. Ik weet nog hoe ik voor het eerst een mijns inziens idioot hoog bedrag vroeg aan de Heidemaatschappij, toen die me wilden hebben bij het afscheid van een collega. Ik dacht: wat moet ik daar nou doen? En dus vroeg ik vijftienhonderd gulden in de veronderstelling dat ze schaterend van het lachen zouden zeggen: "Nou, nee meneer Van Rossem, daar kunnen we niet aan beginnen." Maar niks ervan, ze vonden het prima. Ik had best tweemaal zo veel kunnen vragen, dacht ik later. De schellen vielen me definitief van de ogen toen ik eens voor IBM sprak. Ik vroeg toen al zonder aarzelen vijftienhonderd gulden, maar een collega-spreker bleek vijfduizend gulden te krijgen. God allemachtig. Ik vroeg: "Hoe heb je dat voor elkaar gekregen?" Bleek hij aangesloten te zijn bij de Speakers Academy. Je begrijpt: die heb ik de volgende dag direct gebeld.'

Wat is jouw goede raad voor sprekers?

'Het hele geheim van spreken in het openbaar is dat je niet zenuwachtig bent. En dat bereik je door het vaak te doen. Als je niet meer zenuwachtig bent, heb je alles aan boord om er iets aardigs van te maken. Zolang je gespannen bent, wordt het niks. Verder: nooit je tekst helemaal uittikken en voorlezen. Nooit, dat is een rampzalige toestand. Ik ben faliekant tegen het voorlezen. Dat is geen spreken maar – inderdaad – voorlezen, en dat is doods. Dan gaan mensen altijd jagen, het tempo gaat omhoog, de zinnen zijn niet goed geïntoneerd. Kortom: het is volkomen fout. Natuurlijk mag je aantekeningen hebben, heel uitgebreide zelfs als je dat graag wilt. Maar mijn advies is: zorg dat je leert spreken zonder voor te lezen. De eerste keren is dat doodeng. Dan is je grote angst: als ik nou niks meer weet en beschaamd het toneel moet verlaten?

Denk niet dat ik een geboren spreker ben. Op mijn zestiende moest ik mijn opa en oma toespreken op hun vijftigjarig huwelijksjubileum. Een doodverlegen ventje was ik toen. Ik vond het verschrikkelijk, stierf duizend doden. Het was bepaald geen groot succes. Na "lieve opa en oma" wist ik het al niet meer. Ik ben geen gevoelig spreker, sentimenten gaan mij moeilijk af, dus mijn nichtje riep algauw: "Nou, dit is niks, nu ga ik iets zeggen." Waarna ze heel gevoelvol sprak. De machteloosheid en de hulpeloosheid van dat moment, in dat hotel in Berg en Dal, kan ik nog steeds voelen.

Mijn bekwaamheid als spreker is gegroeid door mijn werk aan de universiteit, het leiden van werkgroepen en het geven van hoorcolleges. Dat ging me eigenlijk allemaal wel vlot af en daardoor groeit je zelfvertrouwen enorm.'

Wat zijn de valkuilen voor sprekers?

'Je beste eigenschappen zijn over het algemeen ook je slechtste, dus daar zitten dan ook je valkuilen. In mijn geval: ik kan geweldig improviseren, waardoor ik gaande de lezing allerlei nieuwe dingen en spontane geestigheden bedenk. Dat is een goede eigenschap, maar die verandert in een nadeel wanneer ik volledig op hol sla en een kwartier ga staan zeveren over iets wat niks met het thema te maken heeft. Dat is in colleges ook altijd mijn zwakke punt: dat het allemaal wel leuk is en actueel, maar ook nogal chaotisch. Ik zeg weleens tegen m'n studenten: "Sorry hoor, maar jarenlang hetzelfde vertellen is niet leuk voor een docent. Dan is het wel zo prettig dat hij kan aansluiten bij de actualiteit en kan improviseren." Maar ik kom altijd wel weer terug op de lijn van m'n betoog. Het komt niet voor dat een lezing over olifanten opeens is veranderd in een causerie van anderhalf uur over brillenkokers.

Verder dreigt bij mij de tijdslimiet weleens overschreden te worden. Ik spreek een uur, maar vind zelf vijf kwartier eigenlijk prettiger. Dan gaat de voorzitter op z'n horloge wijzen of je een briefje in de hand frommelen: wilt u afronden. Dat briefje lees ik altijd voor, waarmee je de lachers op je hand krijgt. Dan kun je er gemakkelijk nog tien minuten bij smokkelen.'

Het merendeel van de sprekers in het land en op de televisie zijn mannen. Hoe zit dat?

'Misschien is spreken in het openbaar wel een vorm van machohaantjesgedrag en moeten we nog vijfentwintig jaar wachten tot vrouwen dit ook leuk gaan vinden. Dat zou kunnen. Aan de andere kant: vrouwen rukken enorm op aan de universiteiten, als student tenminste, en ze doen het daar vaak beter dan de jongens omdat ze braver zijn en harder studeren. Dat moet zich op den duur dus wel vertalen in meer spreeksters.'

Spreken is zilver, zwijgen is goud, luidt het spreekwoord.

'Ja, wij zijn van oorsprong een volk van zwijgers. Willem de Zwijger natuurlijk en zo'n man als Colijn was ook een groot zwijger. Ik ben weleens jaloers op mensen die overtuigend kunnen zwijgen. Ik was altijd geneigd de diepzinnigheid van zwijgers te overschatten. Ik dacht: bij mensen die zo solide kunnen zwijgen, moet wel heel veel in hun hoofden omgaan. Stille waters hebben diepe gronden. Maar in vrijwel alle gevallen werd ik teleurgesteld als die zwijgers ooit eens begonnen te praten, diep teleurgesteld over de banaliteit van hun uitspraken. Mensen die veel praten zijn lang beschouwd als kakelkonten en lichtzinnige types. De echte autoriteit sprak slechts spaarzaam. Keukenmeiden kwebbelden gezellig, maar mannen zaten stug te zwijgen met hun neus in de Statenbijbel of andere gewichtige geschriften. Dat beeld hebben we lang gehad. Op het ogenblik zijn we geen zwijgende natie meer. We maken eerder iets te veel lawaai dan te weinig, zou ik zeggen. Komt natuurlijk ook door de televisie. In een praatprogramma heb je weinig aan iemand die mooi zit te zwijgen. "Dames en heren, we hebben vanavond ook een zwijger uitgenodigd." Dat schiet niet op.'

In deze tijd wordt alom aangedrongen op voorzichtigheid in het spreken. Wat vind jij daarvan?

'Het is zonneklaar dat alle oprispingen om voorzichtig met je woorden te zijn en vooral niet te beledigen te maken hebben met de moord op Theo van Gogh. Kwetsen wij meer dan vroeger? Als je het vergelijkt met de jaren vijftig waarschijnlijk wel, maar tegelijkertijd is ons incasseringsvermogen ook heel sterk toegenomen. We zijn veel meer geneigd van alles en nog wat met een korreltje zout te nemen. De toon van het politieke en culturele debat is wezenlijk anders dan in 1954. Nou was ik toen pas elf, dus niet direct iemand die dagelijks participeerde in het debat. Toch heb ik er wel herinneringen aan. Als je vraagt of we niet voorzichtig moeten zijn met opmerkingen over de godsdienst in verband met de moslims

241

in ons land, ben ik geneigd te zeggen: als deze mensen hier uiteindelijk een integraal onderdeel van de samenleving gaan uitmaken, moeten ze die slag maar maken. Waarmee ik bedoel: dan moeten zij hun incasseringsvermogen maar wat oprekken.'

Jij staat bekend om je relativerende, ironische, volgens sommigen cynische, uitspraken.

'Ironie en relativering sluipen er bij mij altijd in. Ik zie dat ook weleens als een vorm van zwakte, van escapisme. Toen mijn vrouw vorig jaar zomer een hartinfarct kreeg, hoorde je mij echt niet relativerend en ironisch praten. We zaten toen op Texel, wat in zo'n geval geen voordeel is. Het duurde tweeënhalf uur voordat we met de ambulance in het AMC in Amsterdam waren. Het is een drama om te zien hoe je vrouw het ontzettend benauwd heeft en in een kommervolle toestand verkeert, terwijl je niks kunt doen. Dat zijn dingen waarover ik honderd procent serieus ben. Maar zaken zoals we die nu meemaken, dat het hele land door de overheid in de paniek wordt gejaagd na een moord die door een evidente maloot is gepleegd, brengen mij weer tot relativerende uitspraken. Net zoals na 11 september, toen ze mij voor de televisie vroegen of ik ook van mening was dat de derde wereldoorlog was begonnen. Nou ja, zeg, ik vond van alles, maar niet dat de derde wereldoorlog was uitgebroken. Net zomin als ik nu denk dat we van alle kanten bedreigd worden door terroristen. Het is toch niet zo dat jij en ik 's ochtends bij het verlaten van de woning eerst naar links en rechts kijken of er geen terroristen in de voortuin schuilen?'

Zit jij niet zo in elkaar dat je altijd 'b' zegt als alle andere mensen 'a' zeggen? Een soort ingebakken tegendraadsheid?

'Dat zou best eens kunnen. Ik ben altijd geneigd om me af te vragen: zou het ook anders kunnen zijn? Ook als ik zelf iets opschrijf, denk ik dat. Ik houd altijd het alternatief in de gaten. Dat brengt je soms tot heel goede conclusies. Ik ben sowieso niet een vreselijk solidair type. Natuurlijk zijn er dingen waar ik zonder bedenkingen een groot voorstander van ben, zoals de parlementaire democratie. Daarom ben ik ook tegen het populisme van mannen als Fortuyn en Wilders. Dat vind ik een bedreiging van die democratie en dat is een ernstige zaak. Maar de grote aanhang van Wilders op dit moment hoeft ons geen zorgen te baren. Dat is een hype en een hype duurt geen twee jaar. De eerstvolgende Kamerverkiezingen zijn pas in 2007, dan is die hype al lang en breed uitgewoed.'

Nog zo'n kwestie van recalcitrantie: je tegenzin tegen een dagelijkse dou-chebeurt. Een keer per week vind je meer dan genoeg.

'Ja, dat schokt mensen altijd vreselijk, maar al dat gewas is heel slecht voor de huid. Ik heb een enorme hekel aan die schoonheids- en frisheidsmanie. Als mijn vrouw niet regelmatig zou zeggen "het wordt weer eens tijd voor een wasbeurt" zou ik het nog minder vaak doen. Zolang de mensen op de eerste rij niet hun neus dichtknij-pen, is er niks aan de hand. Bovendien: ik gebruik wel deodorant en was dagelijks mijn edele delen. Het zal vast wel een complex uit m'n jeugd zijn, toen we met z'n allen in een teiltje moesten, maar ik ga er toch echt niet mee naar een psychiater. Daarover gespro-ken: ik ben tweemaal bij zo'n man geweest, toen ik lelijk in een dip zat omstreeks mijn vijfendertigste. Ik tobde rond in gespannen-heid, zat vast met m'n dissertatie en dacht dat het niks meer zou worden met m'n wetenschappelijke carrière. Zit ik bij die man, ko-men we aan de praat over mijn vroegste jeugd. Laat die man nu een artikel geschreven hebben over baby's die in oorlogszones waren groot geworden. Ik ben als baby gebombardeerd, dus dat was bin-go: alles was verklaard. Onzin natuurlijk. Na die twee keer ben ik niet meer teruggegaan, het leek mij zinloos. En met die disserta-tie is het later helemaal goed gekomen, toen ik eenmaal was gaan zitten om te schrijven en niet meer dacht dat het een meesterwerk moest worden.'

Hoezo, een gebombardeerde baby?

'Bij de luchtlandingen van de geallieerden in Arnhem, in sep-tember 1944, hebben de Engelsen een fout gemaakt bij een bom-bardement. In plaats van een Duitse eenheid bombardeerden ze de villawijk in Wageningen waar wij woonden. Het huis naast het onze is door een voltreffer geraakt. Ik lag in een kinderwagen in de achtertuin, mijn moeder stond als verlamd in de keuken. En dat was maar goed ook, want als ze naar buiten was gerend om mij uit de wagen te pakken, waren we allebei gedood. Nu vlogen de scher-ven over de kinderwagen heen. De theorie van die psychiater was dat baby's hun angstgevoelens niet goed kunnen uiten omdat ze nog niet kunnen praten, wat later tot allerlei frustraties kan leiden.

Klaarblijkelijk kun je dat soort dingen een leven lang met je mee-dragen. Wat denk je: zou dit niet een goede reden zijn om bij de Stichting 1940-1945 alsnog een uitkering aan te vragen?'

Januari 2005

EINDSCORE: +3

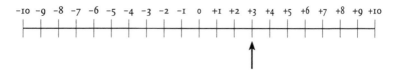

Commentaar

Winnie van Rossem (1943)

De reacties:
Mijn man had geen spijt van het interview. Hij neemt zich overi-gens nooit voor om zaken onbesproken te laten. Komt hij tijdens een gesprek toch tot die conclusie, dan zal hij dat duidelijk laten weten.

We zijn door een paar vrienden aangesproken op het interview, onder wie Karina Wolkers. Zij was een beetje verontwaardigd. 'Hoe kun je een man, die jaren achtereen om zeven uur opstaat om met de kinderen te ontbijten en hun schoolboterhammen te smeren het cijfer + 3 geven?'

Het fameuze cijfer (+3):
Mijn man zeurt zelden over interviews, dus ook niet over dit cij-fer. Zelf vond ik het erg laag. Cisca Dresselhuys heeft zijn m/v ge-drag kennelijk anders beoordeeld. Dat is ook niet zo gek. In een interview van een uur of zes zie je minder dan in een huwelijk van 36 jaar. Vooral toen de kinderen klein waren, heeft hij heel veel moeten doen in huis. Maar ook moeten slikken. Ik had een pittige baan. Hij was de man van... Daar heeft hij nooit over gezeurd. Ster-ker nog, hij heeft mij altijd gestimuleerd om carrière te maken.

Eigen mening:
Leg ik dit interview langs mijn meetlat (interessant of niet) dan krijgt het een zeventje.

Als Van Rossem-kenner en aanhangster van Cisca ben ik een beetje teleurgesteld.

'Nederlandse vrouw totaal niet ambitieus'
Ad Scheepbouwer

Al dat gepraat over z'n hoge inkomen vindt hij 'voornamelijk gezeur. We leggen in Nederland de lat wel heel erg laag.' Bij hem geen foto's van vrouw of kinderen op het bureau: 'Nee zeg, wat een demonstratie. Dan kun je net zo goed een bordje neerzetten: "Ik ben een goede man en vader."' De files kan hij zo oplossen: 'Rekeningrijden invoeren, iedereen weet dat, maar niemand durft het aan.' Thuis was Drees een soort heilige, maar hij stemt VVD. 'De PvdA staat tegenwoordig voor Partij van de Afgunst.'
KPN-topman Ad Scheepbouwer (1944)

Wil het ooit goed komen met vrouwen aan de top, dan moeten ze veel ambitieuzer worden. Niks Glazen Plafond, niks te weinig kinderopvang of foute bedrijfsstructuren, het ontbreekt Nederlandse vrouwen doodgewoon aan ambitie. Ze zijn te soft. Dat het anders kan, heeft hij gezien in Amerika, waar hij een paar jaar gewerkt heeft. Overal vrouwen in de top en geen gezeur.

'In Amerika was ik midden jaren tachtig baas van een grote firma. Dus had ik te maken met leveranciers, klanten en de overheid. Het barstte daar van de vrouwen op hoge posities. En bij geen van hen heb ik ooit gedacht: goh, daar zit een vrouw omdat er zo nodig een vrouw bij moet. Ze zaten er altijd omdat ze goed waren. In Nederland zie ik dat soort vrouwen absoluut veel minder. Wij hebben hier een minder concurrerende, veel lievere maatschappij. Van die Amerikaanse vrouwen wist ik maar heel soms of ze getrouwd waren of kinderen hadden; daar merkte je in het werk namelijk niks van. Ze hadden er geen probleem mee om 's avonds laat of in het weekeinde te werken of veel op reis te zijn, dat regelden ze allemaal zelf, geen discussie.'

En dat vindt u wel een goed voorbeeld?

'Tja, het brengt vrouwen in ieder geval veel meer op hoge posten. Nederlandse vrouwen zijn heel anders, alles is hier schattiger, liever, minder ambitieus. Weet u wie ik trouwens wel een goed voorbeeld vind? Rita Verdonk. Ik zag haar op de televisie in een interview met Ferry Mingelen, die haar fiks aanpakte over het asielbeleid. Ze kwam elke keer met een bewonderenswaardige rust terug. Ze kreeg allemaal suggestieve vragen waarvan je dacht: als ze nu "ja" zegt, is ze gelijk een onmens, maar ze weerlegde het allemaal keurig en rustig. Ik vond dat ze fantastisch overeind bleef. Wie het in haar tijd ook goed gedaan heeft, was Margaret Thatcher. Ik werkte en woonde toen in Engeland. Wat hebben we daar jaren achter elkaar vreselijke winters beleefd, waarin we door stakingen steeds weer in de kou zaten. Dan waren het weer de mijnwerkers, dan weer de arbeiders in de elektriciteitsbedrijven. Elke keer was er wel een minderheid die het hele land platlegde. Daar heeft ze goed een eind aan gemaakt.'

Maar als de hele maatschappij in Nederland liever en minder concurrerend is, is het toch vreemd dat vrouwen daar alleen de wrange vruchten van plukken, en je maar een krappe tien procent in echte topfuncties vindt.

'Dat komt natuurlijk ook doordat vrouwen hier veel later begonnen zijn met buitenshuis werken. Je kunt niet op dag één beginnen, dan gelijk de helft van alle banen hebben en ook nog eens onmiddellijk doorstoten naar de top. Dat kost tijd. En dan hoor ik in alle gesprekken die ik heb met vrouwen, ook goed opgeleide, dat ze veel belang hechten aan hun privéleven. Dat moet nooit in het gedrang komen; ze geven dan liever hun baan of ambities op. Dat hoor ik ook van vrouwen die een man hebben die thuis een deel van de taken op zich neemt. Vrouwen willen of kunnen bepaalde dingen niet uit handen geven.'

Vrouwen komen in Nederland dus moeilijk aan de top. Heeft dat ook te maken met het feit dat ze niet of nauwelijks in het old boys netwerk zitten, waar invloedrijke mannen elkaar ontmoeten en de bal toespelen?

'Vooraf: het is een mythe dat daar zaken geregeld worden. En verder is de enige mogelijkheid om daar te komen: presteren. Een functie bereiken waarin ze niet om je heen kunnen en je wel moeten uitnodigen voor al die recepties, diners en andere gelegenheden. De volgorde is dus: eerst de functie, dan het netwerk. Niet andersom.'

Vraagt u wel eens aan vrouwen binnen KPN of het bedrijf hun misschien obstakels in de weg legt?

'Jazeker, en dan zeggen ze dat dat niet zo is.'

Vreemd, daar horen wij nu echt heel andere geluiden over.

'Kom het zelf hier vragen dan. We hebben 2400 crècheplaatsen over heel Nederland en geen wachtlijsten. Iedereen die z'n kinderen kwijt wil, kan ze dus kwijt. Deeltijd? Is bij KPN geen enkel punt. Kan altijd, behalve als je in de echte top wilt, dan zijn vier dagen per week het minimum. Zelf werk ik zeven dagen, maar dan wel op een flexibele manier ingevuld. Ik heb er helemaal geen moeite mee op donderdagmiddag iets voor mezelf te doen, als ik zaterdags of zondags werk. In mijn contract staat dat ik zo veel vakantie mag opnemen als het werk toestaat, dus zou ik wel zes maanden weg kunnen. Maar daar heb ik totaal geen behoefte aan. Twee weken in de zomer en nog eens een weekje door het jaar heen, daar ben ik dik tevreden mee. Ik snap best dat een postbesteller graag vijf weken vrij wil, maar ik moet er niet aan denken. Ik vind golfen leuk, maar toch niet zo leuk dat ik het vaker dan een- of tweemaal per week zou willen doen. Nee zeg, ga weg. Even terug naar mensen die een probleem zouden hebben met hun werk bij KPN. Ik zeg altijd: "Mail mij als je echt ergens mee zit: ad.scheepbouwer@kpn. com." Binnen een of twee weken zit je dan op mijn kamer voor een persoonlijk gesprek.'

Doen mensen dat weleens? Vrouwen ook? Voorbijgaand aan hun eigen chef?

'Ja hoor, waarom niet? Tientallen per jaar. Ik zeg altijd: "Joh, trek je nou niks aan van die baas als die een beetje narrig wordt. Kom gewoon." Eerlijk gezegd doen meer mannen dan vrouwen dat. Vrouwen komen altijd met z'n tweeën, samen staan ze sterk klaarblijkelijk. De gesprekken met vrouwen gaan eigenlijk nooit over henzelf, veel vaker over de dienstverlening of hoe het bedrijf anders zou moeten omgaan met reorganisaties of zo. In de tijd dat ik KPN heb moeten saneren – zo'n vijfduizend man zijn eruit gegaan – kreeg ik weleens rare mailtjes met teksten als "klootzak" of "zakkenvuller". Niet eens altijd anoniem, soms heel flink met naam en toenaam. Die mensen, en dat waren altijd mannen, heb ik hier op mijn kamer gehad. Toen ik hier kwam stond KPN op het punt failliet te gaan, dan kun je geen zoete broodjes meer bakken. Als ik dat nog eens goed uitleg, gaan ze tóch anders gestemd de deur uit. In ieder geval niet meer vloekend en scheldend.'

Bij uw benoeming tot KPN-topman was er veel ophef over uw hoge inkomen en de bijkomende financiële regelingen: bonussen, opties, prettige vertrekregelingen et cetera.

'Klopt. Het was een enorm gezeur. Maar ze hebben me hierheen gehaald uit een goedbetaalde en rustige baan bij TPG. Ik moest de zaak komen redden op een uiterst precair tijdstip. Mag ik dan wat vragen? Als KPN het niet gered had, was ik mee ten onder gegaan, dan was ik ook alles kwijt geweest. Trouwens: ze hadden me toch niet hoeven te nemen als ze me te duur vonden?'

Maar begrijpt u dat uw miljoenen, terwijl er tegelijk 5000 ontslagen vielen, de mensen in het verkeerde keelgat schoten?

'Jazeker, maar die sanering was nodig. Dat wist iedereen. KPN zat met een schuld van 24 miljard euro, echt aan de rand van de afgrond. Ik wilde deze klus op me nemen, want ik voelde me verantwoordelijk voor KPN. Ik was er tenslotte een van de negen commissarissen, dus mede schuldig aan de malaise. Maar ik wilde wel fatsoenlijk betaald worden voor dit lastige karwei.'

Hoeveel krijgt u nu precies?

'Minder dan eerst de bedoeling was, want natuurlijk hebben we ons wel iets aangetrokken van al dat gezeur. Toen de AbvaKabo ook nog eens dreigde met een proces over mijn financiële regelingen, net in de tijd dat we met hen over een nieuwe cao moesten spreken, heb ik gezegd: "Oké jongens, we gaan er wat afhalen." '

Stampvoetend?

'Nou, neuh, op z'n hoogst met wat irritatie, want ik vond het een heel vervelende actie. Ik heb de mensen tenslotte niet met het pistool op de borst gedwongen mij hier te vragen. Integendeel, mag ik wel zeggen. Ik verdien nu één miljoen euro per jaar, heb een variabele bonus van nog eens maximaal anderhalf miljoen euro per jaar, afhankelijk van de resultaten van KPN. Verder heb ik opties tot een maximum van twee miljoen, maar die mag ik nog niet te gelde maken. En ik heb een vertrekregeling van een jaarsalaris. Een vaste bonus van een half miljoen en een tweede jaarsalaris bij vertrek heb ik ingeleverd.'

Hè, wat sneu nou.

'Voor de buitenwacht gaat het om onbegrijpelijke getallen, maar deze bedragen zijn heel normaal in topfuncties. In internationale bedrijven ligt dat nog wel wat anders. In Amerika beginnen ze pas te piepen als topmannen met een jaarsalaris van een paar honderd miljoen dollar naar huis gaan. Maar wij leggen de lat in Nederland wel heel erg laag.'

Het is maar wat je laag noemt. Wat zouden uw ouders over al die miljoenen zeggen?

'"Jongejonge, wat moet je er allemaal mee doen, Ad?" Maar ja, ouders staan gelukkig altijd, als enigen, onvoorwaardelijk achter hun kinderen. Ze leven allebei niet meer. Mijn opa, die ik nog heel goed gekend heb, was een van de oprichters van de vakbond in Dordrecht, een echte SDAP'er. In die tijd werden vakbondsmensen vaak nog geweerd uit de bedrijven, dus die man kon heel moeilijk werk krijgen. Elke dag liep hij van Dordrecht naar Rotterdam. Hij sprak over Drees als over Onze-Lieve-Heer zelf. Dat was een ander soort socialistische beleving dan nu, zal ik maar zeggen. De PvdA is, wat mij betreft, nu de Partij van de Afgunst. Waar staan ze nog voor? Ze waren bijna in dit kabinet gaan zitten, dus wat zijn de verschillen dan nog? Ik stem er allang niet meer op. Ik ben van de VVD, beter gezegd van Gerrit Zalm. Dat vind ik een man met redelijk heldere, gewone, gezonde ideeën over hoe een land bestuurd moet worden.'

Is de politiek niks voor u? Een mooi doe-ministerie?

'Je denkt inderdaad weleens over ander werk, maar dat zou dan toch wel weer iets in het bedrijfsleven worden. Ahold? Nou nee, ik heb niks met detailhandel of levensmiddelen en dat is toch wel een voorwaarde. Ik heb weleens over de Spoorwegen gedacht, maar daar is geen eer aan te behalen omdat de arbeidsverhoudingen daar intens verziekt zijn. Niet sinds gisteren of eergisteren, maar al heel lang. Dat trek je niet zo maar weer recht. Als er al een ministerie is waar ik zou willen werken, is dat het ministerie van Verkeer en Waterstaat. De files oplossen is echt niet zo moeilijk. Gewoon rekeningrijden invoeren. Punt uit. Betalen en flink ook als je in de spits wilt of moet rijden. Dat werkt echt. Kijk maar naar Londen, waar de rooie burgemeester Ken Livingstone de *Congestion Charge* heeft ingevoerd. Een groot succes. Dan laten mensen het wel uit hun hoofd om in de spits naar hun oude moeder te rijden of een beetje te gaan winkelen. Bovendien krijg je een druk op werkgevers om eens goed te kijken naar de werktijden. Moet iedereen echt van halfnegen tot vijf op kantoor zitten? Welnee, heel wat mensen kunnen of thuis werken of op andere tijden aantreden en weer vertrekken. Nee, gratis openbaar vervoer lost niks op. Alles wat gratis is, is fout. Publieke voorzieningen die gratis zijn: echt helemaal fout.'

Even een vraag over de telefoontarieven. Ik snap niet waarom het bellen van een 06 naar een vast telefoontoestel veel goedkoper is dan andersom.

'Dat is inderdaad onlogisch en dat gaat ook veranderen. Je betaalt nu 11 of 12 cent per minuut als je van mobiel naar vast belt en 17 cent andersom. Dat laatste bedrag gaat de komende jaren stapsgewijs achteruit: eerst naar 14 cent, dan naar 12 en dan naar 10, dus nog goedkoper dan van mobiel naar vast. Dat grote verschil komt doordat de mobieltjes bijna gratis worden weggegeven, terwijl ze eigenlijk zo'n drie-, vier- of vijfhonderd euro zouden moeten kosten. Via de tarieven halen we die onkosten er toch uit. Het was beter geweest als de overheid indertijd beter had opgelet en had voorkomen dat die dingen weggegeven werden. Nu moet er van alles worden teruggedraaid, maar de mobieltjes kun je niet meer duurder maken, de mensen zijn gewend aan die weggeefprijzen.'

Wat vindt u van de discussie Nederland Fraudeland? U wilde, net als vijftig andere topmannen, niet meedoen aan een televisiediscussie hierover in Rondom Tien.

'Ik zat die dag in Cannes op een beurs, maar afgezien daarvan: nee, ik zou niet meegedaan hebben. Dat zegt meer over de journalist die dit programma maakt dan over het onderwerp. Die man heeft een groot gebrek aan objectiviteit, waardoor z'n programma weinig niveau heeft. Maar over de stelling zelf wil ik best iets zeggen. Nederland is geen erger fraudeland dan enig ander land. Het is net zo erg of net zo goed, wat u maar wilt. We zijn geen haar beter dan anderen. We moeten alleen af van het idee dat wij netter zijn dan andere landen, want dat is niet zo. Ook hier werken mensen met een salaris van vijftig- of zestigduizend euro als opdrachtgevers voor anderen, waarbij tientallen dan wel honderden miljoenen over de tafel gaan. Dan is een gunst gauw verleend. Het kan zijn dat er een gratis schuurtje wordt gebouwd, dat het huis opnieuw wordt geverfd of dat er een bezoekje aan Yab Yum wordt aangeboden. Tja, Nederlanders zijn net gewone mensen. Het is heel gênant dat 't gebeurt, elke misdaad is gênant. Iets anders is dat bij de fraudediscussie steeds de topinkomens om de hoek komen kijken. Terwijl er daarbij natuurlijk geen sprake is van fraude, zo vertroebel je de discussie volstrekt. Ik kan begrijpen dat iemand met een jaarsalaris van vijftigduizend euro het belachelijk en schande vindt dat een ander tweeënhalf miljoen euro krijgt, vijftig keer zo veel, maar daar is niks frauduleus aan.'

'De enige man zonder titel aan de top van een beursgenoteerd bedrijf,' schreven de kranten bij uw benoeming.

'Is dat zo? Kijk eens aan, heb ik toch niet slecht geboerd. Ik ben inderdaad een autodidact. Na de mulo ben ik op mijn zestiende gaan varen als barkeeper en kelner. Toen ik terugkwam ging ik inpakwerk doen. Net toen ik dacht: hoe moet ik verder met m'n leven, kreeg ik een zwaar scooterongeluk. Alles gebroken wat je maar kunt breken, dus een jaar in het ziekenhuis en daarna nog een jaar revalidatie. Eerst lieten ze me liggen, omdat ze dachten dat het wel goed zou komen met rust. Een medische misser van formaat, kun je achteraf zeggen. Toen het eindelijk doordrong dat al die botten niet vanzelf netjes aan elkaar groeiden, ben ik acht keer achter elkaar geopereerd, dus steeds weer onder narcose. Ik kan u zeggen: dames die aan de lijn doen... wilt u afvallen? Ga een paar keer onder narcose en u krijgt gegarandeerd een slanke taille. Toen ik eindelijk genezen was, kon ik niet meer het zware werk doen van daarvoor: pakken melk inpakken en in vrachtwagens hijsen. Ik ben toen in een administratieve baan gerold en mijn baas heeft me naar cursussen gestuurd. Zo is het allemaal begonnen. In Amerikaanse bedrijven heb ik mijn leidinggevende ervaring opgedaan, daar kijken ze niet zo naar universitaire diploma's. Tot m'n vijfendertigste heb ik trouwens wel last gehad van die achterstand op intellectueel gebied. Ik heb geprobeerd die weg te werken met cursussen en heel veel lezen. Daarom ben ik blij dat mijn drie kinderen wel kunnen studeren. Vooral gun ik ze de lol en het plezier van een studententijd die ik gemist heb. Ik gun ze sowieso een plezieriger leven, want na die gezondheidsperikelen in m'n jeugd heb ik later nog een rottijd gehad door een scheiding. Vanwege de toenmalige psychische klachten van mijn vrouw kreeg ik ons zoontje van zes toegewezen. Dat is geen sinecure: alleenstaand vader met een klein kind terwijl je een baan hebt met veel buitenlandse reizen. Vijf jaar zijn we samen geweest. Wel met een huishoudster die hem opving, maar ik wist soms niet hoe ik alle ballen tegelijk in de lucht moest houden. Toen hij twaalf was ben ik hertrouwd.'

Wat voor vader bent u?

'Hoe bedoelt u? Help me eens even op weg...'

Nou, een betrokken vader, een afwezige, een die op zondag tot verbijstering van iedereen het vlees snijdt...

'Dat laatste zeker niet. Ik ben ook geen erg aanwezige vader, maar wel een die weet wat er met zijn kinderen aan de hand is. Ouderavonden bezoek ik altijd als het even kan. En nu wilt u natuurlijk in een ruk door iets weten over mijn huishoudelijke bezigheden? Van jongs af aan kan ik alles. Ik heb ook alles gedaan toen ik die jaren alleen met m'n zoontje leefde. Ramen lappen, stofzuigen, koken, wassen, you name it. Strijken? Nee, dat niet. Toen niet en nooit. En nu? De vuilnisbakken buiten zetten. Naar Albert Heijn op zaterdag? Nee, dat doet m'n vrouw doordeweeks. Je bent toch wel gek om daar in de drukte op zaterdag heen te gaan als dat niet echt nodig is. Ik kook gemiddeld een keer per maand, maar dan wel bijzonder. Stoofpeertjes met parelhoen, dat soort dingen. En trifle als toetje. Dat recept heb ik meegenomen uit Engeland. Lange vingers in een schaal, crème de cassis erover, daaroverheen stukjes fruit, dan een laag zelfgemaakte custardpudding zonder klontjes – heel moeilijk – en daaroverheen slagroom.'

En dan een keuken vol vuile schalen, pollepels en pannen achterlaten.

'Niks ervan, alles is spic en span als ik de keuken verlaat. Ik was alles gelijk af, onder de hete kraan met de Lola-borstel.'

Hebt u op uw kantoor eigenlijk foto's staan van uw vrouw en kinderen, zoals zoveel mannen?

'Nee zeg, spaar me, daar heb ik zo'n hekel aan. Zo'n demonstratie van deugdelijkheid. Dan kun je net zo goed een bordje neerzetten met de tekst: "Ik ben zo'n goede man en vader." Mijn werk is gewoon een ander deel van m'n leven dan thuis. Trouwens: ik ken genoeg mannen met zulke foto's op hun bureau die verder niks met die vrouw en kinderen hebben. Dan is het alleen maar een vroom uithangbord.'

April 2004

EINDSCORE: 0

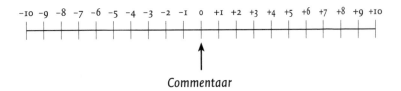

Commentaar

Liesbeth Scheepbouwer (1987), dochter van Ad Scheepbouwer

De reacties:
Voor zover ik weet, heeft mijn vader nog nooit spijt gehad van dingen die hij heeft gezegd in een interview. Het betrof in dit geval een interview met betrekking tot de positie van de vrouw in het zakenleven, een onderwerp waar hem zelden naar wordt gevraagd, ondanks dat hij er dagelijks mee wordt geconfronteerd.

Zelf heb ik geen reacties gehad op het interview. Mijn vader daarentegen is er vooral door de vrouwen uit het bedrijf veel op aangesproken, zowel in positieve als in negatieve zin. Dit kwam ook duidelijk naar voren toen er naar aanleiding van dit artikel een debat bij KPN heeft plaatsgevonden tussen Cisca Dresselhuys en mijn vader waarbij ik aanwezig was. In de zaal bevonden zich met name de vrouwen uit de top van KPN en daar vloeiden veel reacties uit voort.

Het fameuze cijfer (0):
Zijn eindscore op de meetlat zou vroeger op school niet veel goeds hebben betekend, maar nu kwam hij gemiddeld uit de strijd. Vol-

gens mij was hij daar best tevreden mee. Stiekem heeft hij nog wel andere interviews ernaast gelegd ter vergelijking.

De score o vind ik terecht. Mijn vader behandelt vrouwen en mannen hetzelfde, wie goed is mag blijven, wie slecht is mag weg.

Eigen mening:
Ik herkende mijn vader volkomen. Het was hem ten voeten uit. Hij is niet iemand die houdt van uiterlijk vertoon. Over zijn (gebrek aan!) huishoudelijke taken is hij ook eerlijk geweest. Hij is tijdens het eten aan tafel altijd erg aanwezig, maar zodra er afgeruimd moet worden is hij nergens te bekennen. Ook die ene keer per maand koken, wordt maar net aan gehaald. Wanneer het echter aankomt op mijn studie, zal hij mij altijd proberen te helpen of van goed advies voorzien.

'Mijn vrouw en ik hebben
een apart servies voor ruzies'
Bob Smalhout

Als kind was hij verlegen. Buitengewoon verlegen zelfs. Zo erg dat hij in de klas geen mond durfde open te doen. Daar had zijn moeder een remedie voor bedacht: hij moest maar eens boodschappen gaan doen. Alleen. Medicus-columnist prof. dr. Bob Smalhout (1927)

'Dan kreeg ik een lijstje mee. Een complete sociale ramp. Met lood in m'n schoenen ging ik naar de winkel, keek eerst een kwartier door de ruit hoeveel klanten er waren, voordat ik naar binnen durfde. Alsof ik een gevangenis binnen moest. En vervolgens durfde ik niet te zeggen dat ik aan de beurt was, dus stond ik soms anderhalf uur te wachten tot de laatste klant verdwenen was. Dan vroeg de winkelierster: moet jij niets hebben? "Jawel, mevrouw." Als ik eindelijk thuiskwam, kreeg ik van mijn moeder op m'n mieter omdat ik anderhalf uur was weggebleven voor die paar boodschappen.'

Een andere herinnering: 'Wij woonden in Amsterdam aan een groot plein, waar aan de overkant een haringboer stond. "Ga jij eens even drie haringen halen," zei m'n moeder en stuurde mij weg met een groot bord. Het vreselijkste wat me kon overkomen: met dat bord moest ik het plein oversteken, voor mijn gevoel een afstand van tien kilometer. Mijn moeder hield me vanuit het raam in de gaten. Volgens mij hingen ook alle andere buurtbewoners uit hun ramen om dat rare jongetje eens goed te bekijken. Diep gebogen liep ik terug en merkte niet dat ik het bord scheef hield. "De haringen!" schreeuwde m'n moeder nog, maar ze lagen al op de grond.

Die verlegenheid heb ik van mijn vader, die durfde dat soort dingen ook niet. Soms wilde m'n moeder daar ook iets aan doen. Dan moest die arme man bij een passerende sinaasappelvrouw drie sinaasappels kopen. "Hè, nee, doe jij dat nou, dat doe je toch altijd zelf," probeerde hij nog. "Nee, nou ga jij een keer en denk erom: afdingen, hoor." Dat was wel het allerlaatste wat hij durfde. "Ze zijn acht cent per stuk," zegt die vrouw. "Dat is me te duur," zegt m'n vader, "ik geef een kwartje voor de drie." "Prima," zegt die vrouw. Komt m'n vader trots als een pauw weer boven en zegt: "Ik heb goed afgedongen." Dat soort dingen heb ik nou ook.'

Verlegenheid is wel het allerlaatste waaraan je denkt als je u ziet, hoort en leest.

'Toch heb ik er nog wel last van, maar door de omstandigheden heb ik geleerd voor mezelf op te komen. Op recepties, met allemaal vreemde mensen, krijg ik het nog wel eens te kwaad. Dan ben ik bang om naar binnen te gaan. Maar ik heb een soort training voor mezelf bedacht: een paar keer diep ademen en vort met de geit. Ze denken dat ik zo vlot met iedereen kan omgaan en altijd een leuke opmerking paraat heb. Nee, dus.

Maar, zoals gezegd, ik heb me getraind en dat heb ik vooral geleerd in militaire dienst. Mensen vinden me een afgrijselijk reactionaire, rechtse zak als ik het zeg, maar het is echt zo: ik heb me in dienst altijd heel prettig gevoeld. En dat als kind van vurig socialistische en pacifistische ouders, van wie ik zelfs niet bij de padvinderij mocht vanwege het uniformpje. Ik wilde juist hartstikke graag padvinder worden, veel liever dan lid van de AJC, die bij ons op het plein volksdanste met banjo's en blokfluiten. Ik wilde ook graag een luchtbuks. Mijn vader was wat minder streng dan m'n moeder, die gaf me weleens een klapperpistool.

In dienst werd je vroeger op een zaal geflikkerd met een doorsnee van de bevolking: van polderjongens en zeelui tot studenten, van werklozen tot aanstaand notarissen. In zo'n gevarieerd milieu leer je je wel handhaven. Ik leerde toen ook zelf voor m'n kleren en gepoetste schoenen te zorgen, terwijl dat thuis altijd voor me gedaan werd. Ik leefde thuis in een vrouwengemeenschap, nadat mijn vader jong gestorven was. Met m'n oma, moeder en zusje. Dus mijn schoenen werden altijd gepoetst en m'n kleren gewassen en gestreken.

Omdat ik op de officiersopleiding zat, moest ik leren een heel peloton te commanderen. En dat voor een jongen die op school niet eens een versje durfde op te zeggen voor de klas. Een ouwe sergeant-majoor, die begon te zeggen dat je een ontzettend grote hufter was en dat je er niks van kon, was mijn leermeester. En alles met een stem die tot in Amersfoort te horen was. Een cavalerie-adjudant had bij gebrek aan paarden tot taak gekregen ons seksuele voorlichting te geven. "Mannen, seksuele voorlichting is een moeilijk woord, maar jullie weten waar het om gaat, het gaat om de seks, dat wil dus zeggen het neuken, het naaien, het krikken, het rukken, de pruimen op sap zetten. Je hebt dus twee soorten mensen, de hetero's, dat zijn jullie en ik en de homo's, ook wel genoemd de ruigpoten, de bruinwerkers, de aambeienschoffelaars." En zo ging dat een uur lang door.

Als je een tijd in zo'n omgeving zit, verandert er iets in je leven, want zulke taal had ik thuis nooit gehoord. Het voordeel is dat ik me nu in elk milieu kan handhaven en dat ik mijn mond durf open te doen, ook voor zalen met duizend man.'

Bang was u ook niet toen u als medicus in het Academisch Ziekenhuis Utrecht herhaalde malen de aandacht hebt gevraagd voor misstanden. Om te beginnen bij uw inauguratie in 1972, toen u vertelde dat er op de operatiekamer jaarlijks een aantal mensen sterft door medische fouten.

'Ik merkte in mijn werk als anesthesist dat het in veel gevallen misging in de operatiekamer. Dat er mensen beschadigd raakten, dat ze stierven door medische tekortkomingen, die altijd onder het vloerkleed werden geveegd. Dat is het grote verschil met bijvoorbeeld de vliegerij: als daar een fout gemaakt wordt die een ongeval tot gevolg heeft, wordt de oorzaak via zwarte dozen en reconstructies tot in de puntjes uitgezocht. Daarom vlieg ik ook zo graag, maar dit terzijde. In de geneeskunde was het altijd gebruikelijk een crash zo snel mogelijk onder het tapijt te schoffelen. Er werd altijd gezegd dat het een niet te voorkomen complicatie betrof, de patiënt was toch wel heel ernstig ziek geweest, z'n dood was te verwachten, we hebben nog gevochten als leeuwen, maar helaas... enzovoort.

Inmiddels had ik ontdekt dat in het grootste deel van die gevallen een menselijke fout de oorzaak was, maar die werden nooit geregistreerd. Mijn inauguratie als hoogleraar leek me een goede gelegenheid daar nu eens iets over te zeggen. Meestal zijn dat aardige, vriendelijke speeches, waarin de mensen zachtjesaan naar de sherry en de zoutjes worden geluld, maar dat wilde ik niet. Als je maar één keer in je leven zo'n rede houdt, moet je iets van wezenlijk belang aansnijden, vond ik.

Nou, dat heb ik geweten. Van de ene op de andere dag was ik de vijand, de man die de medische stand te schande maakte, die z'n collega's verlinkte, die de vuile was buiten hing, die de oorzaak was van verontruste Kamervragen. Persona non grata, van de ene op de andere minuut. Als ik op de gang liep, schoten collega's gauw een zijgang in om me te ontlopen en als ik in de lift stapte, gingen zij er gelijk weer uit. Jaren heb ik in een hel geleefd, compleet met dreigbrieven. Natuurlijk had ik wel op enige commotie gerekend, maar niet op zo'n verschrikkelijke, algehele afwijzing door m'n collega's. Die me overigens wel wisten te vinden als ze zelf zwaar ziek waren of zieke familieleden hadden, maar daarna lieten ze me weer vallen als een baksteen.'

Hoe is dat uiteindelijk goed gekomen, of is het altijd zo gebleven?

'Uiteindelijk is die houding wel weggeëbd, maar men is mij altijd als een bedreiging blijven zien. Ik liet bijvoorbeeld altijd al mijn werk fotograferen, ook in de operatiekamer. Dat vonden veel mensen eng. Die dachten dat ik als een spion hun handel en wandel – en dus ook hun eventuele fouten – voor de eeuwigheid vastlegde. Maar dat was niet zo, ik wilde gewoon alles wat ik deed nog eens kunnen bekijken, kunnen nagaan hoe de dingen gegaan waren. Net zoals je dat doet in de vliegerij, met je logboek, je instrumenten, je zwarte doos. Altijd alles van argumenten voorzien.

Ik heb nu zo'n dertigduizend dia's, die ik gebruik bij mijn lezingen. Trouwens: mijn collega's lenen die ook regelmatig als ze een college of een lezing moeten geven. Zo heb ik een dia van een bewusteloze, naakte man die compleet aan de apparatuur ligt, maar wel op de grond, omdat de röntgentafel opeens in tweeën brak. Wie heeft zo'n foto? Niemand toch? Ik heb er nooit iets mee gedaan, maar het zijn natuurlijk wel sprekende beelden als je het hebt over medische fouten en dingen die misgaan.'

Als gevolg van een andere zaak, de affaire-Schipper, bent u berispt door het

Centraal Medisch Tuchtcollege. Dat vindt u nog steeds vreselijk.

'Ja, zeker. Een berisping is voor een arts een zware straf, ook al klinkt het nogal onschuldig. Kijk maar eens in welk gezelschap ik daarmee verkeer: een chirurg die het verkeerde been heeft geamputeerd en een huisarts die 's nachts niet bij een doodziek kind is gekomen dat de volgende ochtend is overleden, dat soort mensen. Ik kreeg die berisping omdat ik in de bres was gesprongen voor een patiënt die in het AZU door een medische fout verlamd was geraakt. Omdat binnen het ziekenhuis, waar minister Els Borst toen directeur was, niemand reageerde op mijn klacht, heb ik het hogerop gezocht bij de minister van Onderwijs, toentertijd onze hoogste baas. Als gevolg daarvan heeft deze patiënt gelukkig een schadevergoeding gekregen. Maar ja, ik had de medische stand natuurlijk weer in diskrediet gebracht en zogenaamd het beroepsgeheim geschonden. Dat is toen ook weer erg hoog opgelopen: tot het Centraal Tuchtcollege aan toe.

Door het ziekenhuis ben ik wel in ere hersteld, maar die berisping staat nog steeds op mijn conduitestaat. Vorig jaar ben ik nog eens bij Els Borst op bezoek geweest om te vragen of hier niets aan gedaan kon worden. Zij zat nu toch bij minister Winnie Sorgdrager van Justitie op schoot, bij wijze van spreken. "We hebben ons toen door angst laten leiden, Bob," zei Borst. "Als we toen geweten hadden wat we nu weten, was het nooit zover gekomen, maar ja, we voelden jou als een bedreiging. Je wist altijd alles, zelfs wat er in de geheimste vergaderingen over jou was besproken." Jazeker wist ik dat. Want ik mocht dan wel overhoop liggen met de hoogste regionen, met de lagere ging ik als de beste om. Altijd was er wel een secretaresse die een kopie van de geheime notulen op mijn bureau legde.

Nou ja, hoe dan ook, aan die berisping valt niets meer te doen, want tegen een uitspraak van het Centraal Tuchtcollege kun je niet in beroep gaan. Typisch artsen, als die iets uitspreken zijn ze als God zelf, onaantastbaar en nooit meer te herroepen. Inmiddels is dat wel veranderd, maar voor mij te laat. Ik ga dus mijn kist in als arts-met-een-berisping. En dat vind ik erg.'

En weer was er een zaak waartegen u in het geweer kwam: uw pensioen en het verplichte pensioen in het algemeen.

'Het pensioen is gedwongen rust en rust is het voorstadium van de dood. Ik vergelijk het pensioen ook wel eens met een dwarslaesie: lichamelijk verlamd terwijl je geest nog helder en goed is. Als je iemand verlamd in een rolstoel ziet zitten, zeg je toch ook niet: wat fijn dat u nu niet meer hoeft te lopen, dat u altijd kunt zitten.

Nee, ik ben geen rusteloos mens, maar ik wil wel altijd wat omhanden hebben; ik ben een actief, bezig mens, zelfs als ik even stilzit op de bank. Dan denk ik nog na over mijn volgende column, de medische problemen van de mensen die me nog steeds om raad vragen of mijn volgende lezing en dan sta ik op met een berg nieuwe aantekeningen. De essentie van het menselijk bestaan is dat je altijd met iets bezig bent. Ik was zielsgelukkig toen ik na mijn pensioen, vijf jaar geleden, *De Telegraaf* aan de telefoon kreeg die mij een wekelijkse column aanbood, ook al wist ik niet of ik dat wel zou kunnen. Ik was inmiddels zo wanhopig dat ik bereid was asperges te gaan steken in Limburg om maar werk te hebben. De dag van mijn pensionering was de vreselijkste van mijn leven. Ik houd niet van consumenten, maar van producenten. De mens is in dit leven gezet om er iets te doen, iets te betekenen, iets zinvols te verrichten. Dat kan variëren van het schrijven van een standaardwerk tot het bakken van een appeltaart, maakt niet uit, als je maar bezig bent. Het kostbaarste wat een mens heeft is tijd. En dan zijn er mensen die zich vervelen, die het hebben over de tijd doden – voor mij net zo'n opmerking als je kind doden.

Ik houd nogal eens lezingen over het pensioen. Natuurlijk zitten er altijd mensen in de zaal die zeggen: maar ik heb toch recht op rust na veertig jaar hard werken. En: mag ik van u dan niet eindelijk gaan genieten van het leven? Dan zeg ik: waarvan moet u uitrusten? En: hebt u al die 65 jaar nooit genoten van het leven? Ja maar, zeggen ze dan, nu kunnen we ons eindelijk wijden aan onze hobby's. Hoezo, hobby's? Een hobby is alleen maar een hobby en leuk als je hem hebt in je vrije tijd, maar niet als dagvulling. Dan vraag ik: wat hebt u voor hobby's? In 99 procent van de gevallen gok ik goed: tuinieren, reizen en golfen. Golfen, je houdt het toch niet voor mogelijk. De mens is toch niet geschapen om de laatste 25 jaar van z'n leven een lullig balletje in een lullig gaatje te mikken, want wat is het anders, dat knikkeren voor volwassenen.

En dan dat uitrusten. Ik zeg: meneer of mevrouw, moet u eens luisteren, herinnert u zich hoe de concentratiekampgevangenen na de oorlog uit Auschwitz terugkwamen, vel over been, veertig kilo, totaal uitgeput, gesloopt door difterie en tyfus. Bijna al die mensen waren na twee tot drie maanden weer op hun oorspronkelijke gewicht, waren lichamelijk weer redelijk gezond en konden weer werken. Dus zelfs na de meest barbaarse levensomstandigheden kunnen mensen zich in een paar maanden herstellen. U heeft pakweg veertig jaar gewerkt, beschermd door sociale wetten, zaterdags vrij, zondags vrij, feestdagen vrij, drie weken vakantie per jaar en u denkt dat u nog 25 jaar nodig hebt om daarvan uit te rusten, wat krijgen we nou? Als u tien dagen vakantie neemt, hebt u meer dan genoeg rust.'

U bent een oude calvinist, zo te horen. Er moet voortdurend gewerkt worden, we moeten het verdienen.

'Ik ben niet oud en geen calvinist, dus uw diagnose is niet juist, maar ik heb natuurlijk wel een calvinistische denkwijze. Ik kom uit een joods milieu en calvinisme is in de kern ook joods: je moet het verdienen in dit leven en zelfs als je het verdiend hebt, is het uiteindelijk nog maar gekregen door genade.'

Bent u na uw pensioen ook wat meer in de huishouding gaan doen, zoals veel mannen?

'Niks ervan. Mijn vrouw en ik hebben de taken altijd verdeeld. Toen we trouwden, had mijn vrouw een drukke baan als solocelliste bij verschillende orkesten. Ik studeerde nog en had daarnaast diverse bijbanen, om m'n studie te kunnen betalen. We deden al het huishoudelijke werk samen. Als zij 's avonds weg moest om te spelen en 's nachts laat thuiskwam, zorgde ik dat er wat lekkers voor haar klaarstond. Dan kookte ik. Als het andersom was, kookte zij. Het huishouden deden we echt samen.

Mijn vrouw heeft pas een ernstige hartoperatie ondergaan, dus heb ik een paar maanden de huishouding gedaan. Ik kan alles: koken, bakken, braden, verstellen, borduren, knopen aanzetten, noem maar op. Ik kom uit een huishouding met drie vrouwen en mijn oma en moeder konden prima koken, dus dat heb ik goed geleerd. Dat wil niet zeggen dat ik het huishouden leuk vind, ik vind er niks aan, maar het moet gebeuren. Gelukkig hebben we goede hulp.

Wat ik wel leuk vind, is wanneer iets goed lukt. Als het je bijvoorbeeld lukt om het gezellig te maken en iets lekkers voor je vrouw te koken, die door haar ziekte nauwelijks iets eet. Dat je dan bijvoorbeeld flensjes met banketbakkersroom maakt, die ze toch opeet. Fijn vind ik dat.'

U bent al heel lang samen.

'Al bijna vijftig jaar. Ze was vroeger mijn muzieklerares, ze is een paar jaar ouder dan ik. Uit haar eerste huwelijk had ze drie kinderen, die wij afwisselend in huis hebben gehad. Haar man had haar lelijk, zonder een cent, laten zitten. Dus wij moesten hard werken in het begin van ons huwelijk. Later kregen we samen nog een dochter. Van mijn moeder viel geen ondersteuning te verwachten. Ze had maar een klein pensioentje, maar wat belangrijker was: ze is het nooit eens geweest met mijn huwelijk. Tot aan haar dood is het nooit meer echt goed gekomen tussen ons.

Wat ik aantrekkelijk vond in mijn vrouw? Ze zag er leuk uit, maar belangrijker was dat we zoveel gezamenlijke interesses hadden, de muziek bijvoorbeeld. En altijd veel te praten. Ruziemaken hebben we al die vijftig jaar hartstochtelijk gedaan. Nog steeds. Dat kan soms hoog oplopen. Daar hebben we een speciaal ruzieservies voor. Zij begint een bord kapot te gooien. Nou, dat kan ik ook, dus daar gaat er een achteraan. Binnen de kortste keren staan we volop in de scherven. En dan schieten we in de lach. De volgende dag kom ik aangesjouwd met een nieuw boerenbontservies. En dan blijkt zij er ook al een gekocht te hebben. We steken nooit een vinger uit naar ons mooie servies, zo wijs zijn we wel.

Mijn vrouw is gek op bloemen. Zolang als we getrouwd zijn, geef ik haar elke week een mooie bos. Ik weet precies waarvan ze houdt: narcissen, roze rozen, gele theerozen en in de herfst chrysanten. Als ik in het buitenland ben, zorg ik ervoor dat de bloemist haar zaterdags een mooi boeket brengt.'

Uw vrouw heeft pas een ernstige hartoperatie ondergaan, zes bypasses. Was u erg bang?

'Niet meer toen ze eenmaal op de operatietafel lag. Maar daarvoor wel. Uit onderzoek was gebleken dat vrijwel alle coronairvaten waren dichtgeslibd. Ik was heel bang dat ze de operatie niet zou halen, dat ze daarvoor een dodelijk hartinfarct zou krijgen.

Maar toen ze gelukkig snel geopereerd kon worden door een team van de beste, door mijzelf uitgezochte artsen, wist ik dat we technisch gesproken de zaak onder controle hadden. En daar ben ik arts voor: als eraan gewerkt wordt, is mijn onrust verdwenen.

De operatie begon 's avonds om tien uur. Ik heb haar gebracht, maar ben daarna weer naar huis gegaan. Wat moest ik in dat ziekenhuis, ik was zelf immers niet ziek en in de operatiekamer erbij zijn, wilde ik niet, dat vinden je collega's erg onprettig. Dat vond ik vroeger zelf ook. Thuis heb ik aangekleed wat op de bank gelegen. De twee honden kwamen warm en troostend tegen me aan liggen. Om zes uur ging de telefoon. Natuurlijk slaap je niet echt, maar je dommelt toch wat weg. Ik schoot wakker, keek op m'n horloge en dacht: nu hebben ze haar dus acht uur geopereerd, dat is heel ongebruikelijk, heel lang. Ik nam op en dacht: gottegot, wat zal het zijn? De anesthesist, een van m'n leerlingen, zei dat alles onder controle was.

Een paar jaar geleden heb ik zelf een nieuwe hartklep gekregen. Ook een zware operatie. Vlak daarvoor ben ik naar de notaris geweest. Eindelijk m'n testament gemaakt. Dat durfde ik nooit. Eng om dingen voor je eigen dood te regelen. Ik zei tegen die man: doe het zo eenvoudig mogelijk, geen ambtelijke taal in de trant van: heden is voor mij, Johannes Kraakman, notaris te Den Dolder, verschenen Bob Smalhout, hierna de comparant te noemen – want dan ben ik zo weg. Zo heb ik ook geen euthanasieverklaring. Ik heb wel tegen iedereen om me heen, m'n vrouw, m'n dochter, m'n collega's gezegd wat ik wil, namelijk euthanasie als ik vreselijk pijn lijd en helemaal niets meer kan, maar ik durf dat niet op papier te zetten. Raar misschien. Want ik ben niet bang om dood te gaan, maar wel om op een afschuwelijke wijze dood te gaan.'

Voor u is de dood niet het einde?

'Nee. Ik geloof in God. Elke dag lees ik in de bijbel, vooral Jesaja en de psalmen geven mij troost. Diep in mijn hart voel ik dat het met de dood niet afgelopen is. Wat er daarna komt weet ik niet. Ik stel me niet zoiets primitiefs voor als eeuwig zingende engelenkoren zoals een soort voortdurende EO-uitzending. Alsjeblieft niet, zeg. Maar het stuit me tegen de borst te denken dat zoiets gecompliceerds, zoiets wonderlijks als een menselijk wezen in een klap weg zou zijn. Dat vind ik onlogisch. Als met de dood alles afgelopen zou zijn, verliezen normen en waarden hun betekenis, dan wordt het leven teruggebracht tot een banaal gegeven van vermenigvuldiging en celdeling en verder niets.

Voor mij zijn de hel en het paradijs het zien en meemaken van de consequenties van je eigen daden. Ik kom wel eens mensen tegen die me dankbaar vertellen hoe ik twintig jaar geleden hun doodzieke kind gered heb en dat die jongen het nu zo goed doet als advocaat. Dan kijk ik wat schaapachtig voor me uit omdat ik me dat jongetje niet meer herinner. Zo geconfronteerd te worden met de blije, positieve gevolgen van je daden, zo stel ik me het paradijs voor.

En de hel? Je staat op de vierde verdieping van een flat met dubbele ramen, zonder balkon. Beneden zijn ze met veel lawaai de straat aan het asfalteren. Een grote wals rijdt op en neer over het warme, verse asfalt. Een klein meisje met een pop rent opeens de straat op. Ze blijft met haar voetjes plakken in het asfalt en valt. De wals komt achteruit rijden. De bestuurder ziet en hoort niets, hij rijdt langzaam maar zeker op haar af. Vanachter je raam zie je alles gebeuren. Schreeuwen helpt niet, ze horen je niet. Naar beneden rennen gaat niet, je zult zeker te laat komen. Je bent totaal onmachtig om die dreigende ramp tegen te houden. Je ziet hoe de machine over het kind heen walst. Je hoort als het ware de botjes kraken.

En mijn persoonlijke hel? Achter pantserglas staan en niets kunnen doen, geconfronteerd worden met de consequenties van je daden en zien hoe je kinderen en kleinkinderen daardoor de vernieling ingaan. Dat is de absolute hel.'

April 1998

EINDSCORE: +4

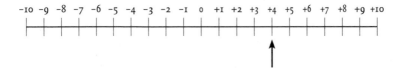

Commentaar

Mevrouw M. Smalhout-van der Wees
(Voor wat betreft mijn leeftijd: zie hieronder!)

De reacties:
Mijn man had absoluut géén spijt van het interview. U moet niet vergeten dat hij – naast medicus – zelf al jarenlang journalist is bij het dagblad *De Telegraaf*. Hij heeft dus veel ervaring in zowel het afnemen als het ondergaan van interviews. Of hij meer gezegd heeft dan hij zich had voorgenomen, is niet relevant, omdat hij, voorafgaand aan een interview, zich nooit iets voorneemt. De loop van het gesprek wordt vooral bepaald door de persoonlijkheid van de interviewer en de mate waarin die zijn/haar huiswerk heeft gedaan. Mijn man denkt nog steeds met genoegen terug aan het langdurige gesprek dat hij met mevrouw Dresselhuys voerde. Er was slechts één kleine ontsporing, en wel in de eerste tien minuten toen wij allen nog aan de koffie zaten. Mevrouw Dresselhuys opende het interview met de vraag: 'Hoe oud bent U eigenlijk?' Voor mijn man werkt zoiets als de ontsteking van een atoombom. De oorzaak daarvan is dat hij, na het door hem hartgrondig verfoeide pensioen, continue strijd levert tegen leeftijdsdiscriminatie. Het antwoord dat mijn man destijds gaf, kan het beste aan mevrouw Dresselhuys zelf gevraagd worden ...

Het fameuze cijfer (+4):
Het cijfer dat de redactie van *Opzij* mijn man had toebedeeld, vond hij eigenlijk veel te laag. En dat was ik met hem eens. Gezien het feit dat hij uitstekend kan koken en hij tijdens mijn ziekte de gehele huishouding heeft verzorgd, hadden we eigenlijk wel verwacht dat het feministisch blad deze activiteiten wat hoger zou hebben gewaardeerd. Wellicht dat mevrouw Dresselhuys wat geschrokken was van de uitgesproken mannelijke liefhebberijen van mijn echtgenoot, zoals onder meer zijn indrukwekkende vuurwapenverzameling.

Eigen mening:
Het artikel van mevrouw Dresselhuys was een uitstekend portret van mijn man, waarin ik hem volledig herkende. Hij heeft zich tijdens het interview niet anders voorgedaan dan hij is. Daar hij sinds die publicatie altijd een zeer vriendschappelijke relatie met mevrouw Dresselhuys heeft onderhouden en haar ook in de afgelopen jaren regelmatig heeft gesproken of ontmoet, kan zij daar persoonlijk van getuigen.

'Ik krijg zin in een nieuwe jas'
Jack Spijkerman

Vanaf de eerste dag dat zijn vrouw zwanger was, hield hij een dagboek bij: 'Vijf uur na de bevalling heb ik haar daar een gedrukt exemplaar van gegeven.' Hij is een 'te gretige persoon': 'Alles wil ik regelen en controleren, steeds naar huis bellen bijvoorbeeld, dat moet ik afleren.' Als het grote geld eraan zou komen, zal dat niets aan zijn leven veranderen, 'misschien een huis aan het water, maar dan wel met uitzicht op de Dam'.
Kopspijkers-maker en presentator Jack Spijkerman (1948)

Toen hij twaalf jaar onderwijzer was, wist hij precies waar de schriften lagen. Voor hem het moment om op te stappen en nieuwe wegen in te slaan. Nu, na acht jaar *Kopspijkers*, is het weer zover: hij weet weer waar alle schriften liggen.

Dus: tijd voor iets anders?

'*Kopspijkers* voelt als een makkelijke jas. Knelt nergens, zit heerlijk om me heen. Maar ik krijg zin in een nieuwe. Bij de Vara ligt al een halfjaar een nieuw programma van me, daar zijn ze nogal enthousiast over. Iets heel anders dan *Kopspijkers*, hoewel er ook weer cabaret in zit. Ik zeg er verder niks over, want in Hilversum wordt alles onder je vingers vandaan gejat.'

Kopspijkers verdwijnt dus binnenkort van de buis?

'Die kans is groot. Althans in Nederland. Maar we beslissen met z'n allen. In november of december gaan we om de tafel zitten en hebben het erover: willen we nog een halfjaar doorgaan, hebben we nog nieuwe ideetjes? Als het antwoord "ja" is, gaan we nog een halfjaar door. Maar het kan ook heel goed zijn dat we samen zeggen: het is mooi geweest.'

Je zei: althans in Nederland.

'Op het ogenblik wordt er door de Duitse televisie een pilot gemaakt, hier in Nederland, in ons decor. In bussen wordt Duits publiek aangesleept. Ze hebben een presentator gevonden die wel iets van mij heeft: een jongen, die een satirisch radioprogramma gemaakt heeft, een veertiger. Als die proefopname slaagt, gaat *Kopspijkers* dus naar Duitsland. *Kopfnageln*, ja, zoiets.

Ze hadden mij eerst zelf gevraagd naar Duitsland te komen, om met dit programma de plaats van Rudi Carrell in te nemen. Die laat een lege plek na, daar moet een nieuw satirisch programma komen. Ik heb niet langer dan tien seconden hoeven nadenken om daar "nee" tegen te zeggen. Ten eerste wil ik niet in Duitsland gaan wonen en ten tweede weet ik niks van hun geschiedenis, behalve dan over die vijf jaar die ons niet zo goed bevallen zijn. En dan: grappen maken in een andere taal, ik ben al niet zo taalgevoelig, nee, dat wordt niks. Toen kwam de vraag of ze dan de formule konden kopen en dat gaat nu dus gebeuren, als die proefuitzending slaagt. Vanaf januari gaat het dan in Duitsland lopen. Ik word adviseur en ga elke week een dag naar Keulen. Ik bemoei me er heel intensief mee, want ik wil niet dat de formule kapotgemaakt wordt.

Ook uit België en Spanje is er belangstelling voor *Kopspijkers*. Als het met Spanje doorgaat, wordt dat een wereldwijde zaak, want die willen het voor alle Spaanstalige landen in Zuid-Amerika. Maar voor hetzelfde geld krijg ik volgende week te horen: het is niet gelukt, het hangt allemaal te veel aan jou.'

Zo, je wordt dus multimiljonair.

'Nou, dat weet ik niet. Misschien, als ik inderdaad Rudi Carrell was opgevolgd, dan wel. Maar als het allemaal lukt met Duitsland, is dat financieel wel aantrekkelijk, want vijftig procent van de rechten zijn voor mij en vijftig voor de Vara. Weet je wat ze eigenlijk kopen? Het recht om het hamerspel te mogen uitzenden. Al die andere onderdelen kun je natuurlijk makkelijk zelf bedenken: cabaret, een filmpje over rare tv-fragmenten, gasten, niks bijzonders, dat hadden ze zonder meer kunnen stelen, daar had geen haan naar gekraaid. Maar dat spel met de hamers heb ikzelf bedacht. Dat heb ik ook officieel als mijn eigendom gedeponeerd. Dat moeten ze dus kopen. En dan kopen ze tegelijk maar het hele programma.'

Je doet zo nonchalant over geld, maar de kans zit er dik in dat je binnen-
kort heel rijk wordt.

'En wat dan nog? Dan verandert er niks aan mijn leven. Denk ik.
Ik blijf hier wonen. Wat moet ik met een huis in Frankrijk? Voor de
vakantie? Dan kan ik het makkelijker huren. Bovendien: met een
kind van vijf in the middle of nowhere in Frankrijk? Die vermaakt
zich veel beter in ons huisje op het strand van IJmuiden tussen andere kinderen. Al die verschillende huizen. Bram Vermeulen vertelde me dat hij zijn Belgische huis verkocht had, want hij wist niet
meer waar hij thuishoorde. Dat gevoel krijg je dan.

Ik heb altijd geleefd naar het inkomen dat ik heb. Toen ik onderwijzer was, had ik een bepaald salaris, daar leefde ik hartstikke leuk van. Toen besloot ik theatermaker te worden en verdiende
twee jaar bijna niks. Leefde ik ook best gelukkig. Toen ging ik opeens veel meer verdienen en kon ik een mooiere auto en een mooier
huis kopen. Maar aan mijzelf heeft het niets veranderd. Ik heb wel
altijd gezegd dat ik graag aan het water zou willen wonen, maar
dan wel met uitzicht op de Dam. Ik wil nooit meer weg uit Amsterdam. Mijn moeder vraagt nog steeds: is je pensioen wel goed geregeld, jongen? Natuurlijk had ik veel meer kunnen verdienen als
ik was overgestapt naar de commerciële omroep, wat me herhaal-
delijk gevraagd is. Maar ik blijf bij de Vara, zolang ik daar de programma's kan maken die ik wil.'

Kopspijkers weg van de Nederlandse televisie. Dat zal een klap geven, er
kijken elke zaterdagavond zo'n twee tot drie miljoen mensen naar.

'Het begint om acht uur met anderhalf à twee miljoen kijkers
en na een kwartier komen daar nog eens 500.000 bij. We zitten tegenover het achtuurjournaal. Tegen de tijd dat Erwin Kroll met het
weer begint, schakelt er nog een flinke club over, die klaarblijkelijk
niet hoeft te weten of het gaat regenen. Wat ook veel mensen doen,
is zaterdagavond naar het RTL-nieuws van half acht kijken. Doe ik
zelf ook.

Kopspijkers wordt zaterdagmiddag opgenomen, het is een semi-
liveprogramma. Dus kan ik altijd naar mezelf kijken. Doe ik ook,
samen met mijn vrouw op de bank, heel ontspannen, geen andere
mensen erbij. Zondagavond kijk ik nog eens in mijn eentje, heel
kritisch, dan maak ik aantekeningen: wat is goed, wat kan beter,

wat is niet gelukt. Ik heb de neiging erg te haasten, dat moet niet. Op dinsdagochtend is er een evaluatie met de hele redactie. Eigenlijk voel je zelf direct na de uitzending wel of het een acht of een zesje is.

Als ik bezig ben, denk ik trouwens nooit aan die paar miljoen kijkers, ik werk voor die driehonderd mensen in het Werktheater, waar de opnamen zijn. Toen we aan het begin van dit seizoen weer meldden dat er publiek bij de opnamen kon zijn, belden er 54.000 mensen. Moet je nagaan: er kunnen er driehonderd in de zaal. En het is niet eens gratis, vijf euro per kaartje.'

Een tijdje geleden stond er een geschreven portret over je in de Volkskrant. Niet bepaald complimenteus. Je programma zou er beter van worden als jij achter de coulissen verdween, je zou geen zelfspot hebben, je zou niet in de schaduw van anderen kunnen staan, maar het middelpunt van je zelfontworpen heelal willen zijn. Enzovoort. Echt iets om vrolijk van te worden.

'Dat sla je dan open op de zaterdagochtend, vlak voor je opnamen. Het was zo'n rancuneus stuk dat ik dacht: jongen, wat heb ik jou misdaan? Zoiets raakt me. Natuurlijk. Het was één grote beukpartij. Die man heeft mij en mijn werk niet begrepen. Waarom haal ik goede cabaretiers in mijn programma? Omdat die dat werk veel beter kunnen dan ik. Ik ben dan alleen maar de aangever. Zou ik dat doen als ikzelf altijd in het middelpunt wil staan? Paul Groot kan honderd keer beter imiteren dan ik, als dat niet zo was, had ik het zelf wel gedaan. Dat er van alles een grap wordt gemaakt, schreef-ie ook. Ja, er zitten veel grappen in het programma, maar als we praten met een mishandeld meisje of een homoseksuele moslim die gepest wordt, komt er geen grap over m'n lippen.

Zo'n stuk maakt me van streek, maar gelukkig niet al te lang. Je blijft je afvragen: waarom? Wat heb ik die man misdaan? Waarom heeft-ie zo'n hekel aan mij? Soms ben je verbaasd over de reacties van mensen. Zoals pas nog een man, die zijn autoraampje naar beneden draaide en keihard "linkse lul" riep. Waarom zo persoonlijk?

Of die kaart van het Fortuyn-standbeeld, afkomstig van de vrouw van Marten Fortuyn, aan mijn huisadres gestuurd, met de tekst dat ze hoopte dat geen van mijn familieleden door vijf kogels in een standbeeld zou veranderen. Dat vind ik intimiderend. Vooral vanwege dat huisadres, zo van: wij weten waar je woont. Ik heb drie maanden met lijfwachten moeten lopen na de moord op Pim. Ik had door grappen over hem te maken aan die moord meegewerkt, zeiden z'n aanhangers. Vreselijke mails en post kreeg ik in die tijd, zowel thuis als bij de Vara. Ik keek wel drie keer achterom als ik het huis uitging. En alleen mijn vrouw en ik mochten Joska van school halen.

Pim Fortuyn vond het leuk dat de cabaretiers hem nadeden. Dat heeft Harry Mens me vaak verteld. Hij stak zijn kop uit en kon er best tegen dat daarop gereageerd werd. Anders dan Johan Remkes en Femke Halsema. Remkes wilde me niet groeten op de crematie van Johan Stekelenburg. Hij keek naar me met een blik van: drol, wie heeft jou gescheten? En Femke Halsema heeft onlangs verklaard dat ze niet meer naar *Kopspijkers* kijkt sinds ze zelf door de cabaretiers wordt nagedaan. Laat je niet zo kennen, Femke, denk ik dan.'

Welke grappen kunnen wat jou betreft wel of niet door de beugel?

'De cabaretiers hebben volkomen de vrije hand. Ik heb nog nooit geknipt in hun bijdragen. Het is een stilzwijgende overeenkomst dat grappen over poep, pies en het uiterlijk niet worden gemaakt. Dus niet over de omvang van Erica Terpstra noch over het hoofd van Laurentien. Er slipt er weleens eentje doorheen waarvan je denkt: hij kan niet, maar hij is wel heel erg leuk. Je moest eens horen welke verschrikkelijke grappen er aan tafel worden bedacht die allemaal niet doorgaan.

Over mijn uiterlijk zijn ook altijd veel grappen gemaakt. Pas werd ik weer uitgeroepen tot de slechtst geklede man van Nederland. Daar zit je dan toch een uurtje over na te denken: klopt dat? Zo raar loop ik er toch niet bij? Vooral niet sinds mijn vrouw zich ermee bemoeit. Als het aan mij lag liep ik inderdaad nog op Zweedse klompen met een vreselijke das. Of ze vragen, zoals onlangs in het Algemeen Dagblad, aan een make-up-deskundige: hoe kun je Jack Spijkerman zo schminken dat hij wél op de tv kan? Nou, nou, nou. Daar zou ik vroeger een nacht van wakker hebben gelegen, nu tien minuten. Ik heb in mijn leven veel over m'n uiterlijk moeten horen, want ik ben niet bepaald de mooiste. Dat heeft me wel gekwetst, maar ik ben toch gekomen waar ik nu ben, met dat hoofd.'

Je was vroeger een gereformeerde onderwijzer in IJmuiden. Heel wat anders dan cabaretier en Vara-programmamaker.

'Ik heb twaalf jaar in het christelijk onderwijs gewerkt. Zelfs als godsdienstleraar. Ik ben dol op kinderen, hoewel ik ze zelf heel lang niet wilde hebben. Dat is pas veranderd toen ik Jennemiek, mijn vrouw, leerde kennen. Ook toen hebben we nog een tijd gewacht, want zij is twintig jaar jonger dan ik en studeerde nog. Zij was toen twintig, ik veertig. Waarom ik opeens wel een kind wilde? Het klinkt heel obligaat: door de liefde.

Maar goed, ik was dus onderwijzer. Na twaalf jaar had ik het wel gezien, ik wilde iets heel anders. Dat werd dus het theater. In het begin geen droog brood op de plank, maar uiteindelijk twaalf jaar uitverkochte zalen.

Ik kom uit een heel gereformeerd gezin met een dominante vader, die wel wist wat goed voor ons was. In de tijd van de kruisraketten verscheen er bij onze overburen een affiche tegen de kruisraketten voor het raam. Voorzichtig zei mijn moeder: "Hebben die mensen geen gelijk, zijn die dingen niet erg gevaarlijk?" "Niks ervan," kapte mijn vader het gesprek onmiddellijk af, "wij hebben die dingen nodig." "Ja, natuurlijk," zei mijn moeder. Einde discussie. Zo ging het bij ons thuis. Maar niet met mij, ik was een dwarsligger, PSP-stemmer, dienstweigeraar, altijd in discussie over maatschappelijke misstanden, op mijn zestiende met stencils aan de kerkdeur over hoe alles anders moest. Wat moeten mijn ouders moe van mij geworden zijn.

Dat ik ben afgeknapt op kerk en geloof had met verschillende dingen te maken. Ik ben heel kort getrouwd geweest, drie maanden, met een jeugdliefde. Toen we gingen scheiden, kwam de dominee naar me toe en zei dat het beter was dat ik ging verhuizen. Waarom? vroeg ik. Nou ja, met zo'n scheiding, dan gaan er toch praatjes en zo. Wat een liefdeloze lul. Ik had die scheiding niet gewild, mijn vrouw ook niet, we waren er allebei erg verdrietig over en dan komt zo'n liefdeloze lul vragen of je maar wilt opstappen. Alsof je een misdadiger bent. Dat betekende het einde van mijn band met de kerk in IJmuiden. Ik ben daarna nog wel lid geweest van de Kritische Gemeente IJmond met mensen als Huub Oosterhuis.

Mijn geloof is eigenlijk stilletjes weggeëbd. Ik had het altijd al moeilijk met de predestinatie, die leert dat sommige mensen al bij voorbaat zijn uitverkozen en anderen verdoemd, dat vond ik de grootste kolder, daar kreeg ik woorden over met de dominee. En dat de gereformeerde kerk als enige het ware geloof zou leren, wat je bij je belijdenis moet onderschrijven. Dat kon ik niet en dat heb ik, bij een verlichte dominee, nog in de kerk mogen uitleggen toen ik uiteindelijk toch belijdenis deed.

Ik kijk er niet met wrok of bitterheid op terug. Ik heb er in ieder geval leren discussiëren, me verdiepen in iets en dat verdedigen. Ik heb er ook maatschappelijke betrokkenheid geleerd. Collecteren voor het goede doel. Ging ik langs de deur voor de protestantse militaire tehuizen, terwijl ik dienstweigeraar was. En ik bracht de *Spiegel* rond en moest van mijn moeder bij slecht weer de oude, gereformeerde postbode Piet helpen. Als hij katholiek geweest was, weet ik nog zo net niet of ik hem had moeten helpen.'

Je bent nu vader van Joska. Wat voor vader ben je?

'Ik ben gek op die jongen. Ik zou doodgaan als ik hem zou moeten missen. Toen Jennemiek zwanger was, ben ik met een soort dagboek begonnen. Consequent, elke dag aantekeningen maken over alles wat met de zwangerschap te maken had. Er staat in hoe ik me voelde op het ogenblik dat ze vertelde dat ze zwanger was en wat ik me allemaal voorstelde van het vaderschap. Niemand wist ervan.

Het was soms heel ingewikkeld, want ik wilde niet dat zij het wist, dus moest ik gauw mijn laptop of opschrijfboek dichtklappen als ze eraan kwam. Ik vroeg haar op vakantie eens: wat is er mooi aan zwanger zijn? Ze zei: dat ik nu constant met z'n tweeen ben. Zo'n zin wilde ik onthouden, die schreef ik dan stiekem op een luciferdoosje. Vijf uur na de bevalling heb ik haar het boek gegeven. Ik had het heel goed voorbereid, het was al gedrukt voor de bevalling met uitzondering van het laatste stukje. Ik heb nooit het idee gehad dat boek uit te geven, het was alleen voor haar bedoeld.

Joska is nu vijf. Ik ben een dag minder gaan werken, maandag is mijn dag met hem. Dan haal ik hem van school, net zoals dinsdags en donderdags. Ook zijn vriendjes gaan mee naar huis, we doen leuke dingen en ik kook.

Jennemiek werkt parttime. Aan haar zie ik hoe goed dat is, dat die mogelijkheid bestaat voor werkende ouders. Vorig jaar heb ik nog eens lelijke dingen gezegd over deeltijdwerk. Ik heb allemaal parttime vrouwen bij *Kopspijkers* en opeens zat ik op vrijdag in m'n uppie met maar één redactielid. Dat vond ik niks. Ik heb daarover geklaagd, maar ben onmiddellijk door de dames op het matje geroepen. Ze hadden gelijk, deeltijdwerk moet kunnen, maar dan moet er wel overleg mogelijk zijn over de tijden waarop. Niet allemaal op vrijdag vrij.'

Je zei net: ik zou doodgaan als ik Joska moest missen. Geen voorstander van co-ouderschap?

'Co-ouderschap vind ik een ramp, tenminste voor jonge kinderen. Ik heb dat gezien in het onderwijs, die kinderen die overal en nergens thuishoren. Die dan weer drieënhalve dag hier, dan weer drieënhalve dag daar zitten. Die helemaal geen rust kennen. Als het bij ons ooit zover zou komen, wat god verhoede, zou ik het kind toch bij de moeder laten, al zou mijn hart breken.

Ik heb het er met Jennemiek wel eens over gehad. Zij zei: ik zou doodgaan als ik Joska niet het grootste deel van de tijd bij me had. Ik zei: ik ook, maar ik zou hem uiteindelijk toch bij jou laten. Het valt mij moeilijk dat te zeggen, maar de natuurlijke band met een jong kind is, denk ik, toch nog iets inniger met de moeder. Dat is het probleem bij echtscheiding: je kunt als ouders van een kind niet meer in twee personen denken, je moet altijd in drieën denken.

Wij hebben een dip in onze relatie gehad. Zoals bij iedereen weleens voorkomt. Dan ga je natuurlijk ook over deze dingen nadenken. Het kan geen kwaad af en toe eens flink te moeten knokken voor je relatie. Ik moet veel leren, ook dingen afleren, is mij duidelijk geworden in therapie. Ik ben een controlfreak, wil alles in de hand hebben en houden. Bovendien ben ik wel heel gretig. Ik zou het liefst steeds hand in hand met Jennemiek over straat lopen. Zomaar zes keer per dag even naar huis bellen, gewoon om haar stem te horen, vind ik heel normaal. Dat soort loze telefoontjes moet ik afleren, want die kunnen heel belastend zijn, heb ik gemerkt.

Elk jaar ga ik met een stel oude vrienden naar Terschelling. Ik regel het huisje en de boot, ik huur de fietsen, organiseer de uitjes, noem maar op. "We zijn niet op schoolreis, Jack," zeggen mijn vrienden. Inderdaad. Ik moet ophouden de onderwijzer te zijn die altijd alles en iedereen in de gaten houdt.'

September 2004

Score: +6

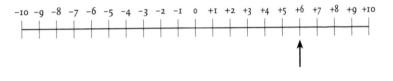

Commentaar

Sanne Wallis de Vries (1971),
collega

De reacties:
Of Jack spijt had van het interview, weet ik niet. Zoals ik hem ken, of heb leren kennen, denk ik van niet. Hij is, of was, zeker ten tijde van het interview, een man met duidelijke ideeën en principes en die komen in het interview helder naar voren. Wat mij betreft zijn de in het interview genoemde principes, wat betreft werk en relatie, ook wel dingen die hem sieren. Getalenteerde mensen een kans geven in zijn programma; respectvol voor zijn (zwangere) vrouw; tijd met zijn kind doorbrengen. Dus ik kan me niet voorstellen dat hij hier spijt van heeft gehad. Het is natuurlijk wel zo dat sommige dingen inmiddels niet meer kloppen. Dat hij niet naar 'de commerciëlen' zou gaan, bijvoorbeeld. Maar ik vind het, eerlijk gezegd, altijd een beetje flauw om iemand daar achteraf op te vangen. Interviews zijn momentopnames en het is al moeilijk zat om geïnterviewd te worden, je open te stellen en je te laten zien. Destijds gold voor hem om niet naar de commerciëlen over te stappen, later blijkbaar niet meer. Ik heb daar geen moeite mee. Het lijkt me voor hemzelf het meest lastig, soms, nu hij wél de overstap heeft gemaakt.

Het fameuze cijfer (+6):
Ik weet niet wat Jack van het cijfer vond. Vergeleken met wat er gemiddeld wordt uitgedeeld mag hij in zijn handjes knijpen, geloof ik!

Zelf vind ik het cijfer oké. Maar ik ben niet zo van de cijfers. Dus dit antwoord kun je misschien maar beter niet gebruiken! ;-)

Eigen mening:
Ik herken Jack enorm in het interview. Hij was heel eerlijk. Ik heb wel eens het idee dat hij niet anders kan, dan eerlijk zijn. Dit is zoals hij is. Ongeacht wat hij zei of nu zegt over commercieel gaan. Ik heb hem daar een paar keer uitgebreid over gesproken en vind zijn motieven helder. Dat heeft overigens niets te maken met of ik het nu wel of geen goede beslissing vond dat hij naar Talpa is gegaan. Dat is iets wat hij zelf mag weten. Wie ben ik, in deze, tenslotte?

'Anorexia is een hersenziekte,
geen psychische kwaal'
Dick Swaab

Hij is een dwangmatig harde werker: 'Ik ben geboren met een enorme drive, daar is niet tegen te vechten.' Hij verwijt veel (para)medici een gebrek aan een kritische kijk op hun vak. 'Allemaal hebben ze de mond vol over hun resultaten, maar laat mij eerst eens onderzoek zien.' De duidelijke man-vrouwverschillen in de hersenen stemmen hem blij, want 'het is toch fantastisch dat we niet gelijk zijn?'
Neurobioloog prof. dr. Dick Swaab (1944), directeur van het Nederlands Instituut voor Hersenonderzoek

Hij is een man van gepeperde uitspraken. Zelf noemt hij het duidelijke taal. En inderdaad, hij ziet er niet tegen op een extreem standpunt in te nemen. Niet om te choqueren, maar om te discussiëren en te zien welke argumenten zijn tegenstanders te berde brengen. Maar dat gaat in Nederland nogal eens mis en dus kan hij terugkijken op veel commotie en een paar rellen in zijn leven. Bijvoorbeeld over het 'homokwabje'. En over de man-vrouwverschillen in de hersenen. En onlangs weer over de onzin van het overheidsadvies aan de bevolking om meer te sporten.

'Mensen mogen alles zeggen, maar dan wel graag op grond van onderzoek. Als ik een verschil in de hersenen aantref tussen vrouwen en mannen en tussen hetero- en homoseksuele mannen is dat een onderzoeksgegeven. Daarmee zeg ik niets ten nadele van vrouwen of homo's. Bij de homo's ging het erom dat voor het eerst een verschil in hersenstructuren genoemd werd als mogelijke oorzaak van homoseksualiteit. Het lijkt mij nogal rustgevend dat er dus geen sprake is van dominante moeders, slappe vaders of een ziekelijke afwijking die te genezen zou zijn. Gewoon ontstaan tijdens de vroege ontwikkeling van de mens, net zoals het man- of vrouwzijn. Datzelfde vonden we later ten aanzien van transseksualiteit. Ook een aangeboren verschil in de hersenen. In de Verenigde Staten waren homo's en transseksuelen maar wat blij met deze gegevens. Daarmee konden ze de overheid, die hen als minderheidsgroepen discrimineerde, te lijf.'

Die ontdekkingen dateren van ruim tien jaar geleden. De tijd waarin verschillen tussen mensen vooral gezien werden als aangeleerd, niet als aangeboren. De discussie over nature or nurture. Zoals Simone de Beauvoir ooit zei: 'Ik ben niet als vrouw geboren, maar tot vrouw gemaakt.'

'Wetenschappelijk een volstrekt idiote uitspraak, maar in een periode waarin vrouwen geen kansen kregen wel goed voor de emancipatie. In zo'n tijd mocht je weleens iets extreems zeggen. Maar nu vrouwen alle kansen krijgen, moet je de waarheid zeggen en die is dat er aangeboren verschillen bestaan tussen mannen en vrouwen. Dat is waardevrij, je bepaalt er niet mee wat ze wel of niet kunnen en mogen.

Ik heb nooit iets begrepen van die enorme rel na mijn uitspraken over homo's. Er was toen een kleine groep die heel heftig reageerde en zei dat in wezen elke man homo is, maar dat slechts een klein percentage daarvoor durft uit te komen. Er wel voor uitkomen werd een politieke keuze genoemd. Enorme flauwekul. Dat zei ik dus ook: die keuze is voor je gemaakt in de baarmoeder. Woedend waren ze. Net als de feministen een paar jaar daarvoor. Het leek wel of je overal, in elk orgaan, geslachtsverschillen mocht ontdekken, maar niet in de hersenen.

Ik zie die kwaaie studentes nog voor me, breiend en punnikend op de eerste rij in de collegezaal. Toen ik het licht uitdeed om dia's te vertonen, werden ze woedend omdat ze niet verder konden breien. Ze renden naar de rector magnificus en eisten een vrouwvriendelijke docent. Nooit meer iets van gehoord, er was zeker geen vrouwvriendelijker type te vinden. Sindsdien deed ik meteen bij binnenkomst van de collegezaal het licht al uit, ging ik direct over tot de dia's, was ik tenminste van dat gezeur af.'

Dat u verschillen in de hersenen aantoont en wereldkundig maakt, is uw

vak. Voelt u enige verantwoordelijkheid als anderen op grond daarvan discri-
minerende dingen beweren?

'Nee, totaal niet. Elk onderzoek kan gebruikt en misbruikt worden. De eindeloze geschiedenis van de oorlogen heeft aangetoond dat er helemaal geen ingewikkeld onderzoek nodig is om elkaar in de haren te vliegen en kapot te maken. De enige manier om ervoor te zorgen dat je onderzoek niet misbruikt wordt, is voortdurend in discussie blijven met de maatschappij over wat je doet. Dat kan alleen in een maatschappij die democratisch goed georganiseerd is en in een situatie waarin wetenschappers zich veilig voelen en niet door woeste tegenstanders in hun hok gejaagd worden. Dat heb ik tijdens die homorel ook gezegd: jaag de mensen niet terug in het laboratorium, waardoor ze nooit meer bereid zijn tot een gesprek of het afleggen van verantwoording. Dat is een situatie die voorkomen moet worden.'

Had u begrip voor die rellen?

'Nee, totaal niet. Waarom zou je boos worden over een ontdekking? Kun je mij verantwoordelijk stellen voor mogelijke implicaties, die door kwaadaardige mensen verzonnen worden en mij in de mond gelegd? De homobeweging verweet mij dat ik het allemaal deed om te voorkomen dat er homo's geboren zouden worden of om hen te genezen. Het idee... Net zoals als ik er met de ontdekking van de man-vrouwverschillen geen seconde opuit was te voorkomen dat er vrouwen geboren zouden worden. Ik zou toch wel gek zijn...'

Inderdaad, want wie moet anders die fraaie vouw in uw broek strijken?

'Nee, serieus. Goddank zijn er verschillen tussen mensen, tussen mannen en vrouwen. Dat maakt de wereld er alleen maar interessanter op. Het is toch fantastisch dat we niet allemaal gelijk zijn?'

Misschien moet u, net als Alfred Nobel, een fonds instellen, de Swaabprijs, zodat er na uw dood prijzen gaan naar nuttige en vredelievende uitvindingen.

'Ga weg, waarom zou ik? Nobel had alle reden tot schuldgevoel: hij had geld verdiend aan de wapenhandel. Dat is heel iets anders dan wetenschappelijk onderzoek doen.'

U vindt dat we maar moeten stoppen met acties als Kies Exact voor meis-

jes, omdat vrouwen aantoonbaar minder aanleg voor exacte vakken hebben.

'Kies Exact is toch een enorme mislukking geworden? Ik heb het nut van dergelijke programma's nooit gezien. Je moet natuurlijk wel een sfeer kweken waarin meisjes met een wiskundige aanleg zich kunnen ontplooien, maar je moet geen geld steken in het kunstmatig aankweken van zo'n aanleg, want dat is tot mislukken gedoemd.

Onderzoek heeft aangetoond dat er een geslachtsverschil in de hersenen zit wat betreft taal en ruimtelijke oriëntering. De gebieden die zich met taal bezighouden zijn bij vrouwen verspreid over de linker- en de rechterhersenhelft. Als bij een hersenbloeding een beschadiging aan de linkerkant optreedt, krijgen mannen vaak afasie, vrouwen niet. Over het algemeen zijn de banen die rechts en links verbinden bij vrouwen groter dan bij mannen, ik denk dat dat de basis is voor de vrouwelijke intuïtie. Vrouwen zijn beter in het combineren van gegevens die ze binnenkrijgen over personen, over situaties, ze kunnen beter associëren door dat grote aantal verbindingen. Mannen zijn meer toegespitst en beperkt wat dat betreft. Dat heeft ook z'n voordelen, zij kunnen op een bepaald terrein dus heel ver komen.

En dan dat ruimtelijke inzicht, het beruchte kaartlezen. Dat kunnen mannen beter dan vrouwen, hoewel je daar wel een verschil ziet onder invloed van hormonen. Vrouwen kunnen tijdens de menstruatie wat beter kaartlezen.'

En na de overgang? Verdwaal je dan overal?

'Daar bestaan geen gegevens over. Wat we wel weten, is dat de veranderingen in de menopauze heel ingrijpend zijn. Heel interessant, daar zijn we druk mee bezig. We hebben bijvoorbeeld gevonden dat vrouwen in de menopauze in sommige hersengebieden beschermd zijn tegen de ziekte van Alzheimer. Er is nog heel veel onderzoek nodig, voordat je zegt: dien iedereen maar oestrogenen toe. Of mannen juist testosteron.

Afgelopen maand hadden we in Amsterdam een wetenschappelijke bijeenkomst, waar een mogelijke doorbraak in het alzheimeronderzoek werd gemeld. In de Verenigde Staten heeft een patiënt met beginnende alzheimer een injectie in de hersenen gekregen met cellen die groei produceren. Doel daarvan is te bereiken dat gekrompen en niet meer functionerende hersencellen weer tot werking worden aangezet. Het zal heel lang duren voordat we daar eventuele resultaten van zullen zien, maar het is een hoopvolle ontwikkeling.'

U bent al jaren bezig met alzheimeronderzoek.

'Ja, want alzheimer is een vreselijke ziekte, de meest voorkomende vorm van dementie. Omdat de bevolking steeds ouder wordt en leeftijd de belangrijkste risicofactor voor deze ziekte is, zal het aantal alzheimerpatiënten de komende dertig jaar verdubbelen. Als je maar oud genoeg wordt, krijgt iedereen het. Je kunt er eigenlijk alleen aan ontsnappen door voordien dood te gaan aan een hartaanval of kanker.

Mijn eigen vader was beginnend alzheimerpatiënt toen hij op zijn negenentachtigste stierf. Hij had het toen een jaar of twee. Maar hoeveel jonger zou hij het gekregen hebben als hij geestelijk niet actief was gebleven? Hij was de gynaecoloog die de anticonceptiepil in Nederland heeft geïntroduceerd. Tot op hoge leeftijd bleef hij bezig met wat hij "zijn projecten" noemde: op het gebied van micro-elektronica, moleculaire biologie, het ontstaan van het heelal.

Het is heel belangrijk om geestelijk bezig te blijven, dat is al bekend uit onderzoek. *Use it or lose it*, is het motto. Gebruik je hersencellen, anders verlies je ze. Mensen met een goede opleiding en een interessante, uitdagende baan blijken minder vatbaar voor alzheimer. Ik had vroeger een oude tante van tachtig die tot op hoge leeftijd met pannetjes soep rondreed in haar Mini. Voor die ouwe mensen, zoals zij haar klanten noemde. Meestal waren die tien jaar jonger dan zijzelf. Zo heeft zij zich vast en zeker een tijdlang alzheimer van het lijf gehouden.'

Voor dit en ander onderzoek hebt u de hersenen van overleden mensen nodig. Krijgt u die genoeg?

'Nee, helaas niet. Bij de hersenbank hebben we in de loop der tijd tweeduizend breinen gekregen, maar er zijn er veel meer nodig. Je kunt je hersenen aan de hersenbank nalaten via een speciaal codicil. Na het overlijden krijgen we dan een seintje en wordt de overledene in sneltreinvaart naar de VU in Amsterdam gebracht, want de obductie van de hersenen moet twee tot acht uur na de

282

dood gebeuren. Er gaan dan tachtig stukjes naar verschillende on-derzoeksgroepen. Ook mijn hersenen gaan naar de hersenbank. Ik zeg weleens: na mijn dood krijgen jullie pas echt plezier van mij.

Weet u van wie ik heel graag de hersenen zou krijgen? Van over-leden anorexiapatiënten. Anorexia is een vreselijke ziekte, een do-delijke ziekte. Vijftien procent van de patiënten overlijdt eraan. En men blijft maar geloven dat het een psychologische aandoening is, veroorzaakt door het heersende schoonheidsideaal. Er is het ge-val van het blinde meisje, dat nooit iets gezien had van het heer-sende modebeeld, maar dat toch op achttienjarige leeftijd anorexia kreeg.

Het is een ziekte die door een stoornis in de hypothalamus wordt veroorzaakt, daar ben ik heilig van overtuigd. Maar ik heb hersenen nodig om te zien welk proces daar gaande is. En die krijg ik niet, want de Vereniging van Patiënten met Boulimia en Ano-rexia werkt dat tegen. Ik heb een keer een stukje voor hun blad *An-tenne* geschreven, het bestuur stemde in met plaatsing, maar de re-dactie hield het uiteindelijk tegen; het kon geen hersenziekte zijn, want zij waren er toch op eigen kracht vanaf gekomen? Doodzon-de, misdadig bijna, een argument dat ik helemaal niet begrijp.

Ik zei het al: het is een levensgevaarlijke ziekte, die in het beste geval minder hevig wordt, maar nooit overgaat. Net zomin als al-coholisme. Ik heb een ex-studente die aan boulimia lijdt. Met hard werken en heel veel moeite heeft zij het hanteerbaar gemaakt, is af-gestudeerd en nu chirurg, maar zij zegt het ook: het blijft altijd op de achtergrond aanwezig, je raakt het nooit kwijt.'

Dus: geen psychotherapie voor deze meisjes?

'Nou ja, als ze zich daar gelukkig bij voelen, laat ze. Er is op het ogenblik toch nog geen effectief medicijn tegen deze kwaal.'

U bent sowieso geen liefhebber van psychotherapie en psychoanalyse, u zou zelf nooit in therapie gaan?

'Ik denk het niet. Ik ben daar heel moeilijk toe te krijgen. Even-tueel nog wel in gedragstherapie, waarvan de werking onderzocht en bewezen is. Maar zeker niet in langdurige psychoanalyse, dat vind ik een vorm van geneeskunde van honderd jaar geleden, waar-van de werking nooit echt onderzocht en bewezen is. Ik weet hoe weinig er sowieso valt op te lossen en te genezen. Mijn vader, toch geen cynicus, zei altijd: er zijn twee soorten ziektes, de een gaat vanzelf over en aan de ander is niks te doen. Ik ben dus heel relativerend de geneeskunde in gegaan en dat ben ik nog steeds.

Ik weet hoe weinig er op te lossen is met pillen maar net zomin met eindeloze gesprekken. Daar is veel te weinig gecontroleerd onderzoek naar gedaan. En als het wel gedaan is, blijkt dat de controlegroep op de wachtlijst het net zo goed doet als de groep die therapie gehad heeft. Dus daar ben ik cynisch over: toon eerst maar eens aan dat het helpt. Mijn broer is psychotherapeut, die vindt mij een verloren geval. Ik geef trouwens les aan psychiaters in opleiding en dan leer ik hun hoe nuttig het is om de biologie in te schakelen bij hun professie. Kijk maar eens hoe gunstig extra licht werkt op mensen met een winterdepressie. Trouwens, ook op mensen met alzheimer, die hierdoor hun nachtelijke rusteloosheid kwijtraken.

Mijn visie op de toekomst van de psychiatrie is dat een analytisch psychiater eerst een chemische analyse doet (dat kan straks met de DNA-chip), de hormoonspiegel bestudeert, rekening houdt met de sociale omstandigheden van de patiënt en dan pas zegt: dit is de meest effectieve therapie voor u. Minister Borst zegt opeens dat we moeten overstappen op *evidence-based-medicine*. Nou, nou, nou, wat zullen we nu hebben? Alsof ze een nieuwe uitvinding doet. Waarop zou geneeskunde anders gebaseerd moeten zijn dan op evidence? Dat is toch logisch.

Er zijn nog veel te veel medische en paramedische beroepen waar men van alles beweert zonder dat er onderzoek is gedaan. Neem fysiotherapeuten en diëtisten bijvoorbeeld. We moeten sporten, oefeningen doen, gezond voedsel eten. Toon mij de onderzoeken en ik zal alles doen en nalaten wat u zegt. Maar pas na het lezen van die onderzoeken. Maar die zijn er niet, nooit. Dus zeg ik elke dag in de kantine: wat is er vandaag voor ongezonds? Geef mij dat maar. Lekker: kroketten, pizza, rookworst, doe maar. En elke avond drink ik een glas whisky. Niet gezond waarschijnlijk, maar wel lekker.

Nadat ik aan een hernia geopereerd was, kwam ik terecht bij een fysiotherapeut. Die legde mij een oefenprogramma op dat ik een paar dagen gedaan heb, met vreselijke pijn als gevolg. Daar ben ik dus onmiddellijk mee gestopt en ik voelde me meteen een stuk beter.'

Maar overgewicht is toch wel bewezen ongezond?

'Ja, het is niet goed voor je rug of voor je knieën om veel extra kilo's mee te slepen. Toen ik voor mijn longkwaal sarcoïdose een tijdlang prednison moest slikken, waarvan je dik wordt, heb ik streng aan de lijn gedaan. Om te voorkomen dat ik erg zwaar werd, wat weer slecht was voor mijn kortademigheid en rug. Ik heb namelijk ook nog de ziekte van Bechterew, die tot kromgroeien en een slechte rug leidt. Dat soort dingen kun je inderdaad met je gezonde verstand vaststellen: gammele rug en knieën, dus liever minder gewicht dragen.'

Staatssecretaris van sport Margot Vliegenthart wekte onlangs de bevolking hartstochtelijk op meer te gaan sporten. Onmiddellijk stond u klaar met cynisch commentaar.

'Ja, daar had je weer zo'n ongecontroleerde en ongefundeerde mening. Toon mij het onderzoek dat bewijst dat sporten voor iedereen nodig en gezond is. Dat is er niet. Integendeel: sporten is heel erg ongezond. Wat dacht u van boksen? Het is toch misdadig dat mensen elkaar hersenletsel mogen slaan. Dat moet bij wet verboden worden. Voetballen? Tennissen? Kapotte knieën en ruggen, hersenletsel bij elke kopbal. Jaarlijks komen er tweeënhalf miljoen sportblessures in het ziekenhuis. Als je sporten zou verbieden, waren we in één klap van de wachtlijsten af. Bewegen gezond? De gemiddelde leeftijd van de mens is enorm gestegen sinds we alleen nog maar van onze bureaustoel naar de auto lopen. Ik zeg dus: sport is goed, vooral op tv en bekeken vanuit een makkelijke stoel. Als de staatssecretaris geld te veel heeft, kan ze dat beter besteden aan goede scholing waardoor mensen hun brein trainen. Dat is pas echt gezond, dat houdt, zoals eerder gezegd, alzheimer op een afstand.'

U hebt wel een talent voor provocatie. Roept u de rellen niet over uzelf af?

'Daar hebt u gelijk in, ik ben een man van extreme uitspraken en cynische grappen. Toen ik midden in die homorel zat, belde mijn vader mij op en zei: "Dick, beheers je, een paar weken geen cynische grappen, alsjeblieft." Ik heb mijn best gedaan, maar zoiets zit in je of niet. Op mijn zestiende ging ik met mijn vader mee, toen hij in zalen en zaaltjes het nut en de werking van de pil uitlegde. Met kromme tenen moest ik aanhoren hoe hij aangevallen en weggehoond werd door behoudende en streng religieuze mensen. Maar hij bleef netjes: steeds weer legde hij uit waarom de pil goed was voor vrouwen en dus ook voor mannen. Toen hij daarna om vijfhonderd vrijwilligsters vroeg, meldden zich er vijfduizend.'

Als, zoals u zegt, veel, zoniet alles in de hersenen is vastgelegd, is het dan mogelijk om bij te sturen? Bijvoorbeeld mannen te leren zorgen of huishouden?

'Er is heel weinig mogelijk op dat gebied. Je wordt geboren met een bepaald karakter. Het heet niet voor niets karakter, dat betekent: ingeslepen. Je kunt mensen bepaalde mogelijkheden bieden, kijken of ze die oppikken, maar je kunt ze niet veranderen. Het is provocerend om te zeggen: mannen zijn jagers, dus niet monogaam of vrouwen krijgen kinderen, dus zijn zij speciaal geschikt voor de zorg. Het is niet zo dat mannen zus en vrouwen zo zijn, het zijn twee curves die elkaar sterk overlappen. De gemiddelden van die curves zijn verschillend, maar er zijn natuurlijk mannen die een stuk beter zorgen dan vrouwen en vrouwen die beter leidinggeven dan mannen. Belangrijk is dat iedereen de mogelijkheden krijgt die hem of haar in staat stellen dat te doen waarbij men zich het prettigst voelt.

Vanuit mijn achtergrond als hersendeskundige – en dat vinden mensen weleens irritant – spreek ik nooit over individuen, maar altijd over groepen. Groepen hebben bepaalde kenmerken, maar dat zegt nog lang niet alles over een individu. Een individu kan zich heel anders gedragen dan je vanuit groepsgemiddelden zou denken. Stel dat een vrouw een man wil veranderen wat betreft zijn huishoudelijke activiteiten: natuurlijk is er de kans dat hij zich aanpast. Ons aanpassen doen we allemaal, het leven is een groot compromis. Dat geldt voor iedereen. Of we daar ongelukkig van worden? Iemand die zich voortdurend moet aanpassen, draagt een stuk ongeluk met zich mee, denk ik.

Overigens heb ik een groot wantrouwen jegens mensen die zeggen dat ze zo enorm gelukkig zijn. Iemand die voortdurend gelukkig is, is waarschijnlijk hypomaan. Het gaat in dit leven in het beste geval om gelukkige momenten.'

Bent u een gelukkig mens?

'Nou, nee, ik ben een tobber, een piekeraar, maar niet iemand die makkelijk in een depressie schiet, denk ik. Ik vind het moeilijk om te gaan met conflicten, zowel in de persoonlijke als in de zakelijke sfeer. En natuurlijk zijn er altijd conflicten. In je werk zit je eigenlijk in een voortdurende competitie en conflictsituatie. Mensen met grote ego's, en dat botst natuurlijk op veel punten. Conflicten zijn rotdingen. Ik doe moeilijke dingen dus met moeite, *so what?* Je kunt niet leven zonder te lijden. Mensen nemen de term "psychisch lijden" te snel in de mond. Ik heb psychisch lijden gezien in de klinieken waar ik kom. Daar zie je mensen die niet kunnen functioneren, op geen enkele manier, dat is echt afgrijselijk lijden. Dat is van een heel andere orde dan mijn getob over conflicten. Tot nu toe kan ik door nog harder te werken dan ik meestal al doe conflicten wel de baas worden.'

Hard werken, daar noemt u zoiets. U werkt, ondanks uw gezondheidsklachten, zestig tot tachtig uur per week.

'Ik ben geboren met die drive, daar is niets aan te doen, het lijkt wel dwangmatig. Als student werkte ik al als een idioot. Op mijn eenentwintigste besloot ik dat het belangrijk was om in mijn eigen onderhoud te voorzien. Dat was helemaal niet nodig, mijn ouders betaalden mijn studie met plezier, ze vonden het zelfs vreselijk dat ik m'n eigen geld al wilde verdienen. Er waren toen twee plaatsen waar je als student-assistent geld kon verdienen: bij farmacologie of op het herseninstituut.

En zo is het dus gekomen, want er was eerder plaats bij het herseninstuut. Toeval dus. Toeval is de basis van de hele biologie, maar dit terzijde. Ik studeerde en werkte dus tegelijk. Terwijl ik studeerde, was ik bezig met mijn promotieonderzoek. Ik ben eerst gepromoveerd en toen pas arts geworden. Het liep allemaal door elkaar en dat betekende dat ik dag en nacht bezig was, alle weekends. In mijn jonge jaren roeide ik ook nog eens fanatiek, ben nog een paar keer Nederlands jeugdkampioen geweest. Zo heb ik mijn vrouw leren kennen, die roeide ook.'

Had u wel tijd om verliefd te zijn?

'Dat ging tussendoor.'

Hebt u haar gewaarschuwd voor uw werkverslaving?

'Ze heeft me nooit anders gekend. Ik kan niet anders. Als ik niks doe, word ik vreselijk rusteloos en ongelukkig. Ik heb het weleens geprobeerd, op het strand, in de zon zitten. Na tien minuten word ik gek als ik geen boek of werk bij me heb. Ik moest een keer naar de Verenigde Staten. Ik zit in de wachtkamer op het vliegveld, druk aan het schrijven. Opeens tikt er een stewardess op m'n schouder: "Zou u niet eens instappen, u moet toch ook naar New York?" Waren alle andere 349 passagiers al ingestapt, ik had niks gemerkt van alle oproepen.

Ik kom 's avonds om een uur of zeven thuis, eet wat, zit om half acht voor het RTL-nieuws en ga om acht uur naar boven om te werken. Altijd schrijven met de pen. Ik ben de enige op het instituut die geen computer heeft. Niet omdat ik het niet kan, in de jaren tachtig heb ik er wel op gewerkt, maar de pen bevalt me toch beter. Van die gewone Bic-balpennen. In het vliegtuig mag je je laptop bij het dalen en opstijgen niet gebruiken. Het is trouwens een onhandig ding om overal mee heen te slepen. Ik werk veel efficiënter met een pen en een paar goeie secretaresses die alles uittikken.

Na het werk kom ik om een uur of tien, half elf naar beneden, dan drink ik een whisky, lees de krant, kijk wat televisie, naar *Nova* of zo, lees een boek en ga om half twaalf slapen. Vroeger las ik de hele Nederlandse literatuur, maar ik ben uitgekeken op romans. Steeds meer van hetzelfde. Nu lees ik graag biografieën van interessante mensen, zoals laatst over Eugène Dubois, de man van de missing link, die fossielen heeft gevonden op Java; een gestoord mens, maar heel interessant.

Een tijd heb ik alles over de Tweede Wereldoorlog gelezen, ik keek ook naar elke documentaire daarover, maar daar ben ik mee gestopt, ik werd er vreselijk beroerd van. Mijn vader was een jood, die de hele oorlog ondergedoken heeft gezeten. Zijn broer en zijn gezin zijn vermoord in Auschwitz. Ik ben beroepshalve veel bezig met de dood en met dode mensen, dat is zinvol werk, ik probeer namelijk iets te vinden om bijvoorbeeld alzheimer patiënten te kunnen genezen. Het vermoorden van miljoenen mensen in een oorlog is een heel ander soort dood, daar krijg ik nachtmerries van.'

Zeggen uw vrouw en kinderen niet vaak: we zien je nooit?
'Dat zeggen ze zeker. Soms als grap, soms in alle ernst. Af en toe doe ik mijn best en ga mee naar verjaardagen of visites, wat ik allemaal haat. Er is vaak tegen me gezegd dat ik vrijgezel had moeten blijven, maar dat advies kwam te laat.'
Oktober 2001

EINDSCORE: 0

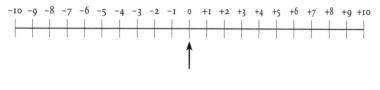

Commentaar

Patty Swaab (1946)

De reacties:
Het was een heel leuk interview, waar Dick absoluut geen spijt van heeft gehad.

Ik heb veel vriendinnen die ook *Opzij* lezen en ook zij vonden het allemaal een enig interview. Iedereen herkende Dick er enorm in. Ik heb dan ook alleen maar positieve reacties gekregen.

Het cijfer (o):
Die nul is prima, maar zelf had ik hem een −10 gegeven. Ook voor hem zelf had het een −10 mogen zijn. Dick is nu eenmaal geen huisman. De kinderen zijn nu volwassen, maar we hebben ooit samen afgesproken dat hij carrière zou maken en ik het huishouden en de kinderen zou doen. Dat is beslist niet ongeëmancipeerd van mij, het is gewoon wat we hadden afgesproken. Bovendien vond ik het leuk om met de kinderen bezig te zijn en daarnaast met studies. Ik heb Russisch, Spaans en Frans gestudeerd en voor mijn kinderen was ik altijd thuis. Beter had het voor mij niet gekund. Overigens heb ik wel degelijk gewerkt. Ik gaf thuis bijles Frans aan middelbare scholieren.

Eigen mening:
Ik vond het een fantastisch interview. Cisca kan het hartstikke goed. In alle opzichten was het helemaal Dick. Hij is supereerlijk geweest, maar hij zal dan ook nooit dingen zeggen die hij niet meent. Hij doet zich nooit anders voor dan hij is.

'Het feminisme wil ik bestrijden'
Bas van der Vlies

Hij vindt het fijn dat er na Beatrix weer een koning komt: 'We waren ont-
zettend blij toen Beatrix en Claus kinderen kregen, en warempel, een he-
leboel zonen.' Hij leeft voorzichtig: 'We gaan met warm weer niet naar
Zandvoort, je zoekt de verleiding niet op.' Dat de vrouw binnen de SGP
geen volwaardig lid mag zijn, vindt hij juist, want 'in de bijbel staat dat de
vrouw geen regeerambt mag uitoefenen'. Als hij begeerte zou voelen jegens
een andere vrouw zou hij die snel de kop indrukken: 'Mijn vrouw is een ge-
schenk van God en trouw in het huwelijk is voor mij een duidelijk gegeven.'
Hij moet bij zichzelf vaak ijdelheid onderdrukken, want 'ik wil natuur-
lijk ook graag aardig en goed gevonden worden, maar ik weet dat ik alleen
maar besta dankzij Gods genade'.
SGP-fractieleider ir. Bas van der Vlies (1942)

Een interview met Opzij wil hij best, ook al vindt hij het feminisme
een beweging die eigenlijk bestreden moet worden. Maar hij maakt
verschil tussen een beweging en de mensen die erachter staan. En
mensen wil hij nooit kwetsen of beledigen. Want staat er niet in de
bijbel: verwerp de zonde, maar heb de zondaar lief?

'Het feminisme huldigt opvattingen die ik niet goed vind, die
ik eigenlijk wil bestrijden. Maar dan heb ik het over het gedachtegoed, maar niet over mensen. Als ik het met u dus over het feminisme heb, gaat het over de ideeën. Dat spreken we even heel
goed met elkaar af, hè, want ik ga niet oordelen over mensen. Ik
veroordeel de keuze, maar niet de mens die die keuze maakt, zo
zit het. Ik vind feministen helemaal niet eng, ik ben niet bang voor

een confrontatie met hen. In principe ben ik bereid tegenover iedereen mijn standpunt te verdedigen, alleen zou ik niet in elk tijdschrift willen staan, niet in Playboy bijvoorbeeld, want dat blad overschrijdt grenzen en dan zeg ik nee.'

Wat hebt u precies tegen het feminisme?

'Mijn uitgangspunt is dat elk mens verantwoordelijk is tegenover God en tegenover z'n naaste en dat op elk gebied, ook als het gaat om de plaats van man en vrouw, de bijbelse normen moeten worden nagestreefd. Dat is geen juk, dat is geen last, dat is een zegen. Ik vind dat het feminisme daaraan volledig voorbijgaat. Dat vind ik een essentiële fout, een groot gemis.'

Maar het feminisme is natuurlijk geen religie, het is een politieke beweging die strijdt voor gelijkheid.

'Ik herinner mij de beroemde, de beruchte mag ik wel zeggen, Beleidsnota Emancipatie van 1986. Daarover heb ikzelf in de Kamer het debat gevoerd. Daarin gaat het over macht, economische zelfstandigheid, onafhankelijkheid van elkaar, dat is allemaal mijn normen- en waardesysteem niet. Daar herken ik mij totaal niet in. Ik vind het eigenlijk deerniswekkend dat mensen zoiets denken nodig te hebben. Het gaat mij om liefde, dienstbetoon, offervaardigheid en die hoef je niet op elkaar te bevechten. Al die termen uit de beleidsnota suggereren dat er een niet-harmonieuze verstandhouding bestaat tussen man en vrouw, als zou de getrouwde vrouw ergens op een achterafplekje zijn neergepoot, dat vind ik een karikatuur...'

Maar u ziet toch wel om u heen dat vrouwen op heel veel plaatsen ontbreken en dus geen invloed hebben?

'Als een vrouw echt weggewerkt wordt, zou ik dat natuurlijk ook niet goed vinden. Maar als ik naar uw strijd kijk, vind ik die heel eenzijdig. Mannen en vrouwen hebben van oudsher een door de bijbel bepaalde plaats in het leven, dat is niet een gelijke, maar wel een gelijkwaardige plaats. De een is niet minder dan de ander, ieder heeft z'n eigen taak en eigen inbreng. Dat we in onze en alle andere westerse samenlevingen van een traditioneel bepaald patroon toe groeien naar meer maatschappelijke participatie van de vrouw aanvaard ik als een gegeven. Maar nogmaals: als het daarbij gaat om het losmaken van de verbondenheid tussen man en vrouw, bijvoorbeeld door de economische zelfstandigheid, ben ik daar tegen.'

Binnen uw eigen partij, de S G P, speelt de vrouw nauwelijks een rol. Na een jarenlange strijd is nu het compromis bereikt dat de vrouw buitengewoon lid mag zijn, maar dat stelt niets voor.

'Ik ben het met u eens dat we op het ogenblik in een compromissituatie zitten. Wat er nu bereikt is, is het resultaat van jarenlang gepraat. Dit was haalbaar en daar sta ik ook volledig achter. Dat het buitengewoon lidmaatschap niets voorstelt, ben ik niet met u eens. De vrouwen mogen binnen de kiesverenigingen over alles meepraten.'

Maar niet meestemmen en ook niet gekozen worden voor een functie.

'Nee, want vanuit de bijbel weten we dat een vrouw niet het regeerambt mag vervullen en door te stemmen regeer je in zekere zin. En een functie vervullen in de politiek is natuurlijk helemaal regeren. Maar meepraten is toch niet onbelangrijk?'

Ik zou u wel eens willen horen als u in de Tweede Kamer alleen maar mocht meepraten en niet mocht stemmen.

'Ja, nee, goed, maar zo hebben we dat binnen onze partij in grote meerderheid met elkaar afgesproken. Natuurlijk, ik zei het al, het heeft een compromisachtig karakter, dat woord wil ik best gebruiken, maar dit was nu haalbaar. Er zijn mensen die dit veel te weinig vinden, er zijn er die dit al veel te ver vinden gaan, maar we hebben afgesproken dat we voorlopig eens een tijdje zullen zwijgen over deze gevoelige zaak, want van al dit soort discussies word je niet vrolijker natuurlijk.'

Dus voor de verkiezingen van volgend jaar verandert er niks meer, geen vrouwen op de kandidatenlijst van de S G P?

'Nee, zeker niet. We willen nu eens even rust in de partij.'

Die vrouwenzaak heeft de S G P bij de vorige verkiezingen een zetel gekost, u had 11.000 stemmen minder dan daarvoor.

'Wij hebben inderdaad stemmen verloren. Natuurlijk zit er altijd een schommeling in het aantal mensen dat op je stemt en er is druk grensverkeer tussen de verschillende christelijke partijen, maar uit onderzoek is gebleken dat zo'n 6000 stemmers zijn afgehaakt vanwege de vrouwendiscussie. Die hebben op het CDA of de RPF gestemd. Dat was niet alleen omdat men vond dat de vrouwen een grotere plaats binnen de partij moesten krijgen, maar ook omdat men de gang van zaken, de discussie zelf, onverkwikkelijk vond. De partij had sneller duidelijkheid moeten bieden. Het had niet zo'n slepende zaak mogen worden, vond men. Hoe dan ook, we hebben nu een duidelijk standpunt en ik hoop dat volgend jaar veel van die mensen die hun stem elders geparkeerd hebben, terugkomen naar de SGP. Maar dat deze zaak onze partij schade heeft berokkend, is duidelijk. Dacht u dat ik als lijsttrekker blij was met die ontwikkeling? Natuurlijk niet.'

De SGP is voor meer dan de helft afhankelijk van vrouwen: 56 procent van uw kiezers is vrouw. En dat terwijl ze niet bepaald vrouwvriendelijk is, zelfs lang tegenstander van het stemmen van vrouwen.

'Vrouwen zijn inderdaad trouwe SGP-stemmers en dat heeft alles te maken met het feit dat ze ons gedachtegoed aanhangen. Ik ga er, net als u, van uit dat vrouwen mondige mensen zijn, die uit eigen vrije wil op ons stemmen. Over het stemmen door vrouwen werd en wordt binnen onze partij ook verschillend gedacht. Of de vrouwen van hun stemrecht gebruikmaken, is hun eigen zaak. Mijn vrouw stemt zelf niet, ze heeft mij gemachtigd. Dat is haar wens, niet mijn beslissing. Zij zou ook geen buitengewoon lid van de SGP willen worden, dat vindt ze niet op haar weg liggen. Mijn dochters stemmen wel zelf, denk ik. Op de SGP, denk ik ook. Ik heb ze dat nooit met zoveel woorden gevraagd, maar ze zijn lid van onze jongerenorganisatie, dus dat lijkt voor de hand te liggen.'

Er was kritiek op u dat u zo lang gezwegen hebt, dat u niet duidelijk hebt gemaakt wat uw standpunt was inzake het vrouwenlidmaatschap.

'Er zijn in deze zaak twee besluitvormende ronden geweest. Als fractie hebben wij ons aanvankelijk op het standpunt gesteld dat het hier een partijaangelegenheid betrof, geen fractiezaak. Ik ben politiek leider van de partij, geen partijleider. Dus wij vonden dat wij ons daar niet mee te bemoeien hadden, althans niet in het openbaar. Natuurlijk heb ik als adviseur van het hoofdbestuur mijn mening gegeven, maar dat was niet publiekelijk. U hebt gelijk dat men mij op grond daarvan verweten heeft dat ik de besluitvorming niet in gunstige zin heb beïnvloed. Bij de tweede ronde heb ik wel mijn mening gegeven en die was dat er een reële plaats voor de vrouw binnen de partij moest komen, met uitzondering van het regeerambt, dus: een buitengewoon lidmaatschap.'

De vrouw die in uw kringen al jarenlang de strijd voor het volledige lid-maatschap van de SGP *voert, is Riet Grabijn. In haar boek* Ik wil het ge-woon vertellen *beschrijft zij haar belevenissen. Daar word je niet vrolijk van, regelrechte intimidatie op de* SGP-*partijdag van mannen die bijvoor-beeld haar haar willen meten omdat het niet lang genoeg zou zijn.*

'Daar weet ik niets van. Is dat echt gebeurd? Ik heb er niets van gehoord. Dat kun je het bestuur niet aanrekenen en mij als poli-tiek leider ook niet. Ik heb nooit meegemaakt dat haar iets naars is aangedaan, maar wat er in de wandelgangen gebeurt in de Jaar-beurs, als daar tweeduizend mensen rondlopen, weet ik natuurlijk niet allemaal. Daar kan ik geen verantwoordelijkheid voor nemen. Als ik zelf zoiets zou meemaken, zou ik me daar uitdrukkelijk te-gen verzetten. Want het mag niet bestaan dat mensen die elkaars tegenstanders zijn zo onwaardig met elkaar omgaan. Ik heb er al-tijd op gehamerd: je moet je niet laten verleiden tot dingen die niet oorbaar zijn.'

U hebt het steeds over 'het regeerambt' dat de vrouw niet zou mogen uitoe-fenen. Dat is een uitspraak van de apostel Paulus. Hij is in de bijbel sowieso de man van de voorschriften aangaande man en vrouw. Zijn geboden en ver-boden zijn volgens velen alleen van toepassing binnen de kerk en het huwe-lijk, maar hebben niets te maken met de politiek en de maatschappij.

'Daarover is inderdaad discussie binnen christelijke kring. De SGP, die geen scheiding, maar wel onderscheiding van kerk en staat kent, heeft de overtuiging dat de bijbelse voorschriften van toepassing zijn op het hele leven, niet op slechts één onderdeel daarvan. Wij zien de overheid, de staat, net zoals de kerk als een dienaresse van God, dus de voorschriften die wij kennen voor on-ze kerken, waar wij geen vrouwen in het ambt hebben, gelden voor ons net zo goed in de maatschappij. Dat neemt niet weg dat er discussie mogelijk is, bijvoorbeeld over de rol van de vrouw in de maatschappij. Het is bij ons niet zo dat we, cru gezegd, stellen: de vrouw houden we absoluut buiten alles, buiten al onze organisa-ties, ze mag nergens een plaats hebben, Schluss, einde verhaal. We zijn er steeds over in discussie.'

In uw dagelijkse werk gaat u voortdurend om met vrouwen die 'het regeer-ambt' bekleden: vrouwelijke Kamerleden, vrouwelijke ministers. Hoe gaat u dat af?

'Goed, geen probleem. Je hebt elkaar in een bepaald bestel te accepteren. Ik heb toch niet de bevoegdheid, als ik dat al zou willen, om tegen een willekeurig vrouwelijk Kamerlid te zeggen: ik ga jou negeren, want mijn persoonlijke overtuiging staat geen vrouwen in het regeerambt toe en dus ga ik alleen met mannelijke Kamerleden om. Die vrouwen zijn op een democratische manier gekozen en daar heb ik mee te maken. Natuurlijk eet ik gewoon een broodje met hen. Ik heb in de Kamer eigenlijk met iedereen een correcte en vriendelijke verstandhouding. Tijdens mijn hele zittingsperiode, vanaf 1981, heb ik te maken gehad met vrouwelijke ministers en staatssecretarissen en die ben ik nooit anders tegemoet getreden dan hun mannelijke collega's. En als ik in een Kamercommissie zit met een vrouwelijke voorzitter raak ik daar echt niet van ondersteboven. Want ik zoek het isolement niet en dus moet je accepteren dat je in situaties raakt, waarvoor je zelf misschien niet gekozen zou hebben.'

Het prototype van een vrouw met een regeerambt is wel koningin Beatrix. Hoe staat u daar als SGP tegenover?

'Daar staan wij heel positief tegenover. Er gaat geen week voorbij of er wordt in de fractie voor haar gebeden en dat gebeurt ook in onze kerkdiensten. Wij zien haar als een telg uit het Oranjeslacht, als een erfgenaam van Willem van Oranje, onze Vader des Vaderlands, die Nederland uit de Tachtigjarige Oorlog geleid heeft naar een zelfstandige staatsvorm. Het Oranjehuis is ons van God gegeven, dus ook koningin Beatrix.'

Maar wel een vrouw die het over alle Nederlandse mannen te zeggen heeft, niet direct de onderdanigheid die Paulus eist.

'Zij is op de troon gekomen door erfopvolging en koningin Juliana had nu eenmaal vier dochters. Dus daar was geen enkel punt over. Ja kijk, als Juliana nu ook nog een zoon gehad had, was onze voorkeur naar die zoon uitgegaan, ook al was hij niet de oudste.'

Gelukkig krijgen we nu weer een koning...

'Ja, we waren ontzettend blij toen Beatrix en Claus kinderen kregen en warempel, een heleboel zonen. Maar je hebt te aanvaarden wat de Here geeft, of het nu dochters of zonen zijn.'

Het lijkt wel of er in de bijbel meer verboden en geboden voor vrouwen staan dan voor mannen. Zo moet een vrouw onderdanig zijn, mag ze geen goud, parels of mannenkleding dragen, mag ze haar haar niet afknippen, moet ze een hoofddeksel op naar de kerk en ga zo maar door. *Welke geboden gehoorzaamt u wel en welke niet?*

'Het is duidelijk dat er belangrijke en minder belangrijke zaken zijn. Wie dat uitmaakt? Dat is een kwestie van eerbiedig de bijbel uitleggen. U voelt ook wel dat een voorschrift over kapsels of kleding meer cultureel bepaald is dan over hoe mannen en vrouwen met elkaar moeten omgaan. Mijn vrouw en dochters hebben trouwens allemaal lang haar, prachtig vind ik dat. Onze vrouwen dragen gewoon trouwringen, ook al zegt Paulus iets over "geen goud en paarlen dragen". Dat moet je meer zien als een waarschuwing om je niet van top tot teen vol te hangen met sieraden. Make-up gebruiken onze vrouwen en meisjes ook niet, je bent als mens mooi genoeg zoals God je geschapen heeft. Wat crème op je gezicht of je handen tegen schrale wind is natuurlijk wat anders. Je hoeft jezelf niet te verwaarlozen. Nee, ikzelf gebruik geen aftershave, maar ben wel erg gesteld op schoon en fris.'

En de lange broek voor vrouwen?

'Die wordt in onze kringen weinig gedragen. In de bijbel staat dat mannen geen vrouwenkleding en vrouwen geen mannenkleding mogen dragen, er moet duidelijk onderscheid zijn. Ik zou raar opkijken als mijn dochters opeens in een lange broek zouden verschijnen. Daar zou ik dan wel even over willen praten, niet in de zin dat ik ze de deur zou wijzen, natuurlijk. Maar ik zou wel vragen naar het waarom en vervolgens of ze gewoon weer een rok wilden aantrekken. Ach, tegenwoordig zijn lange rokken, geloof ik, weer in de mode, dus dat treft. Onze meisjes die dagelijks naar school in Amersfoort moeten fietsen, dragen altijd rokken. Als zoiets tot je principes behoort, aanvaard je de consequenties.'

Zoals blaasontsteking?

'Vanuit dit dorp fietsen dagelijks veel meisjes grote afstanden, maar ik heb van de dokter nooit gehoord dat er sprake was van een blaasontstekingepidemie onder SGP-meisjes.'

Wat vindt u van mensen die bewust geen kinderen willen?

'Die begrijp ik niet. Zo'n levenshouding staat haaks op onze overtuiging, waarin kinderen gezien worden als een zegen, als een bekroning van het huwelijk. Ik ken in onze kringen geen getrouwde mensen die vrijwillig afzien van kinderen. Integendeel, ik ken alleen maar mensen die vreselijk gebukt gaan onder hun kinderloosheid.'

Ziet u dan iets in technologische oplossingen als kunstmatige inseminatie, draagmoederschap, reageerbuisbaby's?

'Wij zijn tegen IVF, KI en het draagmoederschap, omdat het daarbij gaat om buitenhuwelijkse oplossingen. Daarbij komen immers zaad, een eicel of het lichaam van een buitenstaander te pas. Over reageerbuisbevruchting zijn wij nog in discussie. Nu er op dit moment nog geen oplossing is voor de bevruchte eicellen, die niet gebruikt worden, zijn wij in elk geval tegen. Maar we weten dat kinderloosheid zo'n zwaar verdriet is, dat wij ook graag een oplossing zouden willen vinden. Op zichzelf zouden wij wel voor reageerbuisbevruchting zijn, als het gaat om een binnenhuwelijkse zaak, dat betekent dat zowel zaad als eicel van het betrokken echtpaar zijn en dat er geen overblijvende eicellen zijn. Je hebt hier natuurlijk te maken met Gods wil, maar tegelijkertijd sluit dat de ontwikkelingen in de wetenschap niet uit, daar kun je positief op reageren.'

Hoe zit dat dan met inenting, bijvoorbeeld tegen polio. Toch ook een vinding van de wetenschap, waarmee je blij kunt zijn, maar door u vaak nog afgewezen?

'Ik zie uw punt, klopt. Maar hier hebben we te maken met een ander aspect, namelijk dat we ons indekken tegen iets wat misschien nooit zal komen, dat we vooruitlopen op dingen, waardoor we, oneerbiedig gesproken, God wel eens voor de voeten zouden kunnen lopen.'

Hoe zit het eigenlijk met geboorteregeling in uw kringen. Wordt de pil gebruikt?

'Daar heb ik geen zicht op. Ik denk dat de pil bij ons niet zonder meer gebruikt wordt. Hoe wij ons kindertal dan regelen? Langs de normale weg, via periodieke onthouding. U zegt steeds dat wij de vrouw zo veel verbieden, maar hier vragen we nu eens iets van de man, namelijk dat hij zich weet te beheersen, dat hij, zoals wij dat uitdrukken, met verstand bij zijn vrouw is. Dat hij de vruchtbare en onvruchtbare tijden van zijn vrouw kent. Maar dat weet tegenwoordig toch elke jonggehuwde, dacht ik?'

In de bijbel staat ook de gelijkenis van de talenten. Een baas die boos is op een van zijn knechten omdat hij niets met zijn talenten doet. Dwingt u vrouwen niet tot het onderdrukken van een deel van hun talenten?

'Zo verengt u dit verhaal toch, alsof je je talenten maar in één bepaalde richting zou kunnen ontplooien. Er moet geen misverstand over bestaan: ook de talenten van vrouwen moeten tot hun recht komen. Maar je kunt er toch voor kiezen om ze niet in de richting van de politiek, een bestuursfunctie of betaald werk te ontplooien, maar bijvoorbeeld in het vrijwilligerswerk? Mijn vrouw heeft geen betaalde baan, u moest eens weten hoe dankbaar ik haar daarvoor ben, want daardoor steunt ze mij enorm in mijn werk. Maar ik ben er wel trots op, als ik zie wat ze allemaal in het vrijwilligerswerk doet, daar is ze loeidruk mee. Laat dat nou ook eens gezegd worden, want het lijkt er vaak op dat je pas adequaat functioneert als je een betaalde baan hebt. Als een vrouw zich onbetaald inzet in de bejaardenzorg of de gehandicaptenzorg, vind ik dat een goede ontplooiing van haar talenten en verschrikkelijk belangrijk voor het functioneren en de kwaliteit van de samenleving.'

Dat vind ik ook. Maar vrijwilligerswerk is er niet alleen voor de vrouw. U ontplooit uw talenten toch ook verder dan de bejaardenzorg te Maartensdijk?

'Ja, precies. Ik erken, en dat is geen vrome frase, dat ik tekortschiet in het samen met mijn vrouw en mijn gezin dingen doen. Ik schiet ook tekort in mijn dienst aan de naaste. Daar lijd ik onder, want al die mensen hebben recht op meer aandacht van mij. Maar ik zit in een kleine fractie en werk keihard, ik moet heel wat avonden in Den Haag zijn. Toch probeer ik naar vermogen hier in de dorpsgemeenschap van Maartensdijk nog iets te doen: ik zat tot voor kort in een schoolbestuur, ben al twintig jaar ouderling van onze kerk en doe in die functie huisbezoek bij gemeenteleden, ik vertel op de zondagsschool en ik leid soms een jeugdvereniging.'

Doet u eigenlijk nog iets in het huishouden? En hoe bent u als vader en opa, u hebt vijf kinderen en twee kleinkinderen?

'Ik zei al eerder dat ik helaas tekortschiet in de tijd die ik aan mijn gezin en familie kan besteden. En daar lijd ik onder. Ik heb om die reden wat nevenfuncties opgegeven, ik ben uit een paar schoolbesturen gestapt. Maar één ding is zeker en onaangetast: de zondag is voor mijn gezin. Op zondag blijft de politiek uit mijn leven. Dan gaan we met z'n allen naar de kerk, we zingen met elkaar bij het orgel, we praten veel met elkaar en we lezen een goed boek. Toen ik in de Kamer ging, hebben we besloten dat we altijd samen zouden ontbijten. Dus hoe laat ik de avond tevoren ook ben thuisgekomen, de wekker staat altijd op half zeven en om zeven uur zitten we aan tafel. Daar vraag ik dan hoe het op het werk of op school gaat, een vraag die andere vaders tijdens het avondeten stellen. Ik kom ook elke avond naar huis, hoe laat het ook wordt, geen overnachtingen in Den Haag, laat staan een flatje daar. En dan mijn huishoudelijke bezigheden. Laat eens zien: als ik 's avonds laat thuiskom, is het mijn taak de afwasmachine in te ruimen, dan kan hij op de nachtstroom draaien. 's Ochtends ruim ik hem vaak weer uit. Verder poets ik de schoenen, zet de vuilnisbakken buiten, laat de hond, een van mijn beste vrienden, uit. Koken deed ik vroeger vaker dan nu. Vooral op zondagen en dan helemaal compleet, hoor. Zelfgemaakte soep, met een mergpijpje, poulet, vermicelli, groenten en zelf gedraaide gehaktballetjes, aardappelen, groente en vlees. Dat komt er tegenwoordig niet meer van. Als mijn vrouw eens een dagje weg is, halen we nasi bij de chinees. Toen mijn vijf kinderen nog baby waren, was ik degene die altijd consequent 's nachts opstond voor de voedingen; allemaal heb ik ze tussen half drie en vier uur de fles gegeven. Ik vond dat mijn vrouw overdag al genoeg deed. Voor mijn hobby's: fuchsia's kweken, in de tuin werken, postzegels verzamelen en lezen, heb ik veel te weinig tijd. Lezen gebeurt voornamelijk in de vakanties en ook dan gaan de boeken nog vaak ongelezen retour. Wat ik lees? Boeken over theologische en maatschappelijke onderwerpen: Groen van Prinsterer, Abraham Kuyper, niet direct mijn favoriet, en dan eigentijdse mensen als de theologen en ethici Velema, Douma, De Kruijf. Kuitert lees ik ook wel eens, maar daar ben ik het helemaal niet mee eens. Ontspanningslectuur? Komt er meestal niet van, maar vroeger wel eens een streekroman van J.W. Ooms of Barend de Graaff, over mijn geboortestreek, de Alblasserwaard.'

U hebt wel eens in een interview gezegd: 'Als ik een mooie vrouw zie, kijk ik de andere kant op.' Leeft u erg voorzichtig?

'Ik bedoelde daarmee dat ik heel veel waarde hecht aan trouw in het huwelijk. Ik zie mijn vrouw als een godsgeschenk, dus dat geluk mag en wil ik niet in de waagschaal stellen. Ik heb mijn ogen niet in mijn zak, ik zie natuurlijk ook wel mooie vrouwen om mij heen en daar kun je best bepaalde gevoelens bij krijgen. Maar als dan iets van begeerte de kop zou opsteken, kijk ik inderdaad letterlijk en figuurlijk de andere kant op. Een mens moet zichzelf niet in verleiding brengen. Wat u zegt over voorzichtig leven: daar zit iets in. Daarom hebben wij bijvoorbeeld ook geen televisie. Natuurlijk mis ik daardoor goede informatieve programma's, maar we weten allemaal dat het merendeel van de programma's amusement betreft, dat vaak godslasterlijke en zedenkwetsende trekken vertoont. Dan kun je wel zeggen: er zit een knop aan het toestel, zet het af, maar daar moeten we eerlijk en helder over zijn: je wordt toch verleid te blijven kijken. Dan kun je er dus beter niet aan beginnen. Net zoals met boeken: van Wolkers en Reve bijvoorbeeld: misschien zijn daar van de 300 pagina's 150 mooi en zinvol, maar ik wil ze toch niet lezen vanwege die andere 150, die kwetsend en godslasterlijk zijn. Zo'n boek keur ik af. Een ander voorbeeld: we zouden 's zomers als het warm is nou niet bij voorkeur naar Zandvoort gaan, om maar eens wat te noemen. Je weet dat je daar allemaal naakt te zien krijgt, dus als je dat niet wilt, moet je daar weg blijven. En als we naar Parijs zouden gaan, gaan we bijvoorbeeld naar de Notre Dame en niet naar de nachtclubs. Maar in de praktijk gaan we al vijftien jaar met het hele gezin naar Elspeet, in een mooi huisje. Lekker wandelen en fietsen.'

Onderzoek alle dingen en behoud het goede, zegt de bijbel.

'Die tekst moeten we niet door de mangel halen van onze eigen visies en voorkeuren. Anders zou je je onder dat mom wel kunnen overgeven aan allerlei uitspattingen en dan gauw roepen: onderzoekt alles en behoud het goede. In de Kamer heb ik op diezelfde opmerking wel eens gezegd: je hoeft niet in het water te springen om te weten dat je er nat van wordt. Je hoeft heus niet alles te onderzoeken om tot de conclusie te komen dat het niet deugt.'

Maar toch: leeft u niet te bang?

'Die indruk heb ik van mezelf niet. Er zijn bepaalde gebieden waar ik niks te vinden heb en die ook niet onderzocht hoeven te worden. Om naar Gods wil te leven, is al moeilijk genoeg, want niets menselijks is mij vreemd en ik moet veel dingen van mezelf zien kwijt te raken. Wat? Mijn ijdelheid bijvoorbeeld. Niet dat ik lang in de spiegel sta te kijken of ik er wel leuk uitzie, daar heb ik geen antenne voor, maar wel dat ik aardig, goed en slim gevonden wil worden. Dat ik veel wil bereiken en ambitieus ben. Vaak genoeg moet ik tegen mezelf zeggen: wacht even, vriend, nou zit je fout, even een paar stappen terug, want je leeft alleen dankzij Gods genade.'

April 1997

EINDSCORE: −3

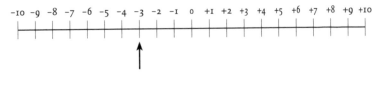

Commentaar

Willy van der Vlies (1945)

De reacties:
Mijn man had geen spijt van het interview, hoewel het wel veel langer duurde dan afgesproken was. Hij heeft gezegd wat hij kwijt wilde. Uiteraard is er veel minder op schrift gesteld dan wat er allemaal besproken is.

Reacties op het interview heb ik niet veel gekregen. Het blad Opzij is nu niet een blad dat in onze directe 'omgeving' veel gelezen wordt, is mijn indruk. Maar de reacties díé ik kreeg waren positief. Wat ik heel leuk vond, is dat de secretaresse van mijn man – zij was destijds nog niet in dienst van de SGP-fractie – het interview nú las en opmerkte dat zij het een 'oprecht verhaal' vond, precies zoals zij mijn man kent.

Het fameuze cijfer (-3):
Toen mijn man het cijfer zag, moest hij erom glimlachen; hij kon het heel goed hebben en had niet verwacht dat hij hoog zou sco-

ren. Daar bleven de verschillen te onbegrepen en te groot voor.

Om eerlijk te zijn, was ik heel trots op het cijfer van mijn man. Als hij op de feministische meetlat hoog gescoord zou hebben, zou ik me afgevraagd hebben of hij wel zichzelf was geweest. Van mij zou hij minstens een 9 hebben gekregen. Ik ken mijn man blijkbaar wel, maar de interviewster – ook na een ochtend praten – nog lang niet!

Maar wat betekent de meetlat van *Opzij* nu helemaal? De Bijbel als 'meetlat' en 'richtsnoer', dat is dé Meetlat voor mijn man en mij, daarnaar wensen we te leven.

Eigen mening:
Ik herkende mijn man er helemaal in. Datzelfde geldt trouwens voor onze kinderen, ook nu nog. Het interview had bij wijze van spreken ook een maand geleden afgenomen kunnen zijn. Dus geen gedraai of anders doen voorkomen dan het is, maar staan voor de zaak!

Een laatbloeier op zoek naar zekerheid
Pieter van Vollenhoven

Pianospelen doet hij helemaal niet meer. 'Daar heb ik na ons laatste concert in 2002 rigoureus een streep onder gezet. Na vijftien jaar met zo'n twintig concerten per jaar dacht ik: laat ik maar ophouden voordat de bezoekers ophouden!' Als hij de concertzaal in moest, was hij best zenuwachtig. 'Soms wist ik zelfs mijn tekst helemaal niet meer. Vaak echt paniek.' Zijn schoondochters zijn alle vier werkende vrouwen. 'Verknocht aan hun werk en dat is goed, want werk geeft je leven een andere dimensie.' Nu het werkterrein van 'zijn' ongevallenraad is uitgebreid tot de hele maatschappij, wil hij zich ook wel verdiepen in problemen als huiselijk geweld en kindermishandeling. 'We gaan niet over de schuldvraag, maar kijken wel of er sprake is van structurele veiligheidstekorten.'
Prof. mr. Pieter van Vollenhoven (1939)

Hij is een laatbloeier. Op zijn 66ste gebeuren er opeens allemaal leuke dingen: zijn met moeite bevochten Raad voor de Transportveiligheid werd omgezet in een Onderzoeksraad voor Veiligheid, hij kreeg de Machiavelli-prijs (voor publieke communicatie), de Benelux-Europa-prijs (voor zijn activiteiten ten bate van de veiligheid) en hij werd benoemd tot hoogleraar risicomanagement aan de Universiteit Twente. Kortom: eindelijk erkenning. 'Natuurlijk waardeer ik dat zeer. Ik ben verheugd dat het in mijn leven positiever afloopt dan toen ik begon. Maar tegelijkertijd realiseer ik me goed dat de scheidslijn tussen succes en mislukking heel dun is.'

Is werk zo belangrijk voor u?

'Als je niet werkt, is het risico aanwezig dat je veel te veel met jezelf bezig bent. Het leven is een puzzel, een buitengewoon ingewikkelde puzzel. Dan is het boeiend om met anderen problemen te bespreken en op te lossen. Door je werk ontmoet je bovendien veel verschillende mensen en dat helpt je om je eigen problemen te relativeren. Iedereen heeft immers zorgen. Als ik alleen thuis zou zitten, bestaat de kans dat mijn eigen problemen zich opstapelen. Somberheid kan zich dan fors van mij meester maken. Zeker op troosteloze, regenachtige dagen.'

Hebt u daar veel last van?

'Dat komt met vlagen. Ik heb het altijd gehad, net als mijn vader. Ik zit veel alleen achter mijn bureau te schrijven en als dat dan niet lukt en buiten regent het, dan kan ik een sombere kluizenaar worden. Dan moet ik mij echt forceren om weer mensen op te zoeken, met anderen te praten.'

Bent u een makkelijke prater?

'Ik ben er zeker niet mee opgevoed; bij ons thuis waren we niet van die praters. Mijn vader al helemaal niet. Dat was meer een zwijger, die zich uitleefde bij zijn vogels.

Mijn enige broer is vijf jaar ouder dan ik. Dat is op jonge leeftijd een groot verschil. Wij hebben elkaar eigenlijk pas weer ontdekt na de dood van onze ouders, toen we samen dingen moesten regelen en opruimen.

Dat ik makkelijker heb leren praten, is te danken aan de twee jaar waarin ik wekelijks op theevisite mocht komen bij mijn latere vrouw. Het was toen onzeker of wij mochten trouwen. Enige afstand nemen van elkaar leek verstandig. Maar we mochten elkaar wel eens per week ontmoeten voor het drinken van een kopje thee. Andere tijden! Wat hebben wij toen niet allemaal afgepraat.

Ik denk dat ik mijn huwelijk voor honderd procent aan die theemiddagen van toen heb te danken. Zonder dat praten, dat ik toen geleerd heb, waren wij die eerste moeilijke jaren van ons huwelijk niet doorgekomen.'

U praat klaarblijkelijk wel over persoonlijke zaken, want ik herinner me gelezen te hebben dat u in een bijbelkring zit.

'Een zogenaamde huisgemeente. Inderdaad, die hebben we een tijd gehad. Daarin spraken we, onder leiding van een inspirerende dominee, met een aantal vrienden en kennissen over het geloof. Daar ben ik later mee opgehouden omdat het accent – voor mijn gevoel – te veel op de discussie kwam te liggen. Maar wellicht pak ik de draad weer op om te bezien of het geloof mij zekerheid en rust kan bieden. Sommige gelovige mensen kunnen er vrede mee hebben als hun leven morgen afgelopen zou zijn. Zij weten dat er een hiernamaals is. Zover ben ik absoluut nog niet!'

Nog even terug naar het werk: een geschikte baan vinden was in uw leven geen sinecure.

'Dat mag u wel zeggen. Dat heeft heel lang geduurd, zeker de eerste tien jaar van mijn huwelijk. Ik heb ervoor moeten vechten. Mijn drijfveer daarbij was dat ik mijn vrouw, noch mijn schoonmoeder wilde teleurstellen in het vertrouwen dat zij in mij hadden gesteld. Ik kon zeer goed met mijn schoonmoeder opschieten en het was natuurlijk ook uitermate toevallig dat wij op dezelfde dag jarig waren. Ik heb het in hoge mate gewaardeerd dat mijn schoonmoeder haar goedkeuring heeft verleend aan ons huwelijk. Er werd toen niet alleen tegen ons, maar ook tegen mijn schoonmoeder gezegd dat "dit huwelijk gedoemd is om te mislukken!" Dan komt mijn stierenbloed in beweging. Zo'n zinsnede is mijn eer te na; dan wil ik absoluut het tegendeel bewijzen.

Dat ik moeilijk werk kon vinden, lag ook aan mijzelf, omdat ik mij had voorgenomen dat ik niet een baan wilde hebben die strijdig zou kunnen zijn met het functioneren van mijn vrouw. Dat werd niet door iedereen begrepen of onderschreven. Dergelijke banen lagen niet voor het oprapen.'

Geen Lockheed-problemen voor u?

'Die kwestie speelde pas later, maar van meet af aan was mijn gevoel dat je functies niet door elkaar moest laten lopen. Na mijn rechtenstudie kwam ik – in het kader van mijn diensttijd – bij de Koninklijke Luchtmacht. Een prachtige periode. Als Reserve Officier Academisch Gevormd – zo heette dat toen – werd ik eerst geplaatst bij het ongevalsonderzoek. Ik diende onder de vader van de huidige Commandant der Strijdkrachten Dick Berlijn. Vervolgens heb ik bijgetekend om de vliegeropleiding te kunnen volgen. Die diensttijd was een overzichtelijke periode: de laagste in rang moest gewoon zijn meerdere groeten. Geen ingewikkeld gemekker, een duidelijke maatschappij. Ik had daar toen best willen blijven; ik denk deels uit gemakzucht want mijn leven was best ingewikkeld. Maar zonder militaire opleiding aan de Koninklijke Militaire Academie was mijn toekomst daar beperkt. Na de luchtmacht begon dus het grote zwerven. Stagebaantjes in eerste instantie: bij de Heidemaatschappij, Akzo en KLM. Een moeilijke tijd.'

Zonder steun van hogerhand?

'Ik was een Nederlander en werd daarom geacht zelf mijn weg te vinden. Terugblikkend misschien maar goed ook, omdat ik toen geleerd heb om mijn eigen boontjes te doppen. Maar het kwam dus ook omdat niet iedereen mijn filosofie over de te vinden baan onderschreef. Dat "niet strijdig zijn met het functioneren van mijn vrouw" werd toen toch gauw verkeerd uitgelegd: dat het mij naar de bol was gestegen, dat ik te veel eisen en voorwaarden stelde. In die periode kon ik zeer goed van gedachten wisselen met enkele oudere en wijze politici, zoals de heren Beel en Ruppert en later De Pous. Als je zo terugkijkt zijn al mijn functies en activiteiten niet voortgekomen uit de gevestigde orde, maar vanuit het niets begonnen. Dat gold voor de Raad voor de Verkeersveiligheid, de Raad voor de Transportveiligheid, de Onderzoeksraad voor Veiligheid, het Fonds Slachtofferhulp, de Stichting Maatschappij Veiligheid en Politie, alsmede het Nationaal Restauratie Fonds en het Nationaal Groenfonds. En het gold ook voor mijn buitenlandse activiteiten. Overal begon ik als voorzitter vergezeld van een kleine staf: een directeur en een secretaresse. Veel van mijn veiligheidsactiviteiten, zeker op het gebied van het onafhankelijk onderzoek, zijn alleen door steun van de Tweede Kamer – in de vorm van moties – tot stand gekomen.'

U hebt vier schoondochters met een baan.

'En daar zijn ze allemaal aan verknocht. Twee ervan hebben kinderen, twee niet, maar allemaal vinden ze hun werk belangrijk. Heel goed, want ook voor hen geldt: werk is van belang voor je eigen functioneren, het helpt je relativeren en bezorgt je contacten. Nu hebben zij natuurlijk veel meer dan wij te maken met de perikelen die de combinatie gezin en werk met zich brengt, want zij hebben niet die facilitaire middelen die wij hebben. Ik bedoel: ze hebben veel minder hulp. Ik ben zelf geen ster in het huishouden.

Ik kan niet koken, nou ja, een ei bakken lukt nog wel. Het koken is geloof ik – nu moet ik mij wel voorzichtig uitdrukken – ook niet de hobby van mijn vrouw. Alleen tijdens de vakanties koken wij nog weleens. Nou ja, "wij"? Ik kijk toe. Maar thuis doet dus iemand anders dat voor ons. Maar de vier jongens zijn allemaal echt handig in huis. Dat moeten zij toch van iemand hebben, zou je zeggen! Maurits heeft vroeger zelfs nog een kookcursus gevolgd. Hij, maar ook de andere zonen, is zéér goed in dat vak. Maar de oudste twee schoondochters, die nu kinderen en een baan hebben, worden – als ik dat aanschouw – behoorlijk op hun zuiger gestampt.'

Pardon?

'Op hun zuiger gestampt: dat is een uitdrukking uit de luchtmacht, die betekent dat er veel van je wordt gevraagd.'

U bent vader en opa.

'Ik heb weleens aan mijn zoons gevraagd: waren wij er genoeg voor jullie? Zij hebben daar geen klachten over. Je hoopt er maar het beste van, want je wordt niet opgeleid voor opvoeder. Voor mezelf sprekend moet ik zeggen dat de babyfase niet mijn specialiteit is. Ik moet kunnen communiceren. Als kinderen drie, vier jaar zijn, kom ik pas in beeld.'

Behalve vader en opa bent u natuurlijk vooral echtgenoot. Een leuke?

'Die vraag kan ik niet beantwoorden. Een leuke? Natuurlijk zeg ik altijd tegen mijn vrouw dat zij zo'n leuke man nooit meer zal vinden, maar zij heeft daar zo haar eigen gedachten over, bemerk ik. Ik winkel bijvoorbeeld wel voor mijn vrouw. Ik koop tassen of zelfs jurken, overigens alleen als ik in het buitenland ben. In Nederland word ik herkend en dan is men aardig en behulpzaam. Dan durf ik de winkel niet meer uit zonder iets te kopen.'

Op uw 66ste begint u opnieuw: met een nieuwe Onderzoeksraad voor Veiligheid en een baan als hoogleraar.

'Soms voel ik wel iets van metaalmoeheid. Je rijdt 's nachts om halftwee niet meer even op en neer naar Parijs omdat je daar iets wilt regelen met een Franse collega. Je hebt niet meer die energie van een man van vijfentwintig. Jammer is dat. Het is sowieso een akelig gevoel te moeten vaststellen dat je al ver over de helft bent. Maar ik vind mijn werk nog steeds de moeite waard en ik wil het onafhankelijk onderzoek ook in de Europese Unie stimuleren. En ik waardeer het natuurlijk dat ik erkenning heb gekregen tijdens mijn leven; dat maken sommige mensen niet mee.

Wat ik erg spijtig vind, is dat mijn ouders niet hebben mogen beleven dat het avontuur van hun zoon – tot op heden – goed is afgelopen. Zij hebben alleen mijn zeer ongelukkige start meegemaakt. Mijn vader stierf in 1977 plotseling aan een hartinfarct; mijn moeder overleed vijf jaar later. Helaas raakte zij haar geheugen totaal kwijt. Zij woonde toen in een verpleegtehuis bij ons in de buurt. In die tijd heb ik veel piano voor haar gespeeld. Ik dacht: zo zijn wij samen begonnen en zo zullen wij samen ook eindigen. Als kind moest ik 's ochtends namelijk om zeven uur met mijn moeder pianospelen, oefenen op de etudes van Diabelli. Vier handen op één piano. Dat moest, dat hoorde bij de opvoeding. Toen zij mij later niet meer herkende, had ik het gevoel dat zij nog wel genoot van die vertrouwde pianoklanken. Zo zaten wij samen in een zaaltje uren bij elkaar. Ik heb mijn ouders indertijd nooit deelgenoot gemaakt van die ongelukkige periode uit mijn eerste huwelijksjaren. Het ging altijd goed met me, maar ik vermoed wel dat zij zich realiseerden dat het ietsje anders lag.

Mijn vader was een stille man, die zich helemaal uitleefde in zijn hobby: dieren. Daarom kon hij ook nooit met vakantie, want wie moest er voor zijn dieren zorgen? Hij was ook nog commissaris van Diergaarde Blijdorp, dus daar gingen wij vaak heen. Hij liep daar dan met een tamme vos aan een lijntje. Daar was hij echt trots op, waar ik mij soms best voor schaamde. Dat gedoe, dat gezeur over die dieren. Nu was hier in de zomer een tamme vos in onze tuin, die ik eten moest geven omdat hij zich anders wellicht aan mijn kippen zou vergrijpen. En nu hoor je míj zeuren over wie het dierenrijk te eten geeft in onze vakantie! Ja, deze man zakt fors af. Ik word genadeloos gestraft, ik eindig net zoals mijn vader.

Over dieren gesproken: onlangs logeerde hier een dame uit een zuidelijk land die mij vroeg: "Zeg, is het normaal dat er een slang in mijn bed ligt?" Ik dacht eerst nog aan de tuinslang, maar nee: het bleek een ringslang te zijn. U ziet, het dierenrijk houdt ons hier voortdurend bezig.'

Hoe gaat het eigenlijk met uw gezondheid? U hebt tot tweemaal toe huidkanker gehad en onlangs verloor u bijna het topje van een vinger bij een duikongeval.

'Dank u, met beide zaken gaat het goed. De vinger is hersteld, dat heeft trouwens lang geduurd. Het enge is dat ik dat topje kwijt was geweest als ik geen handschoenen had gedragen. Ik raakte bekneld tussen een scharnier van de trap van de boot en voelde wel verschrikkelijke pijn, maar wist niet dat het vingertopje er helemaal af was. Gelukkig zat het in mijn handschoen, anders was het in de oceaan verdwenen, opgegeten door de vissen. Ook een geluk was dat er in mijn duikgroep twee artsen zitten, die het ter plekke hebben aangenaaid. Niets voor mij. Ik zat met een handdoek over mijn hoofd, ik wil daar niks van zien. Ik ben niet zo'n man die verlekkerd naar zijn eigen operaties zit te gluren. Dan val ik flauw. Handdoek om het hoofd en verdoven die handel. Als ik eenmaal in de drie maanden naar het Antoni van Leeuwenhoek Ziekenhuis moet voor controle ben ik ook geen held. Altijd weer gespannen. Als ze een foto maken en de dokter zegt tegen een collega: "Zeg, kom eens even kijken", dan sterf ik duizend doden. Tot nu toe is het allemaal goed, godzijdank.'

Kunt u met die hand alweer pianospelen?

'Dat weet ik niet, want ik speel helemaal niet meer. Na ons laatste concert voor Slachtofferhulp in 2002 ben ik rigoureus gestopt. Ik heb de piano zelfs niet meer laten stemmen, nooit meer een noot gespeeld. Zo ben ik nu eenmaal. Vroeger was dat ook zo. Op de middelbare school had ik mijn eigen dixielandorkest waarmee ik soms drie keer per week optrad tussen elf en drie uur 's nachts. Ongelooflijk dat mijn ouders dat goed vonden. Ik deed ook mee aan Avro's Jazzcompetitie in de Haagse dierentuin. Daar werden wij nog derde, best goed eigenlijk! Maar in het eindexamenjaar ging dat allemaal niet meer. Ik dreigde te zakken en de boodschap was: Pieter kan maar beter van het gymnasium overstappen naar de hbs. Daar voelde ik niets voor. Straks wordt het nog mulo, dacht ik. Toen ben ik óók al rigoureus gestopt met pianospelen. Ik heb me helemaal op de studie gegooid, met bijlessen in alle vakken, tot gymnastiek aan toe bij wijze van spreken. En toen ging het nog bijna mis omdat ik een hersenschudding opliep bij een scooterongeluk, maar desondanks heb ik examen gedaan en ben ik geslaagd.

Pas heel veel jaren later, toen ik met Pim Jacobs en Louis van Dijk concerten ging geven voor Slachtofferhulp, heb ik het pianospelen weer opgepakt. Toen die concerten na vijftien jaar ophielden – na- dat we wel twee miljoen euro bij elkaar hadden gespeeld – heb ik weer zo'n abrupt einde gemaakt aan mijn pianospelen. Als je niet echt meer oefent, als je niet meer het mes in jezelf zet, kan je ei- gen spel je snel gaan irriteren. Pianospelen zonder uitdaging in het vooruitzicht heeft mij nooit aangesproken.

Of en wanneer ik weer zal beginnen? Ik mis de concerten en ik mis de contacten met Louis en zijn dochter Selma enorm. Op dit moment buig ik me over de opzet van een nieuw programma, maar ik weet niet of het er nog van komt. Vroeger waren wij zeer onbe- vangen. Pim had mij in april 1988 gevraagd voor een concert in het Circustheater in december van dat jaar. Natuurlijk zei ik direct ja. Waarom niet, het was nog zo ver weg. In november belde ik Pim om te vragen wat eigenlijk precies de bedoeling was. Toen bleek er een concert geboekt te zijn van 75 minuten voor drie vleugels! Be- spottelijk natuurlijk, want ik kon vijf nummers met Louis spelen en twee met Pim. Daar vul je geen 75 minuten mee. Pim zei toen tegen mij: "Jij houdt toch van Gershwin? Wij kennen al zijn num- mers, dus maak een leuk verhaal over hem, oefen enige nummers en laat ons weten welke je hebt uitgekozen."

Repeteren lukte niet meer vanwege agendaproblemen, de vleu- gels kwamen die ochtend te laat en moesten ook nog worden ge- stemd. We zijn toen onvoorbereid gestart voor een uitverkocht Cir- custheater. Het concert liep volledig uit de hand. We hebben wel verschrikkelijk gelachen. Ik dacht: dat is eens en nooit meer. Maar het werd de start van de "Gevleugelde Vrienden". Zo zou ik nu niet meer durven te beginnen.'

Schreef u uw teksten uit?

'Ja, alle teksten maakte ik zelf en ik schreef ze uit om precies te weten hoe lang iets duurde. Bij iedere wandeling met de hond in het bos werd er – tot haar verdriet – hardop geoefend. Alleen als je de tekst hardop uitspreekt ontdek je of hij deugt of niet. Die concer- ten waren lange tijd de enige bron van inkomsten voor het Fonds Slachtofferhulp. Het werd toen gezien als een politieke gril, die wel voorbij zou gaan. Nu is het gelukkig een begrip geworden.'

In februari 2005 is de Onderzoeksraad voor Veiligheid geïnstalleerd, een uitbreiding van uw vroegere Raad voor de Transportveiligheid. U bent weer voorzitter. Wat zijn uw nieuwe werkterreinen?

'Er zijn vijf nieuwe terreinen bij gekomen: defensie, gezondheidszorg van mens en dier, natuur en milieu, industrie en handel én het hele terrein van de crisisbeheersing. Best omvangrijk dus. En heel belangrijk omdat hiermee na tweeëntwintig jaar van strijd het onafhankelijk onderzoek een structurele plaats heeft gekregen in onze samenleving. Dat beschouw ik als grote winst. Maar helaas hebben we maar een gering extra budget gekregen: ongeveer de helft van het bedrag dat wij aan de transportsectoren kunnen besteden. Er moet dus nog een stevig debat worden gevoerd – met minister Remkes van Binnenlandse Zaken en met de Tweede Kamer – over wat je van onafhankelijk onderzoek moet en mag verwachten.

De Raad wordt geacht structurele veiligheidstekorten in de samenleving op te sporen, maar als het gaat om het aanpakken van die veiligheidstekorten, vindt men het veelal te duur. Zo is het ook met die steeds terugkerende treinongelukken, die kunnen ontstaan omdat treinen door rood licht rijden. Het heeft bijna twaalf jaar geduurd voordat men bereid was om maatregelen te treffen. Je ziet in de praktijk dat de onderwerpen veiligheid en economie elkaar slecht liggen. Het is bovendien vaak onduidelijk hoe de balans ligt tussen de verantwoordelijk van de overheid en die van een ondernemer. Daar moet een maatschappelijk debat over plaatsvinden, zegt ook de heer Oosting – voorzitter van de Commissie onderzoek vuurwerkramp Enschede. Als Raad zullen we zeker de schouders gaan zetten onder zo'n debat.'

Zou het onderzoek naar vrouwenmishandeling (zo'n 60.000 geregistreerde gevallen per jaar) en kindermishandeling (vijftig tot tachtig doden per jaar) geen nieuwe taak zijn voor u?

'Dat zou heel goed kunnen. Inmiddels hebben wij ook kennis genomen van de zaak rond de gedode peuter Savanna. Wij willen ons niet mengen in de strafzaak – daar gaan we niet over – maar wij kunnen wel onderzoeken of hier sprake is van een structureel veiligheidstekort in de samenleving. Stuurt u mij maar gegevens over de vrouwenmishandeling, dan zullen wij die goed bestuderen. Wellicht vinden wij dan ook het antwoord waarom nu juist feministes blijf-van-mijn-lijfhuizen voor vrouwen hebben opgezet, terwijl die mannen thuis mochten blijven zitten'

Maart 2006

EINDSCORE: +3

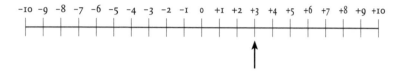

Commentaar

Prinses Annette van Oranje-Nassau, van Vollenhoven-Sekrève (1972), schoondochter Pieter van Vollenhoven

De reacties:
Mijn schoonvader zwijgt in alle talen over het interview. Waarschijnlijk uit angst dat anders zijn schoondochters wel eens de tekst zouden kunnen gaan becommentariëren.

Een aantal mensen liet mij weten zeer verbaasd te zijn over de +3 die hij had gekregen. Men had verwacht dat hij onder de nul zou scoren.

Het fameuze cijfer (+3):
Hij is de 3 wel gewend van vroeger. Mopperen doet hij noooooit!?! En opscheppen over een 3: daar komt híj zelfs niet mee weg.

Zelf vond ik het cijfer aan de lage kant, want iedereen die mijn schoonvader goed kent, weet dat hij een feminist in hart en nieren is.

Eigen mening:
Vooral de woorden 'ik ben zelf geen ster in het huishouden, ik kan niet koken' vond ik zeer herkenbaar. Maar over de uitspraak 'een ei bakken lukt nog wel' heb ik zo mijn twijfels.

In het interview vertelt hij als opa pas in beeld te komen als de kinderen, drie, vier jaar zijn. Dat komt heel goed uit, paps: kun je volgende week op Isabella en Sam passen?

'Ik haat bange mensen'
Peter R(udolf) de Vries

De snor is eraf, na vijfentwintig jaar. 'Wel een beslissing, maar het werd tijd volgens mijn kinderen; zonder snor vinden ze me moderner.' Een eigen politieke partij? Hij denkt er ernstig over na. 'Maar dan minstens twintig Kamerzetels, anders blijft het rommelen in de marge.' Zijn vriendschap met een van de Heineken-ontvoerders – Cor van Hout – was apart, maar zoiets kan gebeuren: 'Wij waren echte vrienden, heel close.' Zijn werk heeft zich vooral verplaatst naar de onopgeloste moorden. 'Gaandeweg kom je tot de ontdekking dat daar je kracht en drive veel meer liggen dan bij het portretteren van de zoveelste drugsbende.'*
Misdaadverslaggever Peter R(udolf) de Vries (1956)

Als hij ergens een hekel aan heeft, is het aan bange mensen. Vooral aan bange ouders die hun kinderen opvoeden met allerlei beperkingen en angsten. Mensen die hun leven laten bepalen door de vrees dat ze het slachtoffer zullen worden van criminaliteit. 'Een mens lijdt vaak het meest, door het lijden dat hij vreest,' is een gezegde dat hij graag en met instemming citeert. Want hoe groot is de kans nou helemaal dat je wordt beroofd of vermoord? Vele malen kleiner dan de kans dat je een ongeluk krijgt. En hij kan erover oordelen, want hij houdt zich al zo'n vijfentwintig jaar bezig met misdaadverslaggeving en opsporing.

'Als je je leven zo laat beïnvloeden door angst, kun je beter helemaal je bed niet meer uitkomen, dat is pas echt veilig. Op vakantie ontmoette ik een vrouw uit Utrecht die zei dat ze nooit meer in haar eigen buurt sportte, omdat ze in de Uithof woont, de omgeving waar de serieverkrachter actief was. Toen dacht ik: mens, wat doe je jezelf aan.'

Vind je dat zo vreemd?

'Ja, heel vreemd. Echt belachelijk. Het is al heel lang stil daar. Zo laat je je leven regeren door een irreële angst.'

Als jouw vrouw daar zou willen sporten, zou je dan zeggen: 'Meid, doe dat vooral?'

'Absoluut.'

En wat zei je tegen je kinderen toen die kleiner waren? Niet met vreemde mannen meegaan?

'Nooit iets over gezegd. Als iemand uit ervaring weet dat het juist niet de vreemde mannen zijn die akelige dingen met kinderen doen, ben ik het. Het zijn meestal de mannen uit de eigen straat, van de sportclub, de school. Mensen die ze kennen, in ieder geval van gezicht. Mensen die gewoon in het straatbeeld thuishoren. En daar kun je toch niet tegen waarschuwen? Op het moment dat de buurman een normale vraag stelt, moet een kind daar toch normaal op antwoorden? Kijk eens naar die Fourniret: een gewonere man kun je je toch niet voorstellen? Inderdaad: alsof-ie alleen maar is geïnteresseerd in z'n konijntjes. Je kunt kinderen nooit zo instrueren dat ze adequaat reageren in zo'n situatie. Ze kunnen de afweging niet maken: is dit een normaal verzoek of zit hier een luchtje aan? Op het moment dat je kinderen dus gaat opzadelen met zo'n onmogelijke boodschap, doe je ze meer kwaad dan goed.'

Moet je ze dan maar helemaal ongewaarschuwd laten leven?

'Ja, vind ik wel. De kans dat hun iets vreselijks overkomt, is gewoon te verwaarlozen.'

Dat zeggen de ouders van vermoorde kinderen je niet na.

'Ík weet beter dan wie ook wat het betekent voor ouders, maar ik weet ook dat het geen zin heeft je kinderen heel rigide te waarschuwen. Kinderen zijn nooit een partij voor volwassenen. Op het moment dat die geraffineerd, met veel overwicht en misschien zelfs met de vuist op tafel dingen verlangen, is een kind kansloos. En hoe reageert een kind als iemand zegt: "Ik ben gebeld door je vader of moeder, je moet naar het ziekenhuis want daar ligt je oma?" Daar trappen ze toch allemaal in? Het is een grote illusie te denken dat je je kinderen daartegen zou kunnen wapenen.'

Hoe voed jij je kinderen op?

'Tot zelfredzaamheid. Niet bangmakend. Ze moeten de dingen zelf ondervinden. Soms is de grens natuurlijk moeilijk. Dan zou je willen zeggen: gewoon zo doen omdat ik het zeg, omdat je anders je fikken brandt aan de kachel of door het ijs zakt. Maar ik weet nog van mezelf hoe ik me verzette tegen alles wat me werd opgelegd. Juist omdat het me werd opgelegd. Overigens: in alle onbescheidenheid kan ik zeggen dat er weinig vaders zijn die zo veel met hun kinderen doen als ik. Ik ben net terug van twaalf dagen bergbeklimmen in Italië met mijn zoon. Mijn dochter was met haar moeder naar New York. Ik doe met mijn zoon veel sportdingen: naar Ajax, voetballen. Ik ben vijf jaar coach van zijn voetbalelftal geweest. Met mijn dochter heb ik een heel ander contact, meer geestelijk zeg maar, wij praten meer. Zij gaat nu naar de eindexamenklas van het gymnasium. Daarna wil ze gaan studeren: psychiatrie of psychologie. Ze heeft veel van mij weg: net zo rebels, niet bepaald volgzaam. In de klas noemen ze haar wel eens Kelly R. de Vries. Vindt ze niet leuk. Ze laat zich niet voorstaan op haar vader, ze wil liever op haar eigen verdiensten worden beoordeeld.'

Nog even over jouw manier van opvoeden: liet jij je kinderen dan maar hun vingers branden of door het ijs zakken?

'Nou ja, liever niet natuurlijk. Maar om een heel simpel voorbeeld te noemen: mijn zoon gaat vaak te koud gekleed naar buiten. Mijn vrouw moppert dan steeds: doe een jas aan. Ik zeg: laat 'm maar in z'n T-shirt naar buiten gaan, dan voelt-ie zelf wel dat het koud is en dan trekt hij wel een jas aan. Ik voed m'n kinderen het liefst proefondervindelijk op, zodat ze leren eigen beslissingen te nemen, zelf een oordeel te vellen. Zo ontwikkelen ze een grote mate van zelfredzaamheid. Ik vind dat mensen over het algemeen hun kinderen heel angstig opvoeden, wat ertoe leidt dat ze niet weten wat ze moeten doen als zich een probleem voordoet. Ze zijn altijd beschermd, ze mochten niks, altijd vader of moeder erbij, nooit te dicht bij de slootkant. Daar gruwel ik van. Daar maak je angstige kinderen mee, die als schichten door het leven gaan, die de weg niet durven te wijzen aan iemand die daarom vraagt. Liever een kind dat eens in de sloot belandt, dan een die nog nooit over een sloot heeft durven springen.'

316

Over angst gesproken: jij bent nogal eens bedreigd. Wat doet je dat?
'Niet veel. Zolang het van die vage bedreigingen zijn als: je moet oppassen want... Wat moet ik daarmee? Ik heb wel meegemaakt dat er opeens politie in kogelvrije vesten om m'n huis heen stond, want er waren aanwijzingen dat... Maar niemand vertelde me waarom het ging en bovendien waren ze binnen 48 uur allemaal weer verdwenen. Wat koop ik daar dan voor? Ze doen zoiets alleen maar om safe te zijn, hun eigen geweten te sussen, zodat ze achteraf kunnen zeggen: wij waren alert, we hebben hem bescherming geboden. Maar zolang niemand mij kan – of wil – vertellen uit welke hoek het gevaar komt, kan ik er niks mee. Ik leef niet gevaarlijker dan een ander. Kijk nou eens naar Harmen Roeland. Een man die nooit een vlieg kwaad heeft gedaan, die nu toch een oog kwijtraakt door een opgefokte gek. Zolang mijn vrouw en kinderen zeggen dat ik gewoon moet doorgaan, doe ik dat. Ik zou pas overwegen te stoppen als zij uit zichzelf zouden vragen: Pappa, houd er alsjeblieft mee op.'

Je hebt net weer een contract voor twee jaar gesloten met SBS voor je programma Peter R. de Vries, misdaadverslaggever. Wat zit eraan te komen?
'Ik ben op het ogenblik wel met zo'n twintig zaken bezig waarvan het nog onduidelijk is wat het wordt en of het tot een uitzending leidt. In ieder geval gaan we door met de zaak van de vermiste Filippijnse Bebe, vrouw van een arts uit het Brabantse Nuenen. Die vrouw is al twee jaar vermist. De man zegt dat ze terug is naar de Filippijnen, maar daar is ze nooit gezien. De man en het zoontje zijn inmiddels verhuisd naar Oslo. Elk weldenkend mens voelt aan z'n water dat die vrouw vermoord is en dat die man daar meer van weet. Maar ja, er is nergens een lijk gevonden, en dan maak je hem niks. Verder zijn er natuurlijk nog de onopgeloste moorden op Marianne Vaatstra en Nicky Verstappen. En de echte moordenaar van stewardess Christel Ambrosius, die vermoord werd in Putten, loopt nog vrij rond nu de twee Puttenaren uiteindelijk onschuldig zijn verklaard. Mijn werk heeft zich verplaatst naar de onopgeloste moorden, vooral die van kinderen. Ik heb een tijd gehad dat ik graag en veel deed aan georganiseerde misdaad, drugsbenden en zo, maar gaandeweg ontdek je toch dat de meeste voldoe-

ning zit in het oplossen van moorden. Je ziet de reddeloosheid van de ouders en andere nabestaanden die aan hun lot worden overgelaten, die tegen een muur lopen of geen gehoor vinden bij justitie. Onderzoeken die worden gesloten omdat men geen mankracht meer heeft, terwijl een team van negentig man drie jaar achter een drugsbaron aan jaagt die uiteindelijk een straf van vier jaar krijgt, waarna hij vrolijk opnieuw begint. Ik ben tot de ontdekking gekomen dat mijn kracht en drive meer liggen bij onopgeloste moorden.'

Nu je dat zo zegt: wat deed Mabel Wisse Smit dan in jouw programma? Geen moordenares, alleen maar een liegend meisje.

'Toen de eerste berichten over haar en Bruinsma in de krant verschenen en zij zei dat ze nooit iets van zijn criminele activiteiten had gemerkt, wist ik dat zij loog. Ik heb Bruinsma in die tijd zelf een aantal keren ontmoet. De misdaad walmde van hem af: snelle auto's, gewapende bodyguards, veel contant geld, een permanente suite in het Amstel Hotel en geen baan of eigen bedrijf. Het is onmogelijk dat Mabel hier niks van gemerkt heeft; dan moet ze wel blind zijn geweest. De vraag was: moest ik er als misdaadverslaggever iets mee? Ik vond van wel. Als een lid van het Koninklijk Huis er criminele contacten op na heeft gehouden en daarover met verve liegt, is dat een reportage waard. Als we niet meer van de oprechtheid van een "reservekoningin" kunnen uitgaan, waarvan dan nog wel? Mabel had gewoon vanaf het begin open kaart moeten spelen. Dat heeft ze niet gedaan. Sterker nog: later bleek dat zij en Friso er weloverwogen voor hebben gekozen de koningin en de premier op dit punt voor te liegen. Zo roep je over jezelf af dat er navraag naar je verleden wordt gedaan. Als je tot het Koninklijk Huis wilt behoren, waarvan het hoofd in troonredes en kersttoespraken erg tamboereert op normen, waarden en de verloedering van de maatschappij, dan heb je de waarheid te vertellen over zo'n jeugdzonde.'

Over contacten met criminelen gesproken: jij was een intieme vriend van Heineken-ontvoerder Cor van Hout. Dat vinden veel mensen niet kunnen.

'Ik heb nooit geheimzinnig gedaan over mijn vriendschap met Cor. Expres niet. Ik heb er altijd openlijk over gesproken. Hij was mijn beste vriend, kan ik wel zeggen. We waren echt close. Ik weet dat zoiets apart is, maar soms gaan dingen zo in het leven. Dat is chemie, dat is herkenning. Wij hebben elkaar ontmoet toen we allebei zevenentwintig jaar waren. Een paar jaar later heb ik zijn biografie geschreven; daarvoor heb ik een maand lang met hem in een Frans hotel gezeten. In de loop van de tijd zijn we bevriend geraakt. Na de publicatie van het boek kwam hij nog weleens in mijn stukken voor, maar ik was toen wel terughoudender. Overigens heeft onze vriendschap mij niet belet een van de andere Heineken-ontvoerders, Frans Meijer, op te sporen. Daardoor zijn Cor en ik tweeënhalf jaar gebrouilleerd geweest. Maar ik ben inderdaad minder over hem gaan schrijven. Dat mag toch? Ik hoef toch niet over elke misdadiger te schrijven of een programma te maken? Ik mag kiezen, laten liggen wie ik wil. Ik ben er altijd eerlijk over geweest. De mensen zouden pas een punt hebben als ik die vriendschap verzwegen had.'

Wat trok je in hem aan?

'We hadden veel gemeen: beiden Amsterdammers, beiden gek op sport, voetballen, hardlopen en op Ajax, we waren even oud, allebei getrouwd. Als je een maand heel intensief met iemand optrekt, leer je elkaar natuurlijk goed kennen. Hij heeft mij alle geheimen over de Heineken-zaak verteld, wat hij nog nooit eerder had gedaan, zelfs niet tijdens de rechtszaak. Dan ga je dingen uitwisselen, hij vroeg mij ook naar mijn ideeën en mijn leven. In eerste instantie was het misschien strategie om ook iets over mezelf te vertellen, om de ander los te maken. Maar die strategie veranderde in vriendschap. Met hem sprak ik over geluk, leven en dood, m'n gezin, m'n huwelijksleven, m'n jeugd, noem maar op. Niet dat we elkaar voortdurend zagen, maar als we elkaar ontmoetten, was het gelijk goed. Hij kwam niet vaak bij me thuis, Cor was geen man om bij de open haard te gaan zitten. We spraken meestal buitenshuis af, gingen samen eten, naar Ajax of een andere voetbalwedstrijd. Nu hij dood is, zien we zijn vrouw en kinderen nog regelmatig. Mijn zoontje gaat met zijn zoon naar het voetballen. Natuurlijk doen we dat; hij was toch mijn beste vriend?'

Hoe keek je tegen zijn criminele daden aan, de ontvoering van Heineken bijvoorbeeld? Had je die niet steeds in je achterhoofd?

'Ík weet als geen ander wat hij heeft gedaan. Dat neem je mee in je vriendschap, maar tegelijkertijd: hoe vaak weet je zó veel van een vriend? Meestal weten mensen toch helemaal niet hoe hun vrienden in elkaar zitten en wat ze gedaan hebben. En wat moet je met al die zogenaamd keurige mensen die in het geheim klootzakken zijn? Cor was tenminste eerlijk. Hij zei: "Ik ben een boef." Dat was-ie en dat bleef-ie. Ik heb vaak genoeg gezegd: "Kap ermee, je kunt je het toch permitteren?" Waar een mens in z'n leven terechtkomt, heeft veel, zo niet alles, te maken met de plaats waar z'n wieg stond en met de verdere situatie in z'n leven. Cor woonde als kind in de Amsterdamse Staatsliedenbuurt, waar niemand een bordje op de deur heeft omdat dat alleen maar een hulpmiddel is voor deurwaarders. Als daar de politie aan de deur kwam, kwamen de buren na afloop langs en vroegen: "Wat moesten die teringlijers hier?" Als ik als veertienjarige iets had uitgespookt en de politie kwam langs, dan schaamden mijn ouders zich de ogen uit hun hoofd: wat moesten de buren daar wel van denken? Cors vader en broers hadden het politiebureau ook weleens vanbinnen gezien. Ik ben niet beter of slechter dan veel mensen die in de gevangenis zitten. Alleen mijn situatie is beter. Ik kom niet in de verleiding ergens 25.000 euro te verduisteren, want dat heb ik niet nodig.'

Iets heel anders: je snor is eraf.

'Twee maanden geleden. Een hele beslissing na vijfentwintig jaar. M'n kinderen vinden me nu moderner, volgens hen is een snor niet meer van deze tijd. Als je onbekend bent, neem je zo'n beslissing veel makkelijker. Dan heb je alleen maar verantwoording af te leggen aan je familie en je buren. Nu heeft iedereen het erover en daarbij is het ook nog zo dat al het fotomateriaal dat van mij bestaat moet worden herzien, alle publiciteitsuitingen moeten opnieuw worden gemaakt. Dus het is wel even iets waar je bij stilstaat: doe ik het wel of doe ik het niet?'

Je overweegt een nieuwe carrièrestap: de politiek in met een eigen partij.

'Daar denk ik inderdaad over na en ik praat er ook met allerlei verstandige mensen over, maar de beslissing is nog niet genomen. Je hebt gelijk: als ik zou willen meedoen aan de verkiezingen van 2006 moet ik in 2005 beslissen wat ik doe. Mijn contract bij SBS loopt in mei 2006 af, dus dat bijt elkaar niet. Alleen de laatste periode zou ik dan twee dingen tegelijk moeten doen. Maar nogmaals: ik weet het nog niet. Mijn partij zou zeker twintig zetels moeten winnen, anders blijft het gerommel in de marge. Dan ben je geen factor die gewicht in de schaal kan leggen. En dat is absoluut mijn intentie: ik wil ertoe doen, in mijn werk van nu en dus ook in de politiek. Nee, ik houd niet van de politiek. Erger nog: ik heb er een afkeer van, althans van de manier waarop het nu gebeurt. Ik heb de afgelopen vijfentwintig jaar dan ook nooit gestemd. Belangrijke speerpunten van mijn partij zouden natuurlijk de veiligheid en de bestrijding van de criminaliteit zijn. En de legalisering van drugs. Om te beginnen softdrugs, maar later ook harddrugs. Het is toch grote onzin en schijnheiligheid dat mensen zich te pletter mogen zuipen en zich de kanker mogen roken, maar geen stickie mogen opsteken. Er zit natuurlijk geen accijns op drugs, dus de overheid verdient er niks aan, terwijl de staat aan roken en alcohol drinken miljarden overhoudt. Maar de maatschappelijke schade door alcoholgebruik en roken is vele, vele malen groter dan die van drugsgebruik. De legalisering van drugs is voor mij behalve een ideologische ook een pragmatische zaak. Ideologisch omdat ik vind dat het hier om ieders zelfbeschikkingsrecht gaat. En pragmatisch omdat we dan eindelijk eens kunnen ophouden met het achterna jagen van drugsdealers en gebruikers die misdrijven plegen om hun verslaving te kunnen betalen. Dan komt er mankracht vrij voor het oplossen van inbraken, overvallen en andere geweldsmisdrijven. En ruimte in de gevangenissen, die nu voor meer dan de helft vol zitten met mensen die drugsgerelateerde misdaden hebben gepleegd. Elke dag gaan er weer palen de grond in voor nieuwe gevangenissen. Ik voorspel je: die krijgen we ook weer moeiteloos vol met al die gebruikers en dealers. Ten overvloede: ik preek niet voor eigen parochie. Ik gebruik geen drugs, ik rook zelfs niet.'

Ten slotte: hoe zit het met vrouwen en misdaad?

'Vrouwen zijn veel minder betrokken bij fysieke misdaad. Bij gewaagde inbraken, gewapende bankovervallen en geweldsmisdrijven zie je vrijwel geen vrouwen. Waar ik ze meer tegenkom is bij beraamde moorden, bij een crime passionnel of bij seriemoorden zoals in het geval van Lucy de B. die in ziekenhuizen of bejaardenhuizen mensen doodde. Het valt me op dat vrouwen behoorlijk geraffineerd en hard kunnen zijn, echt gemeen. Ik herinner me een aantal huurmoorden in het verleden, waarbij de vrouw haar eigen man liet opruimen. Dat waren vaak bikkelharde affaires, waarbij de vrouw, liggend in het echtelijk bed, haar eigen man liet doodschieten. Ze lag gewoon naast hem terwijl hij door z'n hoofd werd geschoten. Heel bloederig allemaal. Nee, vrouwen zijn echt geen lieverdjes.'

Maar er zijn gelukkig ook leuke vrouwen.

'Ík vind vrouwen sneller leuk dan mannen. Ik kan goed met hen opschieten, ook in mijn werk. Ze hebben een vrij zuivere redeneertrant die mij erg aanstaat. Mannen denken veel meer: hoe kom ik over, kan dat eventueel tegen me gebruikt worden, ben ik nog wel stoer als ik dat doe? Mannen zijn vooral bezig met hun ego.'

September 2004

EINDSCORE: +5

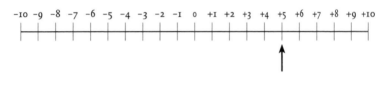

Commentaar

Jacqueline de Vries (1959)

De reacties:
Peter is niet de man die ergens snel spijt van heeft, hij begreep alleen niet hoe dat cijfer tot stand was gekomen. In het interview ging het niet over hoe geëmancipeerd hij is, maar meer over zijn standpunten. Die kwamen heel goed over. Dat was overduidelijk Peter.

Aangesproken word ik regelmatig, niet alleen met dit interview. Mensen zijn heel erg bang en denken dat wij dat ook zijn. Vervolgens staan ze er van te kijken dat wij nogal nuchter zijn.

Het fameuze cijfer (+5):
Voor hem was het een onvoldoende. Later begreep hij dat die +5 helemaal niet zo slecht was, desondanks bleef het een onvoldoende voor hem. Maar dat is de ijdele kant van Peter. Hij wil hoog scoren. Met alles, sporten, spelletjes of wat dan ook: hij wil er altijd als beste uit komen.

Peter is geen geëmancipeerde man in de zin dat-ie het koken overneemt en de bedden gaat verschonen. Hij is gewoon een echte kerel, maar dat is juist leuk aan hem. Het is prima zoals hij in elkaar zit. Voor mij hoeft hij niet anders te zijn. Het maakt me ook niet uit welk cijfer hij van wie dan ook krijgt. Ik ben 25 jaar met hem getrouwd en met een vijf was ik natuurlijk nooit zo lang tevreden geweest. Voor mij is hij echt een heel dikke 9.

Eigen mening:
Het was geen open, vriendelijk interview, maar meer van 'moest dat nou met die Mabel Wisse Smit', 'ben je wel bezorgd om je kinderen?', 'houd je wel genoeg van ze?' of 'ben je wel een goede vader?'. Alsof hij zich moet verantwoorden. Die toon zie je vaak in interviews met Peter. Het is een heel integere vent en ik vind het jammer dat hij zo vaak wordt aangevallen. Nooit zal er gevraagd worden naar zijn drijfveren, naar zijn passies. Zo ook in dit interview: het zijn allemaal vragen waar keurig een antwoord op wordt gegeven, maar 'het waarom' zit er niet in. Dat is absoluut een gemiste kans.

'Ik zou best de eerste VVD-premier van Nederland willen zijn'
Hans Wiegel

Het paarse kabinet struikelt van het ene incident naar het andere: 'Het is zeer de vraag of het de rit uitzit.' In de Tweede Kamer komt hij nooit meer: 'Die vreselijke zaal met die afschuwelijke blauwe stoelen, het lijkt wel een land waar de democratie net is ingevoerd.' Hij is een optimist: 'We hebben thuis een zwaar jaar achter de rug, maar ik houd me vast aan elk lichtpuntje.' Na de dood van z'n eerste vrouw trouwde hij met haar zuster. 'Ik was altijd al erg op haar gesteld, maar werd pas later verliefd.'
Hans Wiegel (1941), voorzitter Zorgverzekeraars Nederland en VVD-Eerste-Kamerlid

Lang heeft hij gedacht nog eens terug te keren naar Den Haag, naar de landelijke politiek. In 1993 leek het zover: hij dacht politiek leider van de VVD te worden bij de verkiezingen die in aantocht waren. Hij had er zin in, maar het pakte anders uit. Bolkestein zette hem de voet dwars, die wilde politiek leider blijven. Dus werd Wiegel voorzitter van de verzamelde ziektekostenverzekeraars in Zeist. En later lid van de Eerste Kamer, toch een beetje terug naar Den Haag.

Het einde van een opmerkelijke politieke carrière, die leidde van het voorzitterschap van de VVD-jongeren, via het Kamerlidmaatschap, op zesentwintigjarige leeftijd, tot het minister- en vice-premierschap in het eerste kabinet-Van Agt. Daarna werd hij commissaris van de koningin in Friesland, maar dat had hij na twaalf jaar wel gezien, dus Den Haag lonkte weer.

En nu, nooit meer Den Haag?

'Ik ben een man van tradities, ik had de carrière van Oud graag willen volgen: die werd op z'n dertigste Kamerlid, daarna fractievoorzitter, daarna minister van Financiën en vice-minister-president, toen burgemeester van Rotterdam en na de oorlog kwam hij terug als fractievoorzitter. Dat leek mij ook mooi. Mijn loopbaan lijkt in alles op die van Oud: jong begonnen, veel verschillende politieke functies gehad, daarna een tijd in het openbaar bestuur en dan weer terug naar de politiek. Dat heeft niet zo mogen zijn. Als ze in de partij van tevoren duidelijk gezegd hadden dat ze bij de verkiezingen van 1994 Bolkestein als leider wilden, had ik dat prima gevonden, dan was ik rustig in Friesland gebleven. Maar ze waren er heel onduidelijk over en hebben het achter de schermen met Bolkestein geregeld. Dat vond ik allemaal niet chic. Daar heb ik thuis natuurlijk wel even heftig verslag over gedaan, maar snel daarna dacht ik: ze bekijken het allemaal maar. Ik zit nu in de Eerste Kamer, een dag per week, heel leuk. Iets anders wil ik nu niet meer, ik wil geen functie meer die ik al eens gehad heb.'

Dan blijft er maar één ding over: minister-president in een nieuw kabinet.

'Dat lijkt mij wel leuk, ik zeg dat hier thuis ook wel eens grappenderwijs tegen mijn vrouw.'

Grapjes hebben vaak een serieuze achtergrond. Stel dat het kabinet valt, dat is niet zo'n gekke gedachte na al die problemen van de laatste maanden, er komen verkiezingen, de VVD wordt de grootste partij en levert de premier. U wordt gebeld…

'Je vraagt je inderdaad af hoe lang Paars II er nog zit. Elke week is er wel iets, ze stuntelen van het ene incident naar het andere. Kok heeft ze voor de vakantie bij zich geroepen voor een goed gesprek, dus misschien gaat het nu beter. Maar stel: het kabinet valt en de VVD wordt bij nieuwe verkiezingen de grootste partij, dan is het nog niet zeker dat de partij weer in de regering komt, ze zou best eens in de oppositie kunnen gaan. Maar als ze bellen, zou ik er zeker heel serieus over nadenken. Het zou wel mooi zijn natuurlijk: de eerste VVD-minister-president van Nederland, ik geloof dat ik dat wel zou willen.'

Ligt u eigenlijk nog wel goed in de VVD, bent u inmiddels niet die man in het krijtstreeppak uit het verleden?

'In het land, bij de kiezers, lig ik denk ik nog wel goed. Maar in de Tweede Kamer zit een stelletje fractieleden, zeg maar de generatie van de veertigers, die mij niet meer hebben meegemaakt, die niets van mij moeten hebben. De jongeren daarentegen zijn zeer op mij gesteld. Dat heb ik gemerkt toen ik in het voorjaar tot erevoorzitter van de JOVD werd benoemd. Juist van de jongeren heb ik ook veel waardering gehad in het hele gedoe over het referendum. Die vonden het prima dat ik op mijn standpunt ben blijven staan. Nee, dat zit wel snor. En wat dat nette pak betreft: kijk eens om je heen, niet alleen bij de JOVD, maar bij de jeugd in het algemeen: die zit weer keurig in het pak. Dat zie ik ook als we in Groningen met onze twee studerende kinderen in een studentencafé zitten: veel jongelui in keurige pakken.'

Wat is dat toch tussen Bolkestein en u, altijd kwaaie koppen, altijd vileine opmerkingen over en weer.

'Ik weet het niet, we zien elkaar praktisch nooit, dus echt botsen doen we niet. Nou ja, we zijn in ieder geval geen vrienden, dat is duidelijk. Het zal wel een kwestie van karakter zijn. We zitten op een heel andere golflengte, ik ben meer de man van het volk, denk ik. Ik vind het fijn voor hem dat hij nu commissaris in Brussel wordt...'

Ja, dan is hij lekker weg uit Nederland, krijgt u meer ruimte.

'Zeg, zullen we het een beetje aardig houden? Hij wil dat graag, hij krijgt de kans om zijn ambitie waar te maken en dat is hartstikke mooi. Hij kan een boel, hij weet veel en zal zich zeer inzetten.'

U was natuurlijk ook wel altijd de luis in zijn pels. Was er iets gebeurd in Den Haag, kwam er weer een reactie uit het hoge noorden, de goeroe uit Leeuwarden sprak.

'Ja, misschien heeft hij zich wel eens door mij bedreigd gevoeld of voor de voeten gelopen. In ieder geval was er een spanning tussen ons. Wellicht kwam dat inderdaad doordat ik me nogal eens liet horen, maar als journalisten mij bellen geef ik altijd antwoord, want ik ben een aardige man.'

Maar wel een die de indruk wekte vanuit de verte aan zijn poten te zagen.

'Neeeee, daar ben ik toch gewoon veel te aardig voor, ik ben helemaal geen type met een zaag.'

Komt u nog wel eens op uw oude werkplek, de Tweede Kamer?

'Nee, absoluut nooit meer. Ik vind die zaal vreselijk, zo'n parlementszaal uit een Afrikaans land waar de democratie nog maar net is ingevoerd. Die afschuwelijke blauwe stoelen, die extra benadrukken wanneer het leeg is. Dan zie je die hele zee van lege stoelen. En die foute opstelling van de ministers tegenover de Kamer, die zitten nu niet meer echt tegenover elkaar, maar in een rare schuine hoek. De vorige Kamer was te klein, die dateerde nog uit de tijd dat er maar honderd leden waren. Toen in 1956 het aantal Kamerleden werd uitgebreid tot 150 moest je met z'n tweeën op een bankje zitten.

Maar een te kleine zaal is goed, dan ziet het er bij belangrijke debatten echt bomvol uit, dan krijg je vanzelf die roofdierenlucht die er hoort te hangen. De geur van een steekspel, een gevecht. Dat zie je heel goed in het Engelse Lagerhuis. Elke vakantie in Engeland ga ik daar even heen, om de geur van het echte politieke debat nog eens op te snuiven. Zo gek als in de Russische Doema of het Italiaanse parlement, waar ze elkaar met flesjes limonade of stoelen bekogelen, hoeft van mij niet, maar de saaiheid in Nederland is toch wel heel erg. Ziet u nog wel eens een fel, interessant politiek debat in Nederland? Ik niet. Tenminste niet op de televisie en die zendt toch wel de hoogtepunten uit.

Wat je tegenwoordig in de Kamer wel eens ziet, is dat er geapplaudisseerd wordt als iemand een quasisnedige opmerking heeft gemaakt. Belachelijk. Er moet af en toe een lachsalvo opklinken als er een spontane witz wordt gemaakt, maar meer niet. Nu gaan uw lezeressen natuurlijk zeggen: daar heb je hem met z'n nostalgische praatjes, maar vroeger, in de tijd van Den Uyl, Van Mierlo, Marcus Bakker, Aantjes, Schmelzer en Toxopeus was het veel leuker, veel levendiger. Toen had je echt parlementaire gevechten, daar beleefde ik veel plezier aan.

Of ik mijn grappen vooraf bedacht? Soms wel. Ik kwam tijdens een Kamerdebat eens lelijk in de problemen, Hans van Mierlo had me echt in het nauw gebracht. Ik deed een beroep op premier Biesheuvel om me te helpen, maar die vond het wel mooi dat dat eigenwijze jochie eens een afstraffing kreeg, dus die zei dat ik mezelf maar moest redden. Opeens kwam mij een oude grap die ik al eens tegenover een journalist had gebruikt, in gedachten. Ik zei:

"Mijnheer de voorzitter, het wordt geloof ik tijd dat ik de leiding van mijn fractie aan een jongere overlaat." Ik was 28 toen. Enorm gebulder en het pijnlijke punt was voorbij.

Naar wie ik met plezier kijk? Naar Melkert. Die kan geestig zijn en een vileine grap plaatsen. Maar waar hij heel erg mee moet uitkijken, is dat je aan zijn gezicht kunt zien dat hij zichzelf ook erg geestig vindt. Dat moet niet. De beste grappen zijn die met zelfspot. Een grap ten koste van een ander is eigenlijk geen goeie grap, een grap ten koste van jezelf is veel leuker. Maar dat kunnen niet veel mensen, die vinden zichzelf veel te belangrijk.'

Uw contract bij de zorgverzekeraars loopt over tweeënhalf jaar af, wat dan?

'Dat weet ik niet. Misschien zal ik het nog een paar jaar blijven doen, dat moeten we samen bekijken, misschien komen er tegen die tijd mensen naar me toe die me wat anders aanbieden.'

Zoals? Wat zou u leuk vinden behalve minister-president?

'Burgemeester van Amsterdam, dat zou ik prachtig vinden. Ik ben er geboren in de Geuzenstraat 20 driehoog. Mijn loopbaan voltooien op de Herengracht 570 zou natuurlijk heel mooi zijn. Inderdaad, Amsterdam is een PvdA-stad, maar bij het benoemen van mensen op burgemeestersplaatsen en andere belangrijke posten zou men toch vooral op de kwaliteiten van de bestuurders moeten letten, meer dan op hun politieke kleur. De besten moeten benoemd worden. Maar de PvdA zal wel aan Amsterdam hangen, denk ik, dat is ook wel begrijpelijk, alle partijen hangen aan "hun" gemeenten en het is ook wel goed dat er een beetje evenwicht is. Maar echt nodig is dat politieke getouwtrek natuurlijk niet. Kijk naar Rotterdam: daar is de VVD'er Oud burgemeester geweest, die deed het prima, toen kwamen de socialisten, die hebben de stad net zo goed bestuurd als Oud en nu zit er weer een VVD'er, Opstelten, die het vast ook weer goed zal doen.

Een andere leuke baan: hoofdredacteur van een krant. Toen ik studeerde wilde ik geschiedenisleraar of journalist worden. Bij welke krant? Eh, een goeie krant natuurlijk, *de Volkskrant*. Of de *Leeuwarder Courant*, zou ik ook leuk vinden. Nee, niet de NRC, dat is mij toch een iets te would-be D66-achtige krant, klopt zich ook te veel op de borst als de kwaliteitskrant van Nederland, vind ik niet prettig.'

Ik zie de Volkskrant u nog niet vragen.

'Het zou voor *de Volkskrant* anders fantastisch zijn, hahaha... Ik ben gek op kranten, lees er negen per dag, heb overal een abonnement op. Zelfs *Het Parool* krijg ik hier in Diever 's middags in de bus, samen met de NRC. *Trouw, de Volkskrant, De Telegraaf* krijg ik 's ochtends op de mat. Het *Algemeen Dagblad* en *Het Financieele Dagblad* krijg ik per post en verder nog het *Friesch Dagblad* en de *Leeuwarder Courant*. Ik ben een echte krantenlezer, ik lees alles, niet alleen politiek en financiën, ik ben heel nieuwsgierig, wil alles weten.'

Even terug naar de politiek: de nacht van Wiegel. U zou het tweede paarse kabinet hebben laten vallen. Uit wraak. Om Bolkestein alsnog te treffen. Om nog een keer te vlammen.

'Onzin. Iedereen is het er na het optrekken van de kruitdampen wel over eens dat D66 die val heeft veroorzaakt, niet ik. U citeert trouwens wel erg selectief uit de kranten. Er waren genoeg linkse journalisten, bijvoorbeeld in *Trouw*, die mij geprezen hebben om mijn standvastigheid. D66 heeft gedreigd het kabinet op te blazen als het referendum niet zou worden aangenomen. Nou, dat is inderdaad gebeurd, mede door mijn stem. En toen liet D66 de zaak knallen. U moet trouwens niet vergeten: er waren nog zesentwintig tegenstemmers, ik was echt niet de enige. Maar op een gegeven moment leek het alsof ik de doorslag ging geven.

Het is waar dat ik uiteindelijk de enige VVD'er was die tegen bleef, mijn collega's zag ik, onder druk gezet, omgaan. Toen ik als zesentwintigjarige in de Kamer kwam, had ik al staatsrechtelijke zaken in mijn portefeuille, daar had ik zelf om gevraagd. Staatsrecht is altijd een hartstocht van me geweest. Kijk maar hier naar mijn boekenkast, vrijwel alle uitgaven op dat gebied, ook uit het verre verleden, staan erin. En niet voor de mooie band, maar echt gelezen allemaal. Als minister van Binnenlandse Zaken heb ik me ook al eens met hand en tand verzet toen gepoogd werd het referendum in de grondwet te krijgen. Dat ligt allemaal vast in de Handelingen. Dan ga ik toch niet op hoge leeftijd opeens mijn standpunt van veertig jaar inslikken? Zo zit ik niet in elkaar.'

En dan die handdruk voor Kok. Toen dacht iedereen: dat zit goed, Wiegel gaat voorstemmen, die is om. Kok was daar achteraf ook erg boos over.

'Ja, drie dagen later. Dat heeft mij verbaasd. Als je woedend bent, ontplof je toch ter plekke, niet drie dagen later. Ze hebben hem natuurlijk zitten opjutten: Wim joh, dat moet je niet pikken, grijp die vent. Wat ik met die handdruk wilde zeggen, was dat Kok een goede politieke verdediging van het kabinetsstandpunt had gegeven, chapeau. Daarmee wilde ik hem complimenteren. Niets meer en niets minder. Mijn goede vriend Van Aartsen zei later: ik zag al aan je manier van binnenkomen dat je ging tegenstemmen.

Achteraf had ik misschien moeten beseffen dat die handdruk een verkeerde indruk kon wekken, maar het was echt geen valse opzet. Mensen schrijven mij altijd veel meer strategie en dubbele bodems toe dan ik heb. Een volgende keer zal ik daar wel over nadenken, want natuurlijk leer je van zo'n misverstand.'

Wat is er overigens zo erg aan het referendum dat er een kabinet voor moet vallen? Als het nou om abortus of euthanasie ging.

'Ik lig 's nachts inderdaad niet wakker van het referendum, eerder van euthanasie, daar hebt u gelijk in. Maar voor mij met mijn staatkundige verleden is het een principiële zaak. VVD-leider Geertsema heeft ooit gezegd: het referendum is de bijl aan de wortel van de vertegenwoordigende democratie. Ik ben dat van harte met hem eens. We hebben eens in de vier jaar verkiezingen voor de Tweede Kamer, dat betekent dat we de Kamerleden in beginsel vier jaar het vertrouwen geven dat zij goede wetten maken. Die taak moeten zij niet uit handen geven, terug aan de kiezers via het referendum. Dat is een brevet van onvermogen. Als de kiezers vinden dat de Kamer het niet goed doet, straffen zij dat bij volgende verkiezingen af, dan krijgt deze of gene partij een enorme dreun, dat is heel gezond. Trouwens: welk vraagstuk in Nederland is nu eenvoudigweg met ja of nee op te lossen, zoals het referendum dat wil. Overal zitten meer kanten aan en dat kun je via het referendum nu juist niet duidelijk maken.

Het was potverdorie een enerverende nacht in de Eerste Kamer, daar schrijf ik nog wel eens een verhaal over. Ik heb stapels brieven gekregen, en e-mail. Na mijn vakantie heb ik weer een pak thuis gestuurd gekregen van het partijbureau, dat heeft mijn schoonmoeder vanochtend met veel plezier in de tuin zitten lezen.'

Hoe zit dat trouwens met de partijdiscipline: wordt een Kamerlid niet geacht mee te stemmen met het partijstandpunt over een zaak?

'Als het over belangrijke zaken gaat, moet er naar mijn idee altijd hoofdelijk gestemd worden. Absoluut. Ik heb dat meegemaakt met de abortuswetgeving. Ik was toen fractievoorzitter in de Tweede Kamer. Onze fractie had de nieuwe abortuswet aanvaard, maar in de Eerste Kamer lag het moeilijk bij sommigen, onder anderen bij Haya van Someren. Toen de wet in de Eerste Kamer behandeld zou worden, wilden ze dat ik erheen zou gaan om druk uit te oefenen. Ik zei: ik peins er niet over, dat doe ik niet. Haya kwam naar me toe en zei: Hans, ik heb er de grootste moeite mee, wat vind jij dat ik moet doen. Ik zeg: kind, dat moet je zelf beslissen, ik ga jou niet vertellen wat je moet stemmen. Als het voor jou een gewetenszaak is, moet je naar je geweten stemmen, maar wat je ook stemt, ik zal het je nooit kwalijk nemen. Die zaak is toen verkeerd afgelopen, tenminste, wat heet verkeerd, de wet is afgestemd. Ik geloof niet in druk, niet op mij, maar ook niet door mij.'

U woont sinds kort in Diever, de plaats waar de bevolking jaarlijks Shakespeare opvoert. Ook iets voor u?

'Ik wil me daar volgend seizoen of zo wel eens melden. Eerst wennen. Een bescheiden rolletje, niks Hamlet of Macbeth. Vierde hellebaardier van links op de achterste rij. Zonder bril natuurlijk, want die hadden ze niet in die tijd. Ik heb op de televisie een keer een act gedaan met Anneke Goudsmit van D66, als Romeo en Julia. Hadden ze de tekst met koeienletters op de pilaren geplakt, want Romeo kon natuurlijk geen brilletje op zijn neus hebben. En voor uit het hoofd leren had ik geen tijd gehad. Weet u wat ik ook nog zo graag eens wil? Een rol als butler in een film. Aan mijn vriend Rob Houwer heb ik dat gevraagd en de belofte is er; als hij een film maakt met een butler erin, ben ik dat. Statig in het zwarte pak een glas port binnenbrengen op een dienblad. Of een belangrijke brief. Prachtig.'

Bent u eigenlijk een huishoudelijk type?

'Daar komt de Opzij-vraag. Ik had erop gerekend. Ik ben natuurlijk een heel ouderwetse man, daar kijkt u niet van op. Maar ik heb toch wat te bieden: ik sta elke ochtend heel vroeg op, een uur of zes. Daarom ga ik ook altijd vroeg naar bed. Het is hier thuis een gevleugeld begrip: het is tien uur zeventien, naar bed. Na het opstaan zet ik persoonlijk koffie en thee. Ondertussen ruim ik de afwasmachine uit en dan breng ik mijn vrouw een kopje thee op bed met een koekje erbij. Dan is het meestal een uur of acht en moet ik weg, of naar Zeist of naar Den Haag. Met de auto met chauffeur. Meneer Dijkstra, met mij meegekomen vanuit Friesland. Net als mijn secretaresse, mevrouw Dellepoort. Toen ik naar de zorgverzekeraars ging, was daar noch een secretaresse noch een chauffeur voor de voorzitter. Ik vertelde dat in Friesland en toen vroegen die twee of ze mee mochten. Graag natuurlijk, want ik houd erg van aardige, bevriende mensen om mij heen.

Om een uur of vijf kom ik meestal weer thuis. Dan gaan we fijn een borrel drinken, die schenk ik in, heel ongeëmancipeerd, geen vrouwen aan de flessen bij mij thuis. We rommelen samen wat in de keuken, dekken de tafel en dan gaan we lekker eten met z'n tweetjes, waarbij ik een fles wijn opentrek. Eens kijken, verder zet ik de vuilnisbak buiten, potdubbeltjes, het is allemaal niet gering.

En dan hebben we nog het koken en de boodschappen, daar ben ik gek op. Ik doe altijd in m'n eentje op zaterdag de boodschappen. Het liefst naar de slager voor een mooi stuk vlees, rosbief met een zooltje eronder, want daar kun je hem prachtig op braden. Ossenstaart is ook heerlijk. Ik houd erg van grote stukken vlees braden. Met kerst koken we een zesgangendiner, waarbij ik in ieder geval het vlees of het wild voor mijn rekening neem. Wat eten betreft moet ik erg uitkijken, het is oneerlijk verdeeld in de wereld, mijn vrouw kan alles eten en blijft zo slank als een den, ik word al dik als ik naar een glas water kijk.

Ik ben een erg huiselijke man. Voor mij geen pied-à-terre in Den Haag. Gatverdamme nee, zo'n vreselijk flatje. Ik wil elke avond thuis zijn. Als ik al eens in Den Haag overnacht omdat ik 's ochtends als eerste moet spreken in de Eerste Kamer, neem ik een kamer in hotel Corona. Maar ik vind er niks aan.

Wat mijn vaderschap betreft: dat is streng, maar rechtvaardig.

Welnee, ik zeg maar wat. Ik ben erg aan mijn kinderen gehecht. Wij hebben samen veel meegemaakt en zijn daardoor heel nauw verbonden. We zijn sowieso een erg hecht gezin. Dat de kinderen na de dood van hun moeder zijn uitgegroeid tot evenwichtige mensen, is in heel belangrijke mate te danken aan mijn tweede vrouw.

Die heeft veel zorg, liefde en aandacht aan hen besteed. Maar ik ben ook geen afwezige vader, hoor. Ik heb eigenlijk altijd wel een vrije dag per week gehad en dan ging ik wandelen in de buurt van hun school, tot woede van mijn dochter zwaaide ik dan vrolijk. Doe niet zo gek man, kreeg ik 's avonds te horen. Vreselijk natuurlijk, zo'n vader die zich opdringt.

Mijn dochter lijkt veel op mij: verlegen, rustig, kijkt de kat uit de boom, geestig. Mijn zoon lijkt sprekend op zijn moeder: extravert, spontaan, grote sociale vaardigheden. U zou het misschien niet zeggen, maar ik ben een gesloten, ingetogen, verlegen man. Ik heb dat natuurlijk leren hanteren, dus de buitenwacht merkt dat niet. Maar elke keer als ik in de Eerste Kamer of elders het woord moet voeren, bonkt mijn hart me vreselijk in de keel. Of het wel lukt. Of ik niet met een mond vol tanden zal staan. En dat op mijn leeftijd. Je zou toch zeggen: dat kan-ie nou wel. Als ik mensen voor het eerst ontmoet, ben ik ook erg kat-uit-de-boom-kijkerig.'

U bent op uw zevenendertigste weduwnaar geworden. Uw vrouw Jacqueline verongelukte toen ze vijfentwintig was. U bleef achter met twee kinderen van drie en vijf.

'Ja. Ik was toen minister. Had het heel druk en moest als alleenstaande vader natuurlijk tijd vinden om mijn kinderen op te vangen. En mijn schoonmoeder, die al jong weduwe was geworden en nu ook haar jongste dochter verloor. Zo klein als ze waren, deden mijn kinderen het goed. Ik zei tegen ze: mama is er nou niet meer, dus we moeten het een beetje met z'n drieën doen. Jullie moeten maar kijken wat jullie zelf kunnen. Toen zei Marieke van drie: zal ik mijzelf dan aankleden? Mijn schoonzuster is toen al gauw bij ons in huis gekomen, vooral voor de kinderen. Tante Marianne, die kenden ze goed en ze waren dol op haar. Na twee jaar zijn we in stilte getrouwd, Marianne en ik. Het was vreemd, maar toch ook heel eigen: trouwen met de zuster van mijn vrouw, die ik altijd al heel erg aardig vond. Eigenlijk ging het bij ons toen anders dan bij de meeste stellen: ik hield al van haar als een geliefde schoonzus, maar toen werd ik opeens verliefd.

Mijn eerste en tweede vrouw zijn heel verschillend: Jacqueline was veel exuberanter, veel meer naar buiten tredend, die zat nergens mee, zo jong als ze was. Toen ik minister en vice-premier werd, was zij drieëntwintig. Ze organiseerde met gemak diners thuis voor alle ministers en als er een staatsbezoek was zat ze rustig naast de koning van Spanje. Het enthousiasme van de jeugd. Marianne is veel terughoudender, stiller, bescheidener. Maar ze werd in Friesland op handen gedragen. Als het eropaan komt, kan ze pittig uit de hoek komen. Ze zat eens naast de wethouder van Tietjerksteradeel, meneer Terpstra, die haar vroeg: hoe is het nou om met Hans Wiegel getrouwd te zijn. Marianne zei: daar wil ik best antwoord op geven, dat is heel plezierig, maar het is wel een rare vraag, wethouder, ik vraag toch ook niet aan mevrouw Terpstra hoe het is om met wethouder Terpstra getrouwd te zijn. Daar had-ie niet van terug.'

Uw vrouw is dit jaar ernstig ziek geweest, ze heeft borstkanker gehad.

'We hebben een heel zwaar jaar achter de rug, zij vooral. Eerst de operatie, daarna chemotherapie en bestralingen. En natuurlijk de angst: komt het misschien terug. Haar broer, die zij tot het eind heel intensief begeleid heeft, is twee jaar geleden aan kanker overleden. Een heel zwaar jaar, ook voor mijn schoonmoeder, die na de dood van twee van haar kinderen nu dit moest meemaken met haar oudste dochter. Ik ben er zo veel mogelijk bij geweest. Natuurlijk doe je dat, je vlucht toch niet weg als je meest geliefde naaste zoiets moet meemaken? Ik probeerde haar, mijn schoonmoeder en de kinderen zo veel mogelijk te steunen. Van wie ikzelf steun krijg? Ik ben niet zo'n prater, ik ben gesloten, houd intieme zaken het liefst voor mezelf. Ik praat liever met anderen over hun problemen dan over de mijne.

Zo, mevrouw Dresselhuys, nu is het wel mooi geweest. Zullen we nu maar gezellig een spekpannenkoek gaan eten?'

September 1999

EINDSCORE: +4

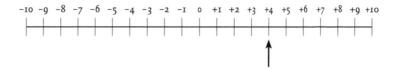

Commentaar

Marieke Wiegel (1977),
dochter van Hans Wiegel

De reacties:
Ten tijde van het interview woonde hij net in Diever en studeerde ik in Groningen. Ik weet nog wel dat hij dat interview had, dat ze daarna pannenkoeken zijn gaan eten en dat hij het een leuk gesprek vond, maar dat is het enige wat ik erover kan vertellen.

Het cijfer (+4):
Ik denk dat hij blij was met die +4. Het was ook een goed cijfer, hoewel ik het in eerste instantie heel laag vond. Op school is het een dikke onvoldoende en dat kon ik me bij mijn vader niet voorstellen. Hij deed (en doet) altijd veel in huis, de boodschappen, de afwas en vooral: alles wat ergens ligt en – naar zijn idee – op die plek niet thuishoort, opruimen!

Eigen mening:
Er staat geen enkele verrassing in. Het hele interview is een complete weergave van zoals ik hem ken. Ik hoor het hem allemaal zeggen. Er komen verschillende onderwerpen aan bod en hij is over alles zeer openhartig. Echt een heel leuk interview waarin hij precies overkomt zoals hij is.

'Iedere jongen zoekt z'n moeder in zijn vrouw'
Jan Wolkers

Zonder het geloof en de bijbel had hij nooit zijn boeken geschreven: 'Mijn taalgevoeligheid en een bepaald gevoel voor humor zijn door de bijbel gevormd.' *Omdat er volgens zijn vader geen poezen in de hemel zijn, verloor hij zijn geloof:* 'Een hemel zonder dieren, daar wil ik niet zijn, dat is een onleefbare plaats.' *Nog nooit heeft hij een pornofilm gezien:* 'Ik vind ze onecht, niet geil, je ziet gewoon: die hoofdrolspeler krijgt 50 dollar per erectie.' *Vrouwen moeten niet kregelig en niet mager zijn:* 'Ik zorgde dat mijn vriendinnen binnen een maand tien kilo aankwamen.'
Schrijver-schilder-beeldhouwer Jan Wolkers (1925)

Lang was het stil rondom hem. Althans, er kwam geen nieuwe roman uit. Dat verandert dit voorjaar in één klap: het boekenweekgeschenk *Zomerhitte* is door hem geschreven en bijna gelijktijdig komt een van zijn dagboeken uit: *Dagboek 1974*. Allemaal in het jaar waarin hij tachtig wordt. Dat betekent voor hem ook voor het eerst: naar het boekenbal, althans als schrijver. Hij was er een keer eerder, toen hij als student van de Rijksakademie had meegeholpen aan de versiering van de zaal en danste met de vrouw van W.F. Hermans. 'Ik moet er nu echt wel heen, hè? Ik kan natuurlijk incognito gaan of iemand sturen die op mij lijkt. Ken jij iemand die op mij lijkt. Smoking? Nee, ben je gek, ik ga fijn in dit jasje. Ik zie er wel tegen op, want ik houd niet van massa's, heb ik altijd een hekel aan gehad. Multatuli zegt: "De massa denkt niet." En zo is het.'

Behalve het boekenbal wachten er nog wel wat meer festiviteiten op je, denk ik.

'Is dat zo, Karina?'

Zijn vrouw Karina:

'Jazeker, op 13 maart is er die grote bijeenkomst in Carré, waar je gaat voorlezen voor een zaal met duizend mensen. Iedereen die Zomerhitte bij zich heeft, kan die dag gratis met de trein naar Amsterdam en naar Carré. De zaal is nu al vol. 's Middags signeert Jan op het Spui bij Athenaeum, het wordt echt een feestje.'

Wist je dat allemaal al, Jan?

'Nee, ik wacht maar af. Karina vertelt me de meeste dingen pas een dag van tevoren, dan hoef ik me daar verder niet mee bezig te houden. Ik ga wel een stempel maken voor die signeersessie, want ik kan niet zoveel handtekeningen meer zetten. Ooit heb ik achthonderd boeken verkocht bij zo'n sessie, dat moet toen wel het wereldrecord handtekeningen zetten geweest zijn. Ik heb pas een operatie aan m'n hand gehad, vanwege het carpaal-tunnelsyndroom. Heel vervelend voor iemand die schildert en beeldhouwt. Ik kan gelukkig nog wel tikken op mijn oude Olivetti, nog altijd met tien vingers. Karina tikt het daarna allemaal over in de computer. Hoe vond jij Zomerhitte trouwens?'

Een spannend boek.

'Nou... ik zou liever zeggen: een literaire detective. Bijna alles wat erin staat, is echt gebeurd, hier op het eiland. Dat drugstransport in ieder geval.'

In Zomerhitte *zegt de hoofdpersoon ergens: 'Van God kun je je zo verlossen, God is maar een voorstelling, je van mensen verlossen is veel moeilijker.*

'God is inderdaad alleen maar een voorstelling. Dat mensen er vaak zo'n moeite mee hebben hem los te laten, komt doordat ze van God zo'n akelige man hebben gemaakt. De mens is namelijk niet door God gemaakt naar Zijn evenbeeld, het is juist precies andersom: de mens heeft God gemaakt naar zijn evenbeeld en daarom is God zo'n kinderachtige klootzak, een man van wraak, de man die de zon liet stilstaan om de joden de tijd te geven een heel dal met tegenstanders goed te kunnen afslachten, een nare, zielige man, iemand voor wie je bang moet zijn. Zo hebben de mensen hem dus zelf gemaakt.

Jezus, dat is een heel ander iemand, dat is natuurlijk een pracht-man, een rebel. Een man die in opstand kwam tegen hypocrisie, die de woekeraars uit de tempel sloeg en tegen de schriftgeleerden zei dat ze witgepleisterde graven waren. Die God der wrake is trouwens vooral in trek bij calvinisten, katholieken hebben het veel meer over Jezus en nog liever over Maria, veel zachtaardiger allemaal.'

Jouw geloofsverlies kwam op je zestiende. Definitief en zonder latere aarzelingen?

'Toen mijn vader me vertelde dat onze overleden poes niet in de hemel zou komen, was het voor mij over en uit. Dat toonde voor mij aan wat een onleefbare hemel ze geschapen hadden. Stel je voor: een hemel waar alleen mensen zijn en dan nog van die verschrikkelijke, want juist de mensen die menen in de hemel te komen, dat is me toch een rapaille. Daar wil je dood noch levend mee gezien worden. Als er iemand in de hemel hoort te komen, dan zijn het poezen. Een leven zonder dieren zou voor mij een ramp zijn. De hemel is sowieso een uitvindsel van mensen, omdat ze er niet tegen kunnen te moeten denken dat ze stof zijn en tot stof zullen wederkeren. Een dier is niet bang voor de dood. Als je ziet hoe een kat doodgaat: die ligt niet te kwijlen en te gillen om een dominee of een pastoor. Die gaat gewoon en zo hoort het.'

De poes als reden om van je geloof te vallen.

'Poezen zijn heel belangrijk voor mij. M'n hele leven al. Ik had ze vroeger thuis al, maar daar waren het geen geliefde medehuisbewoners. Meer een soort apparaten om de muizen weg te houden uit onze winkel. Je treft me trouwens in een postnatale, ik kan beter zeggen een postmortale depressie aan, want onze zeer geliefde Knorretje is een paar weken geleden op zestienjarige leeftijd overleden. Ze ligt hier in de tuin begraven. Er staat nog een witte roos op het graf, ik zal het je zo laten zien. Ze was de poes van onze zoon Bob, die we nog gebeld hebben om op tijd te komen voor haar sterven. Maar hij moest uit Tilburg komen, dus hij kwam net een uur te laat. We hebben hem met z'n allen begraven. Ik heb echt gehuild, maar ook weer gelachen, want na de plechtigheid vroeg m'n andere zoon Tom: "Moeten we het graf nu ook nog aanstampen?"

Knorretje was een fantastische poes, een echte familiepoes. Als er visite was, kwam ze erbij zitten, als we wat aten, kwam ze er ook bij. Knorretje was altijd in de buurt. We noemden haar ook wel Bonkie, zulke harde kopjes gaf ze. 's Nachts lag ze naast me op het kussen. Op het laatst werd ik een keertje nat wakker, had ze een plas naast m'n hoofd gedaan. Ach, zo zielig. Ze was zo oud en ziek aan het eind. We hebben nu nog één poes, een zus van Knorretje, maar veel schuwer. Als deze zou sterven, zou ik geen nieuwe poes meer nemen of ik moest zeker weten dat we tegelijkertijd zouden doodgaan. Ik zou het liefst sterven met een poes op schoot. Dat die op een gegeven moment denkt: hè, het wordt hier wel een beetje koud, ik ga eens een andere schoot opzoeken.'

Jij bent dus een poezenmens, wat is het verschil met een hondenmens?

'Dat kun je kort uitleggen. Campert is een lieve man en heeft – dus – een poes. Mulisch heeft een teckel. Dat zegt genoeg.'

Je bedoelt?

'Poezenmensen houden van de eigenzinnigheid van hun huisdier. Een poes doet precies waar ze zin in heeft, gaat haar eigen gang, is geen allemansvriend. Hondenmensen worden graag naar de ogen gekeken, willen gehoorzaamheid, dat hun dier voortdurend kwijlend achter hen aanloopt. Ze geven verder nogal graag bevelen: "zit", "sta", "lig". "Liggen" zeg ik ook vaak tegen Karina, maar dan wel liefhebbend en toch enigszins vragend.'

Terug naar het geloof: de bijbel en het geloof zijn altijd heel belangrijk voor je gebleven.

'Driemaal daags – na het eten – las mijn vader voor uit de bijbel. Hij deed dat op een prachtige, beeldende manier. Ik heb weleens gezegd: wij hadden in de jaren dertig al breedbeeldtelevisie, want ik zag al die verhalen voor me op de muur. Als hij voorlas over David, die via slinkse wegen de vrouw van een van zijn legeraanvoerders bemachtigde door die man naar het front te sturen, zag ik dat op de muur gebeuren. Vooral als mijn vader dan met donderende stem de veroordeling van de profeet daarover las: "Gij zijt die man." Dat ging door merg en been.

Al die verhalen: over Jacob en Ezau, over de verloren zoon, over Jozef en Potifar. Ik dacht: godverdomme, hier wordt wat uitgevreten, wat een boeven allemaal, wat een schorem. Goed dat mijn vader en God er waren om ze de voet dwars te zetten. De stem van mijn vader was voor mij de stem van God. Het waren allemaal prachtige verhalen in de mooiste beeldspraak. Ik wil dus ook niks met de nieuwe bijbelvertaling te maken hebben, voor mij gewoon de oude Statenvertaling.

Zonder de bijbel zou ik een ander mens geweest zijn. Het is toch een soort indoctrinatie: je hele jeugd die verhalen te horen. En zonder die bijbel en mijn godsdienstige opvoeding had ik nooit mijn boeken geschreven. Ze vormen het fundament van mijn schrijverschap, samen met de opstandigheid, de rebellie die ik aan het geloof heb overgehouden. Juist als kind in een gereformeerd gezin werd ik opstandig. Als ik katholieke ouders had gehad, was dat vast heel anders geweest, die zijn niet zo streng in de leer. Maar mijn vader sloeg mij de trap op toen ik op mijn zeventiende een meisje op mijn kamer had. En dan riep ik: "En koning Salomo dan, met al z'n vrouwen, die nam er vast ook weleens eentje mee naar z'n kamer." Pats, dan kreeg ik weer een mep. "Sla maar, christen," riep ik dan tegen hem.

Ik was een vreselijke puber, ik heb mijn vader het bloed onder de nagels vandaan gehaald, ik lokte hem echt uit. Terwijl hij zo'n naïeve, rechtschapen, kinderlijk gelovige man was die nooit een zonde heeft begaan.'

Maar wel een man die jou mishandelde.

'Nou, mishandelen... het was een eerlijke confrontatie tussen verschillende naturen, zullen we maar zeggen. Ja, hij sloeg mij. Mijn zusjes nooit. En tegen m'n moeder zou hij al helemaal geen hand opheffen. Ik was het rebelse kind, ik moest in het gareel gehouden worden. In de bijbel staat tenslotte: "Wie zijn zoon liefheeft, kastijdt hem." Nou, dat deed mijn vader.'

Had hij je ook lief?

'Dat weet ik niet. Hij was wel wat jaloersig op de band die ik met mijn moeder had. Hij was zo'n man over wie Slauerhoff schreef: "Misschien heb je tederheden in jezelf verstikt, de Friese aard is benepen en uit zich niet groots, weegt en wikt." Hij schreef dat over zijn vader, maar het had ook over de mijne kunnen gaan. Ik weet wel dat hij familie naar mijn kamertje sleepte als ik niet thuis was, om naar mijn schilderijen te kijken. Over mijn boeken heeft hij nooit iets gezegd, behalve een keer een grapje toen een van mijn zussen verhuisd was naar haar geboorteplaats. "Terug naar Oegstgeest," zei hij toen.

Toen hij overleden was, heb ik hem gekust. Dat deed ik vooral voor mijn moeder, die erbij stond. Om haar te laten zien dat mensen die zo veel ruzie gehad hebben, toch nog wel op de een of andere manier van elkaar kunnen houden. En ook wel een beetje als kritiek op hem. Ik wist dat hij zijn overleden vader nooit had durven zoenen. Hij vertelde met een zekere huiver hoe zijn broer dat wel had gedaan. Met zo'n vertrokken mondje zei hij: "Zo veel als ik van hem gehouden heb, dát had ik nooit gedaan." Lul, dacht ik toen, bange lul. Zoiets zal mij nooit overkomen. Ik zoen mijn zonen lekker, elke keer als ze thuiskomen.'

Waarom kwam je moeder eigenlijk niet voor je op als je geslagen werd?

'Dat weet ik niet, maar ze deed het inderdaad niet. Tenminste niet openlijk. Misschien op haar manier door vreemd met haar neus te trekken of zo. En wat ze op de slaapkamer tegen m'n vader zei, weet ik natuurlijk niet. Maar m'n moeder was als de dood voor ruzie. Net als ik trouwens. Ik hunker ook naar harmonie. Ik lijk sowieso veel op m'n moeder. Maar gelukkig niet op het gebied van de schaamte. Zij schaamde zich voor ongeveer alles. Ik heb weleens gedacht dat dat kwam doordat haar vader aan haar gezeten heeft, seksueel bedoel ik.

Het huwelijk tussen m'n ouders was eigenlijk een mesalliance, om het deftig te zeggen. Zij was een keurig kantoormeisje, dat op de Overtoom woonde, waar haar vader een paar huizen bezat. Mijn vader was een volksjongen uit de Jordaan. Beiden waren mooie mensen, mijn vader had iets Italiaans, hij leek wel wat op Charlie Chaplin. Ze hebben elkaar ontmoet op een familiefeestje waar mijn vader met zijn moeder was. Hij was toen al over de dertig en wandelde na afloop dik gearmd met zijn moeder de Overtoom af. Mijn moeder stond hem voor het raam na te kijken en moest erg lachen om dat moederszoontje. Pas maar op, zeiden ze tegen haar, je trouwt nog met je spot. En ja hoor...

Mijn vader heeft van alles gedaan: bij de politie, in de scheepsbouw. Uiteindelijk nam hij een delicatessewinkel in Oegstgeest over, een mooie zaak met allerlei fijne spullen die vooral bestemd waren voor de oud-Indischgasten die daar woonden. Soms mocht ik de etalage inrichten, prachtig met al die pakken en blikjes. Maar na de beurskrach van 1929, toen de miljonairs zich bij bosjes van de wolkenkrabbers wierpen in New York, ging de zaak van mijn vader snel achteruit. De mensen hadden geen geld meer voor fijne hapjes. Het werd een armoedig kruidenierswinkeltje en daar schaamde mijn moeder zich vreselijk voor. Weer die schaamte.'

Dezer dagen komt ook een van je dagboeken uit, dat uit 1974. Waarom dat jaar en komen er nog meer achteraan?

'Het is puur toeval dat het dagboek uit 1974 uitkomt. Het gebeurt op aandringen van mijn uitgever, die zag dat ik hier een lade vol met mooie kasboeken heb waarin ik keurig met de vulpen vele jaren een dagboek heb bijgehouden. Of er nog meer uitgegeven worden, weet ik niet. Geen diepe zielenroerselen staan erin, meer waarnemingen: de gewone dingen des levens. Over de volkstuin die we toen in Amsterdam hadden. Elke nieuwe plant staat erin. Veel over het eten dat ik kocht en klaarmaakte en het bezoek dat we ontvingen. Die twee dingen hingen trouwens samen: bezoek en lekker eten. Als je ziet wat ik dan aanschafte: kaviaar alsof het niks was. En verse asperges en aardbeien en oesters en paling. Je zou denken: waar laten ze het allemaal? Maar het was meestal voor het bezoek.'

Er staat in dat dagboek ook een stuk over je bezoek aan een hoer.

'Ja, dat is waar. Weet je trouwens dat ik bij God niet zou weten of ik het nu met haar gedaan heb of niet? Ik bracht Karina elke week naar Engelse les en dan reed ik op de terugweg door de Utrechtsestraat, waar ik Ischa Meijer vaak tegenkwam op weg naar de hoeren. Een keer ben ik toen met een heel aardige hoer meegegaan. Weet jij waar dat staat Karina? O ja, hier: "Ik reed langs de blonde, moederlijke hoer die tegenover het huis van Diek Hillenius staat. Ik kon er nooit toe komen haar aan te spreken, maar nu komt ze in het geopende portier hangen en ze vraagt of ik lekker met haar meega. Ik vraag hoe duur het is: 110 gulden. Ze heeft een kort zwart jekkertje aan, waaronder haar stevige bruingekouste benen tot halverwege haar dijen tevoorschijn komen. Ze heeft laarzen aan, een bril op en blonde burgervrouwkrulletjes, een onopvallend gezicht, ze zou zo in een bakkerswinkel kunnen staan, er is niets waar je geil op zou kunnen worden. Ik loop achter haar aan door een donker gangetje, naar een lage kamer aan de achterkant van het huis, er staat een groot bed, wat kastjes, een klein fonteintje met een stuk zeep en een bus Vim, er liggen twee stapels gebleekte washandjes en handdoeken, ik betaal haar 110 gulden en ze zegt: 'spuwer even op, het is het eerste wat ik vanavond verdiend heb.' Ze kleedt zich uit en zegt dat ze 156 pond weegt en dat er eigenlijk wat af moet. Ze doet een stug wollen soort van mini-jurk uit en dan een donkerbruine panty. Ze heeft een beetje een slap, dik lichaam, niet onsmakelijk, maar ik heb nog steeds geen erectie en weet niet hoe dit goed moet komen. Als ik me uitgekleed heb, zegt ze: 'Wat ben jij een lekker stuk met al dat haar.'' Tot zover gaat het verhaal. En ik weet echt niet of ik het nu met haar gedaan heb of niet. Hier houden de aantekeningen op.'

Jan wolkers, vrouwen en seks: daar ging het vaak over.

'Toch ben ik wel een monogame man, nou ja, redelijk dan. Ik ben veel te jong getrouwd met de verkeerde vrouw. Eigenlijk de schuld van mijn vader, die me op een zondag het huis uitzette met al mijn schildersspullen. Ik was in plaats van naar de kerk te gaan aan het schilderen op die zondag en dat was het einde voor hem. Dus daar stond ik op straat. Diezelfde avond trok ik in bij een vriendin van een vriend en diezelfde avond gingen we ook met elkaar naar bed. Dat was Maria, met wie ik tien jaar getrouwd ben geweest. Twee zoons en een dochtertje kregen we, maar het was een fout huwelijk. Het dochtertje is overleden nadat ze in de wastafel zittend de hete kraan had opengedraaid. Ze is letterlijk verbrand. Het ergste wat me ooit is overkomen. Dat heeft ons huwelijk vernield, hoewel we daarna nog een zoontje hebben gekregen. Het bekende goedmakertje dat geen goedmakertje werd, althans niet voor het huwelijk. Daarna kreeg ik een vriendin en toen die het uitmaakte, heb ik een jaar lang wel honderd verschillende vrouwen gehad. Elke avond nam ik uit café Reynders een ander meisje achter op de fiets mee naar huis. Een soort groupies avant la lettre. Meisjes die eropuit waren een kunstenaar te strikken. En toen kwam Karina. Ik was zesendertig, een gescheiden man met twee zoons en daar kwam zij, een meisje van zestien met een vragenlijst voor school.

343

'"Weet U, meneer Wolkers, waarom meisjesonderbroeken altijd zo glimmen?" "Nou, dat zal ik je vertellen, trek je broekje maar eens uit..."'

Karina: 'Hou op, zo was het helemaal niet. We hebben elkaar ontmoet op het terras van het Mirandapaviljoen, waar ik zat met een boek van Dickens. Ik was zestien en zat op het avondgymnasium omdat ik van de dagschool was afgegaan. Ik volgde een speciale balletopleiding. De eerste tijd hebben we voor mijn ouders verzwegen dat we iets hadden. Ik was pas zestien en Jan zesendertig. Na een halfjaar hebben we het verteld. Mijn ouders vonden het niet direct leuk, vooral vanwege het grote leeftijdsverschil, maar het waren geen burgermensen die schrokken van Jans imago als vrijgevochten kunstenaar. Het was een communistisch, anarchistisch stel mensen. M'n vader zat in het verzet, waardoor hij een paar jaar in een concentratiekamp heeft gezeten. M'n moeder was een harde werkster, die duizenden poppenjurkjes genaaid heeft voor de groothandel. Ze was ook erg praktisch. Ze heeft me onmiddellijk naar de dokter gestuurd voor de pil; de eerste generatie zware pillen was toen net in de handel. Want een zwangere dochter van zestien, daar moesten ze niet aan denken. Heel verstandig. Ik heb uiteindelijk pas op m'n vijfendertigste onze twee jongens gekregen: Bob en Tom, een tweeling. Jan wilde toen ook nog graag kinderen. Hij was inmiddels al vijfenvijftig. Dat bewonderde ik erg in hem, dat hij toen nog eens het vaderschap aandurfde. Hij had immers al twee volwassen zoons.'

Jan: 'Twee zoons uit een mislukt huwelijk, ik wilde graag nog eens kinderen uit een mooie, gelukkige relatie. Weet je wat trouwens opvallend is? Dat Karina iets van mijn moeder heeft. Ach ja, iedere jongen zoekt z'n moeder in z'n vrouw, ook al is 't een loeder. Trouwens: over seks gesproken: ik heb nog nooit een pornofilm gezien. Echt niet, dat vind ik allemaal zo onecht, zo totaal niet geil, je ziet de dollartekens in de ogen van de spelers, vijftig dollar per erectie en de hoofdrol wanneer je het twee keer achter elkaar kunt.

Toen wij een keer in het Oranjehotel in Leeuwarden logeerden, zetten de jongens de tv aan en hup: een pornofilm, een grote, zwarte man, die z'n pik in de mond van een vrouw stak. En dat was dan het hotel dat mij vroeger na een lezing de toegang weigerde, omdat ik zo'n vieze schrijver was.'

Karina lijkt me voor jou inderdaad een soort moeder, ze doet alles voor je, ook op werkgebied. Een soort Hella voor Freek de Jonge.

'Nou, ik doe ook alles voor haar, hoor. Vraag het haar maar en lees mijn dagboek: koken, het huis schoonmaken, de tuin bijhouden, boodschappen doen, haar naar de Engelse les rijden.

Als zij mijn manuscripten las, corrigeerde, drukproeven las, deed ik inmiddels boodschappen en kookte ik. Zo zijn we een samenwerkend bedrijfje. Dat zij nu meer doet dan ik, komt doordat mijn gezondheid wat minder is: ik heb last van suikerziekte en daardoor van mijn gewrichten, knieën en voeten. En van die hand dus. Karina doet nu de tuin en het grootste deel van het huishouden. Maar gisteren heb ik nog een fijne Indische maaltijd voor haar gekookt, met lekkere groenten en stukjes gebakken lamsvlees.'

Karina: 'Jan kan werkelijk alles wat een vrouw kan. En dat doet hij ook. Hij is geen man die vrouwenwerk minderwaardig vindt, hij weet niet eens wat vrouwen- en mannenwerk is. Ik heb nooit een eigen carrière of een eigen inkomen gehad. Waarom zou ik? Had ik in het onderwijs moeten gaan? Vind ik niks aan. Ik vind Jans werk veel interessanter. En we hadden altijd geld genoeg, je moest eens weten hoeveel geld Jan verdiende. Daarvoor hoefde ik dus de deur niet uit.'

Jan: 'Ik had op een gegeven ogenblik zomaar 800.000 gulden op de gemeentegiro staan. Gaf ik weer eens een tonnetje weg aan het Medisch Comité Vietnam of zo. Of ik betaalde een nieuwe Citroen DS cash met 30.000 gulden in de hand. M'n accountant zei wel eens: doe iets met uw geld, meneer Wolkers, zet het in ieder geval op een bank, dan krijgt u tenminste rente. Maar ik ben geen voorstander van arbeidsloos inkomen, dus mijn geld bleef gewoon op de gemeentegiro.'

Wat vind jij leuke vrouwen?

'In ieder geval houd ik niet van magere vrouwen, net als alle beeldhouwers. Die houden van mooie ronde vormen, zoals de meeste mannen trouwens. Karina vind ik prachtig, nog altijd. Jij mag er ook best tien kilo bij krijgen. Ik heb er altijd voor gezorgd dat mijn vriendinnen binnen een maand tien kilo zwaarder werden. Claudia Cardinale en koningin Beatrix vind ik mooie vrouwen. Moet je eens naar die verlovingsfoto van Beatrix en Claus kijken. Wat een prachtvrouw, een prachtman trouwens ook. Máxima is mijn smaak niet. Ik zie best dat ze een leuke vrouw is, maar niet mijn type. Wat het karakter betreft? Vrouwen moeten vooral niet kregelig zijn, geen ruziemaaksters. En ze moeten geen snerpende stem hebben. Je hoort weleens interviews met van die West-Friese schaatssters: oeh, wat hebben die een schelle stemmen, dat snijdt je door merg en been. Met dat soort vrouwen zou ik nooit kunnen cohabiteren, zelfs niet geblinddoekt. Ik ben altijd verliefd geweest op lieve, zachte meisjes met een sterke persoonlijkheid. Zo sterk dat ze zich niet keffend of schreeuwend hoefden te manifesteren. Net zoals mijn moeder en Karina: nooit ruziemaken. Vrouwen die tegen je zeggen "heb je zelf geen handjes gekregen van Onze-lieve-Heer" als je ze vraagt iets voor je te doen, vind ik nare vrouwen. Kregelige vrouwen, die inwendig denken: schoft dat je bent, doe eens wat voor mij.'

Je zei straks dat je stond te huilen aan het graf van Knorretje, maar verder ben je geen huiltype, lijkt me.

'Mijn zoon Bob heeft een melancholische trek in zich, net als mijn broer Jaap, maar die verbergen ze onder hun geestigheid. Ik ben altijd aan het werk gebleven, bij alles wat me is overkomen. Noem je dat vluchten? Ik weet het niet, maar het is in ieder geval mijn redding. De dag dat ik niet meer kan werken, ga ik dood. En wat die melancholie betreft, die heb ik ook in mij, maar dan denk ik aan het gedicht van Marsman:

> "Geef mij een mes.
> Ik wil deze zwarte, zieke plek
> uit mijn lichaam wegsnijden.
> Ik heb mij langzaam overeind gezet.
> Ik heb gehoord, dat ik heb gezegd.
> In een huiverend, donker beven:
> Ik erken maar één wet:
> leven.
> Allen die wegkwijnen aan een verdriet,
> verraden het en dat wil ik niet."

Zo is het, geef mij een mes en ik snijd de melancholie weg.'
Maart 2005

EINDSCORE: +6

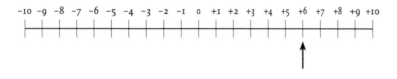

Commentaar

Karina Wolkers (1946)

De reacties:
Sinds zijn eerste interview met een studentenblad in de vroege jaren zestig, waarin hij onthulde dat hij de avond daarvoor bij vrienden de hem opgediende konijnenbout in zijn tas had laten verdwijnen, omdat hij absoluut geen wild kan eten, heeft Jan nog nooit spijt van een interview gehad of meer gezegd dan hij kwijt wilde.

Het fameuze cijfer (+6):
Als je aangesproken wordt op het interview gaat het altijd over het cijfer. Dat is de kracht maar ook de zwakte ervan. Veel mensen lezen het door Cisca zeer kundig afgenomen interview niet of niet goed. Het cijfer werd door iedereen hoog gevonden. Ikzelf kan niet zo goed oordelen over het cijfer, ik begrijp niet wat er gemeten wordt. Ik zou graag eens een lijstje met karakteristieken willen zien waar de geïnterviewde aan moet voldoen om een tien te scoren op de 'Feministische meetlat'.

Eigen mening:
Naast de bekende thema's als geloof, dood en seksualiteit, kwam in het interview ook uitgebreid Jans liefde voor katten aan bod. Ik was heel blij en ontroerd om over de dood van onze geliefde kat Knorretje te lezen die wij en haar zusje nog dagelijks missen en die hierdoor een beetje vereeuwigd wordt.

'Vrouwen moeten hun eigen broek ophouden.
Stel dat Cisca mij geld zou vragen voor een mantel-
pakje? Ik zou me geen raad weten.'
Koos Groen

Hij kookt en doet de was, en weet waar het vuil zich verzamelt. Niet dat hij het schoonmaakt, want 'wat het oog niet ziet, dat het hart niet deert'. Werkte een kwart eeuw in een mannenbolwerk. 'Mannen maken elkaar gek met hun ego's.' Vrouwen zijn zakelijker, maar 'als ze slecht zijn, dan zijn ze ook in-slecht'. Het huwelijk vindt hij een overbodig instituut: 'Het houdt mensen in de houdgreep.' Van kinderen moet hij niet veel hebben: 'Gejank en poepbroeken.' Emoties houdt hij op afstand, maar bij zielige dieren springen hem de tranen in de ogen.
Koos Groen, man van Cisca Dresselhuys (1943)

'Ik heb mijn halve leven in een mannenwereld gewerkt. Ik was hoofd communicatie bij de Unie van Waterschappen, en de water-schappen zijn een traditioneel mannenbolwerk. Toen ik halverwe-ge de jaren zeventig in dienst trad, kwam je in de besturen en de ambtelijke top geen vrouw tegen, ja, de koffiejuffrouw. En dat is nog steeds zo. Het is van oudsher een plattelandsinstelling. Boe-ren, jenever en sigaren, dat is het.'

Heb je wel je best gedaan om meer vrouwen bij de waterschappen te krij-gen?

'Tuurlijk, maar dat is niet echt gelukt. Op de een of andere ma-nier voelen vrouwen zich er niet thuis. De meeste vrouwen maken zich niet druk om de hoogte van de dijken. Dat doen ingenieurs, en dat zijn mannen. Techniek en vrouwen gaan nog steeds niet goed samen. De weinige vrouwen die ik in de top van de waterwereld heb meegemaakt, waren bijna allemaal slechte voorbeelden. Carrièrejagers, en bereid om over lijken te gaan. Wat dat aangaat zijn vrouwen niet beter dan mannen. Als ze slecht zijn, dan zijn ze ook in-slecht.'

Vond je het verrassend dat vrouwen slecht kunnen zijn?

'Nee. Ik heb me jaren beziggehouden met de Tweede Wereldoorlog, met goed en fout, met verraad. Foute mannen sloegen er vooral op los, mishandelden en doodden hun tegenstanders. Foute vrouwen pleegden vaker verraad. En als vrouwen slecht zijn, dan hebben ze totaal geen scrupules meer. Ik heb een boek geschreven over Ans van Dijk, de enige vrouw die na de oorlog is geëxecuteerd. Ze heeft veel mensen verraden, joden, vriendinnen. Ze kreeg terecht de doodstraf. Maar als je ziet dat haar opdrachtgevers het overleefden is haar executie toch een geval apart. Ze was joods én lesbisch én vrouw. Ik kon het niet bewijzen, maar dat er verband tussen het een en het ander bestaat, daar ben ik van overtuigd.'

Je leerde Cisca kennen bij Trouw. Wat trok je in haar aan?

'Tja, hoe gaat dat... Ze was een apart iemand. Niet doorsnee, altijd heel perfect gekleed, met handschoentjes en zo, zeer modebewust. Ik werkte sinds 1962 bij Trouw, op de Amsterdamse redactie, Cisca zat in Utrecht, zij stuurde via de telex stukken door, zo leerde ik haar kennen. Ze woonde nog bij haar moeder, maar ze kwam vrij snel bij me wonen in de Beethovenstraat in Amsterdam.

Ik heb van alles gedaan bij Trouw, eindredactie, opmaak, verslaggeverij. Uiteindelijk kwam ik op de mediaredactie terecht en dat was ook tegelijk mijn ondergang. Ik kreeg een conflict met de hoofdredacteur. Ik had een positieve recensie geschreven over het beruchte programma Hoepla. Veel lezers waren daar boos over, want het was nogal een anarchistisch programma met het eerste bloot op de Nederlandse televisie. Een paar lezersbrieven zouden worden voorgelezen in de tweede aflevering van Hoepla. Trouw heeft dat met een kort geding trachten te voorkomen. Ik besloot toen te vertrekken. Ik was openlijk gedesavoueerd, ik had geen zin daar als tweederangs journalist te blijven rondlopen. Inmiddels ging ik al een aantal jaren met Cisca, en samen op zo'n redactie werken is niks. Dan zit je 's avonds thuis ook over de krant te praten. Dat is niet goed.'

Jullie zijn nooit getrouwd. Is dat een principiële kwestie?

'We vonden het niet nodig. We hebben een samenlevingscontract opgesteld toen we dit huis kochten. Het huwelijk is een rare instelling, het heeft met bezit te maken, met erfrecht. Vroeger trouwden alleen de mensen met geld. Als je niks had, hoefde het niet. Het houdt de mensen in de houdgreep en ik ben niet zo houdgreperig. Het is een overbodig instituut, een relikwie uit oude tijden.

In mijn schooltijd deden meisjes drie jaar H B S, een jaartje huishoudschool waar ze leerden koken en dan konden ze trouwen en kindjes krijgen en waren ze hun verdere leven onder de pannen. Ik heb dat altijd al raar gevonden. Ze leerden ook níét autorijden, vond ik ook heel vreemd.'

Wie heeft je die opvattingen bijgebracht?

'Niet mijn moeder! Zij was het slechtste voorbeeld. Mijn moeder stond altijd klaar, ze smeerde onze boterhammen, een huisvrouw eerste klas. Ik moet er wel bij vertellen dat ze heel haar leven spijt heeft gehad dat ze na de lagere school niet mocht doorleren omdat ze een meisje was. Mijn vader was nooit thuis. Je zag hem alleen tussen de middag, hij bemoeide zich nauwelijks met het gezin.

Ik ben de oudste, ik heb nog een jongere broer en zus. Eigenlijk waren er vier kinderen, mijn zus is er een van een tweeling, maar het andere kind had een open rugje en is na twee jaar overleden. Dat moet een drama zijn geweest, ze is verschillende malen geopereerd. Toen ze overleed was het vreselijk warm, het kindje lag thuis, overal in het huis hingen lakens voor de ramen, het stonk heel erg. Jarenlang hebben de ziekte en dood van dat kind een enorme druk op het gezin gelegd. Nee, daar sprak je niet over. Dat werd weggestopt, dat was geschiedenis. Noch mijn vader noch mijn moeder waren grote praters.'

In wat voor gezin ben je opgegroeid?

'Mijn vader had graag musicus willen worden, maar na de oorlog was daar geen geld meer mee te verdienen. Hij is toen op al wat oudere leeftijd als jongste bediende begonnen op het kantoor van de suikerfabriek in Puttershoek. Al zijn vrije tijd ging op aan de muziek, hij was koordirigent en organist in de hervormde kerk. We waren protestant, maar niet streng in de leer. Mijn vader was een fan van Feyenoord, dus zondags ging hij eerst naar het voetballen en dan moest ie als een gek rijden om 's middags op tijd in de kerk te zijn.

Ik speelde als middelbare scholier in een dixielandorkestje. We traden op de gekste plekken op en kwamen dan midden in de nacht thuis. Tijd voor huiswerk had ik niet, want ik speelde ook nog eens als barpianist op bruiloften en partijen. Verder schreef ik voor het plaatselijke krantje. Ik heb dan ook zeven jaar over de H B S gedaan.

Ik heb mezelf piano leren spelen. Ik wilde nooit les hebben, ik wou niet gedrild worden. Daar heb ik nu spijt van. Als je jong bent, leer je veel sneller. Ik ben vreselijk handig op de piano, maar je moet niet goed luisteren, dan val ik door de mand. Hier in Hilversum heb ik lange tijd in een bigband jazz gespeeld, die heb ik ook opgericht. Ik ben heel goed in oprichten, maar minder goed in het handhaven van dingen. Dat is wel een lijn in mijn leven.'

Ben je snel verveeld?

'Het wordt vaak routine, hè. Zo'n bigband, je haalt ze bij elkaar, je treedt op en dan speel je meestal dezelfde stukken in dezelfde volgorde. 't Was een prima orkest, maar net niet de top, en ik was niet goed genoeg voor dat laatste stapje. Als je boven je macht moet spelen, is de lol eraf. Ik heb één ding geleerd in mijn leven: weten wat je wel en niet kunt en daar ook naar handelen.

Met het Liszt-concours is het in wezen hetzelfde. Liszt was decennialang een paria voor de meeste muziekcritici en veel musici. Met een paar medestanders hebben we in de jaren tachtig jaarlijks een groots Liszt-festival georganiseerd. In 1986 – honderd jaar na de sterfdag van de componist – is daar een groot pianoconcours bij gekomen. Na verloop van tijd gaat zoiets een eigen leven leiden, dan moeten er evaluatierapporten en toekomstvisies komen. Dan wordt het business met een directeur en een assistente. Dan gaan er andere dingen dan de liefde voor de muziek een rol spelen.'

Je bent een oprechte amateur?

'Ja, een liefhebber. Ik heb niks tegen professionalisering, maar het moet geen werkgelegenheid worden. En als je het daarmee niet eens bent en je kunt anderen niet overtuigen, dan moet je opstappen. Dat heb ik twee jaar geleden dan ook gedaan. Met pijn in het hart, dat wel. Tegenwoordig ben ik nauw betrokken bij het Liszt Pianoconcours in Duitsland en werk ik aan een biografie.'

Wat heb je met Liszt? Is het de romantiek?

'De romantiek heeft mij altijd zeer aangesproken. Ik weet niet waarom. Beetje sentimenteel, denk ik, ik ben wel van het sentiment. Ik houd van de negentiende eeuw, van de muziek en schilderkunst uit die tijd. Liszt is een vreemde vogel, zijn werk is zo ongelijkmatig van kwaliteit, je vindt bij hem het meest sublieme en het meest slechte, dat is fascinerend. Mozart is altijd goed. Chopin ook. Van Liszt moet je iets maken, als je als musicus niets te vertellen hebt, val je bij hem genadeloos door de mand.'

Luister je naar al zijn muziek?

'Ik luister de hele dag, maar ik ben ook een verzamelaar, een volledigheidsmaniak. Ik wil alles hebben wat hij geschreven heeft, ik heb bijna alle platen, 35.000 titels. Ik heb alle boeken die over hem zijn verschenen. Ik ben mijn hele leven bezig geweest om dat bij elkaar te krijgen.

Verzamelen is hartstikke leuk. Het geeft zin aan je bestaan. Als ik op vakantie ben of op reis, dan struin ik winkels en antiquariaten af. Ik heb bijvoorbeeld ook alles van W. F. Hermans en van Count Basie. Maar ik verzamel niet ten koste van alles. Het moet wel betaalbaar blijven. Ik ga echt geen duizend gulden uitgeven voor een sigarenpeuk van Liszt. Dat vind ik niet interessant. Curiosa worden door mij niet aangeschaft.'

Toen je Cisca leerde kennen was ze nog niet gegrepen door het feminisme. Kreeg je in de loop van jullie relatie een andere vrouw?

'Ze is voor mij dezelfde gebleven. Ze was altijd al een zelfstandige vrouw, die haar eigen brood verdiende. We hebben ook nooit onze salarissen bij elkaar gedaan. We hebben een eigen bankrekening, en wonen officieel in twee aparte woningen. Maar dat is uit praktische overwegingen, hoor, want het kost gewoon te veel om er één huis van te maken.

Ik vind dat vrouwen hun eigen broek dienen op te houden. Stel dat Cisca mij geld zou moeten vragen omdat ze een mantelpakje wil kopen? Ik zou me geen raad weten. Afhankelijkheid is een ramp, je kunt dan niet jezelf zijn. Man en vrouw moeten een zelfstandig leven leiden, in alle opzichten, ook met eigen vrienden.

Het zijn twee aparte individuen en dat moet je zo houden.'

Jullie hebben nooit strijd gehad?

'We hebben in het verleden vaak woorden gehad over het schoonmaken. Hoe vaak er moet worden gezogen en zo. En ja, wat is schoon? Daar denken we verschillend over. Ik heb jaren in mijn eentje gewoond, ik kookte en hield de zaak een beetje bij. In mijn diensttijd heb ik veel over schoonmaken geleerd. Ik weet van de gekste plekken waar het vuil zich kan ophopen. Niet dat ik het schoonmaak, want wat het oog niet ziet, het hart niet deert. We hebben inmiddels twintig jaar een hulp, anders zouden we vaker ruzie hebben, denk ik. Ik doe de was, maar dat stelt niks voor. Ik heb verder twee linkerhanden, dus de technische klussen in huis worden door de vakman gedaan. Als ik iets aanleg, hangt het schots en scheef, en ik ben gauw tevreden. Ook de tuin is uitbesteed. Ik ben wel goed in het planten van uitgebloeide hortensia's.

Sinds mijn vervroegde pensioen ben ik degene die kookt. Ik ben dat ook gaan doen omdat ik veel te zwaar was. We eten nu gezond en regelmatig, veel sla, groente, kip, allemaal met olie klaargemaakt. Er zijn vele kilo's afgevallen.'

Wat is het ingewikkeldste gerecht dat je op tafel hebt gezet?

'Daar moet je je niks bij voorstellen, dat ligt ongeveer op het niveau van wat ik lees op de achterkant van het pakje, haha. Ovenaardappeltjes in de schil, vind ik leuk om klaar te maken. Cisca is goed in de traditionele potten, maar sinds wij aan de lijn doen, komen hier de stamppotten niet meer op tafel.'

Jullie hebben geen kinderen. Wilde je ze niet?

'Ik heb ze nooit gewild. Ik denk dat het mede te maken heeft met de ervaringen uit mijn jeugd, mijn zwaar gehandicapte zusje. Het kan maar zo fout gaan, en de ellende die je dan op je dak krijgt, ik ben egoïstisch genoeg om dat een argument te vinden. En verder, kinderen, gejank en poepbroeken. Dan worden ze ouder, gaan ze hun eigen weg, en willen ze niks meer met je te maken hebben, dus nee, wat moet ik ermee. Ik heb nooit een moment spijt gehad.'

Vind je jezelf een geëmancipeerde man?

'Bij dat beeld voel ik me niet thuis, dan zie ik een geitenharenwollen sok voor me, en dat ben ik niet. Zo'n GroenLinkstype, die achter de kinderwagen loopt. Dan denk ik aan mensen die zich over emancipatie opwinden en in optochten meelopen. Ik wind me er niet over op, en ik houd niet van optochten.'

Het komt allemaal vanzelf wel goed met die emancipatie?

'Nou, laat ik het zo zeggen, veel jonge vrouwen denken dat het allemaal vanzelfsprekend is. Maar dat is het natuurlijk niet. Het is bevochten en iets wat bevochten is kan ook weer verdwijnen. Het zal een strijd blijven, omdat het in wezen te maken heeft met de positie van mannen en vrouwen, met de verdeling van de macht.

Het zou goed zijn als er meer evenwicht is. Mannen maken elkaar gek, ze piesen tegen de muur en kijken wie de verste straal heeft. In vergaderingen hebben ze het hoogste woord. Hoe langer je aan het woord blijft des te meer macht heb je, denken ze. Vrouwen zijn korter van stof, zij vergaderen zakelijker.'

Waar wind je je wel over op?

'Over de managerscultuur van tegenwoordig die als een plaag witte maden over het land trekt. Je ziet de hufters op allerlei plekken binnenkomen en die halen weer andere hufters binnen. Mensen die niks kunnen, veranderingsprocessen beginnen en de zaak in wanorde achterlaten. Directeuren die nieuw binnenkomen en onmiddellijk het meubilair in de directiekamer laten vervangen. Alles moet anders, alleen maar om hun pis tegen de muur achter te laten.'

Is dat typisch mannelijk?

'Meestal zijn het mannen, omdat de emancipatie nog niet ver genoeg is gevorderd, maar ik vrees dat dan mannen en vrouwen in gelijke mate slecht zijn!'

Je hebt in Puttershoek de watersnoodramp van 1953 meegemaakt.

. 'We woonden aan het water, aan de dijk. Midden in de nacht werden we wakker door de storm, een bulderend lawaai, de klokken luidden, het licht was uitgevallen. Wij hebben ons aangekleed en zijn naar buiten gegaan waar het hartstikke donker was. Het water stroomde al over de rand van de betonnen waterkering en op de rivier zag je metershoge golven. 's Gravendeel, een dorpje verderop, is weggevaagd, veel mensen zijn verdronken. Ik was niet bang, het was spannend, je bent te jong om te beseffen wat er aan de hand is. De volgende morgen ging ik samen met mijn broertje kijken bij de polders, daar zagen we opgeblazen koeien drijven en dode mensen die uit het water werden gevist. Mijn broertje is huilend naar huis gegaan.'

Zijn die ervaringen bepalend geweest voor je opvattingen over hoe Nederland het water buiten moet houden?

'Ja. Ik herinner me de bouw van een waterkering in Nieuwe Waterweg die bij zware storm dicht zou gaan om zo het hele achterland te beschermen. Fantastisch. Mijn toenmalige collega's vonden dat dijken verhoogd moesten worden, dat was beter voor de positie van de waterschappen. Maar het ging om de veiligheid van de mensen! Ik heb die ramp meegemaakt, ik heb het water zien komen. Je gaat toch niet om politieke redenen zo'n waterkering tegenhouden? Het ding is er gelukkig toch gekomen.

Ik kijk door het werk bij de waterschappen heel anders tegen dit land aan. Je ziet overal de gemalen en de dijken, en je beseft dat Nederland een kunstmatig land is. Als de Zwitsers besluiten om weg te gaan en ze komen tien jaar later terug, ziet alles er nog hetzelfde uit. Als Nederlanders dat zouden doen, is het halve land verdwenen, allemaal onder water.'

Je hebt zes boeken over de oorlog geschreven. Waar kwam die belangstelling vandaan?

'Ik ben van 1942, ik heb de oorlog meegemaakt, maar ik weet er niks van. Een soort inhalen van de schade, denk ik. Bij ons in Puttershoek stond een v1-installatie, de v1's werden naar Antwerpen afgevuurd, maar dat ging lang niet altijd goed en soms draaiden ze en sloegen ze in de buurt in. Mensen in de buurt zijn gedood, ik had ook getroffen kunnen worden. De oorlog en met name de ideeën over goed en kwaad boeien me buitengewoon. Ik weet ook niet aan welke kant ikzelf terecht zou komen. Wat zou ik gedaan hebben om mijn hachje te redden? En als ik joods was geweest had ik niet meer geleefd of was ik een onderduikkind geweest.

Daarbij was er weinig geschreven over de periode direct na de oorlog. Dat intrigeerde me. Ik heb in 1974 een boek over de afrekening met landverraders geschreven. Ik was de eerste die erover schreef. De mensen die fout waren zijn na de oorlog enorm slecht behandeld, mishandeld en in een aantal gevallen zelfs vermoord. Dat is een zwart hoofdstuk in onze geschiedenis. Mijn boeken hebben niet geholpen, want het beeld dat we het allemaal geweldig hebben gedaan bestaat nog steeds, daar is niet tegen op te boksen.'

Het lijkt alsof je liefhebberijen belangijker zijn geweest dan je werk.

'Ja, dat klopt. Als ik in een land had geleefd met een groot taalgebied, had ik die baan er niet bij gedaan, dan had ik misschien kunnen leven van mijn boeken.'

Ben je minder ambitieus dan Cisca?

'Ik ben wel ambitieus maar niet in de zin van een carrière. Ik interesseer me voor enkele dingen en daar probeer ik wat van te maken. Het feit dat ik boeken heb geschreven betekent wel dat ik ambitie heb. Anders begin je er niet aan. Ook met Liszt. Ik wilde dat hij weer gespeeld zou worden en ik had de ambitie van het Liszt-festival een internationaal topconcours te maken. Dat is gelukt.'

Cisca treedt op in het openbaar, ze is een publiek figuur. Ben je wel eens jaloers?

'Nee, ik ben niet geschikt voor openbaar optreden. Daar ben ik te verlegen voor. Ik regel dingen op de achtergrond, laat anderen maar schitteren. Ik vind het knap van Cisca. Vorige week las ze voor een zaal vol mensen een hartstikke leuke column voor, dat zou niks voor mij zijn.

Knap vind ik ook haar enorme vakmanschap en discipline. Zij gaat om negen uur achter de computer zitten en om twee uur is het verhaal klaar. Ik zou eerst nog klusjes doen, een uurtje pianospelen, ik ben niet zo gedisciplineerd.'

Waarin verschillen jullie nog meer van elkaar?

'Ik denk dat ik relativerender ben. Ik zie ook minder snel beren en leeuwen op de weg. Ik ben niet zo emotioneel, dat hoort niet bij mij, dat is een taakverdeling tussen ons. Cisca zorgt voor de emoties, haha.'

Maar sentimenteel ben je wel?

'Dierenfilms op tv, honden die achtergelaten worden, poezen die mishandeld worden, dan springen me de tranen in de ogen.'

Huilen bij beesten dus.

Lachend. 'O ja, van mensen kan ik alles hebben, maar zielige beesten die in de kou staan, vreselijk.'

November 2005, *Geke van der Wal*

EINDSCORE: +5

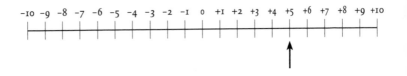